HISTOIRE DU ROMAN POPULAIRE EN FRANCE

DU MÊME AUTEUR

Romans

ISOLINA (Promotion et Édition)
LE VOISIN (Cahiers du Nouvel Humanisme)
JULES VERNE ET LE ROMAN POPULAIRE (Cahiers de l'Herne, Jules Verne)

En préparation

ORIGINES MAGIQUES DU ROMAN POLICIER. 1820-1870
PAUL FÉVAL
LA COMTESSE DYNAMITE (roman)

Yves Olivier-Martin

Histoire du
roman populaire
en France

de 1840 à 1980

Albin Michel

© *Éditions Albin Michel,* 1980.
22, rue Huyghens, 75014 Paris.

ISBN 2-226-00869-1

Sommaire

Introduction,   9

I. NAISSANCE. 1840-1870

Origines du roman populaire,   27
Paul de Kock et ses disciples,   43
Eugène Sue,   59
Frédéric Soulié,   73
Les héritiers de Kock et de Sue,   81
Les lendemains de 48,   91
Rocambole et la suite,   101
Paul Féval,   115
Essor du roman féminin,   127
Du rire au crime,   137

II. MATURITÉ. 1870-1920

Entre l'alcôve et le taudis,   149
Du naturalisme au mélo,   163
Triomphe du larmoyant,   177
Triomphe du larmoyant (suite),   189
L'héritage du mélo,   201
Le roman de l'énergie,   217

III. DÉCADENCE. 1920-1928

Delly,   233
Guy des Cars,   251

Conclusion,   267
Brève chronologie,   273
Bibliographie,   277
Index des auteurs,   285
Index des œuvres,   292

Introduction

MULTIFORME, complexe, prolongeant longtemps dans l'esprit du lecteur son pouvoir d'envoûtement, de remodèlement d'innombrables vies, le roman populaire, le feuilleton épique, toujours moral, c'est tout un ensemble de personnages que les lecteurs portent en eux, c'est l'enfance revenant au doux foyer apporté par le texte. Vers les lectrices fascinées surviennent les représentations de l'homme rêvé : le fiancé, beau et riche, ou pauvre et honnête, c'est l'époux fidèle et sobre. Les lectrices feront leur choix entre le séducteur lâche et riche, le sauveur intrépide et pauvre, elles-mêmes seront la victime ou son opposante, recherchées et piégées par le séducteur comme par le sauveur. Elles céderont tantôt à la répulsion que leur inspire le bourreau-des-cœurs, tantôt au magnétisme du protecteur, éternellement beau, jeune, triomphateur certain du Mal, du Malheur. Parfois, le sauveur sera aussi le séducteur, à la fois bon et mauvais, et c'est dans cette complexité ou gradation des caractères que se refléteront l'attente des lectrices, leur soif de bonheur, d'amour, de richesse, pour les ouvriers, les midinettes, les vendeuses, les petits bourgeois, le peuple, en un mot, au terme du processus d'uniformisation des conformismes et des couches sociales représentées : conformismes bourgeois ou populaires, lecteurs de l'élite ou lecteurs populaires.

Les héroïnes de fiction, la bonne et la mauvaise, sont obligées, comme les lectrices qui s'identifient à elles, de composer avec les riches et avec les pauvres, les mauvais riches et les bons pauvres; ce sont ces compromis que les bourreaux passent sans cesse avec leurs victimes et les justiciers, et c'est cette impossibilité de devenir semblables aux autres qui font la dimension féerique du feuilleton populaire, du roman pour

Margot. Ces feuilletons, ces romans, nous montrent, avec nos faiblesses, la part irréductible de notre personnalité, qui s'enracine dans l'inconscient des désirs. Ce qui transforme la portée humaine du roman populaire, devenu un phénomène social et sociologique, car le message des auteurs répond à des masses énormes de lecteurs, éprouvant les sentiments les plus divers, et ce qui fait que l'histoire du roman populaire se confond avec celle du roman-feuilleton, formidable nouveauté culturelle du XIXe siècle.

Littérature pour les femmes ou littérature des femmes?

Avant d'entreprendre cette étude, je me posai une première série de questions :
— De quelle littérature s'agissait-il? Ou de quelle paralittérature?
— A quel public s'adressait le « roman populaire »? Était-il destiné à un public essentiellement féminin, ou féminin et masculin?
Le roman populaire, phénomène culturel du XIXe siècle, constituait-il un ensemble narratif, ayant ses lois particulières? L'expression de « roman de la portière », apparue, semble-t-il, vers 1830, quelques années avant la publication du *Roman chez la portière* d'Henri Monnier (1855) en faisait un phénomène historiquement daté.
Ce « roman de la portière » est-il une littérature pour les femmes ou une littérature des femmes? Est-il féministe ou est-il rattaché à la morale masculine du bon ton, c'est ce que je m'efforcerai de dégager durant cette étude. Un point important est déjà à noter : le roman populaire fut lié au besoin de culture des masses populaires exclues de la culture de l'élite. Le roman populaire ne fut pas principalement pris en relais par la presse féminine du XIXe et du XXe siècle. Histoire des goûts, des mentalités, il recouvre plusieurs ensembles : le roman-feuilleton, récit découpé en tranches dans les quotidiens, les périodiques ou sous forme de fascicules, le roman en « collection de bibliothèque » et en collection populaire à bon marché. L'étude de ces divers moyens de diffusion est donc celle du public, l'histoire de la conquête d'un public, dont les femmes furent progressivement les principales destinataires. A la fin du XIXe siècle, on ne visait presque plus que les femmes, en fonction des nouveaux moyens de diffusion : collections populaires à très bas prix. Le roman populaire est donc lié à l'accession progressive des femmes à la lecture. Une partie du public (paysans, ouvriers, petits

bourgeois) était analphabète. Le premier lycée de jeunes filles bourgeoises ne sera ouvert qu'en 1881, à Montpellier.

Le roman populaire : littérature ou sous-littérature?

Le roman populaire est-il ou non un phénomène de littérature? En quoi est-il un genre populaire, donc distinct de la littérature générale? Ce terme de « roman populaire » est péjoratif. Il a été longtemps exclu de l'histoire et de la critique littéraires. Jusqu'à nos jours, le roman populaire est considéré comme étant de la mauvaise littérature, de la sous-littérature, par opposition à la « bonne » littérature, réaliste et d'analyse.

En 1840, le marquis de Launay écrivait dans sa préface à un roman de Mme Charles Reybaud, *Thérésa* : « La littérature, renonçant à l'humiliation du protectorat seigneurial, a voulu conquérir son indépendance.

« Auparavant, le grand monde était la Cour, la bourgeoisie ne comptait pas. Hors de la Cour, il n'y avait plus rien...

« Aujourd'hui on cherche à étouffer dans un carcan de fer la dignité et la portée de cette noble branche de l'esprit humain. On veut la réduire à l'amusement insignifiant de chaque jour. » De Launay opposait la littérature générale, aristocratique et poétique, qui élève l'âme, à la littérature populaire avilissante et immorale. Pendant longtemps, l'Église et divers autres groupes de pression (d'origine politique, notamment, ou venant d'une fraction de l'élite culturelle) ont exclu le roman populaire de la littérature générale, en raison de son « immoralité ». Ce grief ne me semble pas fondé : le roman populaire peut être aussi immoral que le roman littéraire. La principale différence entre ces deux formes de littérature est que le roman populaire constitue l'accès à une réalité rêvée, transmuée en fonction des désirs d'évasion, de justice et d'idéal des auteurs et des lecteurs, et articulée autour de la lutte du Mal et du Bien, du bonheur et du malheur, de l'amour et de la haine.

Comment peut-on définir le roman populaire? Il se distingue d'abord du roman historique ou de « cape et épée », car le roman populaire décrit la lutte du Mal et du Bien dans le présent, la société contemporaine des auteurs et des lecteurs, alors que dans le roman historique le combat des deux forces est reporté dans le passé. Le lecteur de romans historiques revit le passé au présent, le lecteur de romans populaires cherche à s'identifier aux personnages et décors qui lui sont peu connus, il reçoit une explication de la société des XIXe et XXe siècles. Le lecteur de romans populaires s'identifie à des personnages contemporains, et non pas à des personnages historiques. Il a accès à un monde qu'il ignore plus ou moins, à une « règle du jeu » social vécue en fonction du présent, et non pas du passé.

Une autre différence de nature entre le roman populaire et le roman historique, c'est que les héros des romans historiques, ceux de Walter Scott comme ceux de Frédéric Soulié, auteurs du XIXe siècle, sont des personnages secondaires, des individus moyens, médiateurs entre le peuple et les grands. Le roman populaire présente sous une forme distrayante, dramatique et colorée, l'existence et les problèmes de classes populaires et de groupes sociaux non dépeints jusqu'au début du XIXe siècle : l'ouvrier, et aussi les autres groupes (nobles, paysans...), et qui donna lieu à des romans de mœurs ou sociaux.

Le roman, façon « croix-de-ma-mère », se distingue du roman policier et d'énigme, car il traite plutôt de l'évolution des sentiments, des mœurs, des conflits sociaux; souvent, lorsque l'énigme intervient, l'énigme criminelle, il s'agit d'une énigme secondaire, d'une énigme d'identité (mystère autour de la naissance du héros ou de l'héroïne, voire du séducteur). Dans le roman policier, la recherche des coupables constitue le moteur principal de l'intrigue, son essence, sa raison d'être.

Le roman populaire est-il distinct du roman d'aventures humoristiques et accessoirement grivoises? Il n'existe pas de différence de nature entre ces deux types de roman, si ce n'est une différence de public, les lecteurs du roman humoristique constituant un public masculin, alors que les femmes préfèrent le roman d'amour. Le roman populaire et le roman humoristique, traitant des mêmes thèmes, ont les mêmes structures; ils ressortissent tous deux au genre sentimental, d'évasion. Jean Tortel (*Entretiens sur la paralittérature,* Plon, 1971) a exclu le roman comique de l'univers du roman populaire, car il ne représenterait pas un univers tragique. En fait, il vaut mieux se reporter à l'identité des structures et des thèmes : les fictions dites « graves » de Frédéric Soulié, de Sue ou de Guy des Cars, les œuvres dites « légères » de Paul de Kock ou de Robert Métais ont une origine commune. Surtout leurs lecteurs, masculins ou féminins, recherchent tous le dépaysement, l'évasion à travers la description d'aventures sentimentales.

Le roman populaire est un type de fiction qui parle du peuple au peuple, mais cette littérature n'est pas produite par le peuple : hormis quelques exceptions (Michel Masson pour l'époque romantique, Alexis Bouvier pour la fin du XIXe siècle), elle fut réalisée le plus souvent par des bourgeois et des nobles. Le roman populaire n'est pas intrinsèquement une littérature d'évasion, il n'est pas gratuit car il est peuplé de symboles et de mythes : il ne traduit donc pas pour le lecteur un abandon du réel, mais une sublimation, comme le montrera mon étude des thèmes de la littérature sentimentale. La littérature populaire exprime une sorte de rêve éveillé et collectif, un rêve mettant en cause les pulsions les plus secrètes du lecteur en même temps que son identité sociale. Le roman populaire forge une idée neuve du « peuple » et devient populaire parce que ses lecteurs y découvrent leur identité, recréent le peuple en se lisant. L'histoire du genre se confond avec celle de cette idée-force de « peuple », une nébuleuse, un mythe, coloré d'un mysticisme chrétien (le Paradis, l'Enfer, la rédemption, l'amour des humbles).

Construit dans la perspective de l'inouï dépaysant, mais non irrationnel, car une explication résout toujours le mystère le plus épais, c'est un ensemble de mythes adressés aux membres des classes populaires mais aussi bourgeoises, à travers lequel les lecteurs s'identifient aux types éternels de l'âme humaine, mais déformés, magnifiés, sous les différentes orientations de la mode, des impératifs commerciaux de l'édition. Surtout, le genre est populaire par son destinataire, le peuple, masse encore informe et inculte au début du XIXe siècle, ce peuple qui a un goût naturel pour les personnages simplifiés et les événements compliqués, pour les émotions violentes, les caractères extrêmes, les couleurs crues et les drames effroyables. Le roman populaire se doit donc de frapper le plus fort possible l'imagination et la sensibilité du public : il parle à l'imagination, à la sensibilité, et surtout aux nerfs. Ma méthode d'étude de l'évolution des structures et des archétypes de la littérature populaire n'a de sens que si on envisage le genre comme un faisceau de symboles, relevant d'une interprétation beaucoup plus sociologique que psychanalytique [1].

Mythologie, le roman populaire l'est de par son essence même, puisqu'il rassemble les pulsions des auteurs et de leurs lecteurs : l'espace mythologique que représente le genre répond à la soif de sacralisation, de divin au sein d'une société déchristianisée, amputée, depuis la Révolution, de la relation établie entre Dieu et le Roi, son interprète et son lieutenant sur Terre auprès des hommes. Les lecteurs observent une sorte de foi religieuse envers les personnages les plus marquants du genre : Rodolphe, Monte-Cristo, Rio Santo, Fantômas. L'espace mytho-

1. *Cf.* Pierre Brochon, « La littérature populaire et son public », *Communications,* n° 1, 1962.

logique du roman populaire consacre en tout premier lieu la prééminence de la ville industrielle, Paris, comprenant ses Enfers et ses Paradis, ses taudis, ses bouges et ses hôtels luxueux; véritable labyrinthe, truqué de caches, de souterrains, de catacombes, de passages secrets, labyrinthe formant le pivot de l'intrigue, lieu privilégié de l'aventure, doté d'une vie intense, « animale » selon Jean-Louis Bory[1].

Cette « géographie mythologique » (Jean-Louis Bory) est violemment contrastée : sans cesse s'affrontent l'hôtel particulier, symbole d'impureté, de jouissances, et la mansarde (celle de *Jenny l'ouvrière,* symbole de la misère honnête, du sordide dans la pureté). On rencontre aussi les bouges, les geôles, les hospices, les catacombes. Paris est « la capitale de la géographie mythologique du roman populaire » (Jean-Louis Bory). La géographie mythologique nécessite l'intervention d'une faune mythologique : la victime suscite l'angoisse, la pitié; le monstre, le dégoût, la haine, l'effroi (la femme fatale, dévoratrice et dévorée par ses excès mêmes; le vil séducteur, riche oisif ou usinier débauchant ses ouvrières). Le héros accapare l'admiration, l'envie, la crainte, il guerroie à la place du lecteur, c'est en lui que s'identifie, que s'idéalise l'homme moyen : le héros est un marginal, au-dessus de la loi commune, un solitaire, « affirmé face à la société et souvent contre elle » (Jean-Louis Bory). Surhomme, demi-dieu, hors la loi commune de par son essence même d'être d'exception, il jouit de la toute-puissance que lui procure l'argent (Rodolphe, Rio Santo). Il est doté de tous les attributs de la toute-puissance : ubiquité, invisibilité, possession d'identités multiples. Justicier, le surhomme défend les faibles contre leurs oppresseurs (Monte-Cristo, Rodolphe, Rio Santo). Toujours masqué, car son incognito prépare dans le mystère d'une « traversée des ténèbres » la re-naissance du héros (Jean Tortel, *Entretiens sur la paralittérature, op. cit.*), toujours insoupçonnable, le surhomme se démasque à la fin pour châtier le Mal et récompenser le Bien.

L'entrée en scène finale du héros permet le rétablissement de l'ordre troublé par l'invasion du Mal, la Justice est rétablie, justice qui se manifeste essentiellement par la reconnaissance (père et fille) et la vengeance. La fin n'est pas nécessairement heureuse. Le roman populaire de l'époque romantique est fortement coloré de socialisme : les victimes sont des ouvriers, des filles-mères souvent privées de leur emploi par suite de leur grossesse, des filles du peuple contraintes à la prostitution à cause de la misère, des paysans; les persécuteurs sont le gandin, le

---

1. *Tout feu tout flamme,* Julliard, 1966.

patron, le propriétaire; l'usurier, à la solde des puissants. Le Paradis est accessible sur la terre.

Le roman populaire façonne plus ou moins profondément les mentalités de ses lecteurs en leur présentant un monde sublimé, dans lequel la réalité quotidienne est sans cesse filtrée par le rêve, par la revanche des faibles sur les forts. La littérature populaire traduisit tout au long de son histoire les désirs d'accession à la domination de la société, à l'identité sociale, de classes exclues de la société : le peuple (ouvriers sans travail ou au salaire insuffisant, paysans), mais aussi les petits bourgeois semi-prolétarisés, les artisans, les êtres au statut juridique flou ou injuste (mendiants, miséreux, filles-mères, forçats, victimes d'erreurs judiciaires ou d'internements abusifs, enfants naturels, etc.).

Étant souvent, au siècle dernier, le seul moyen d'instruction des classes laborieuses (d'abord « dangereuses », au temps de Sue, c'est-à-dire risquant de menacer l'ordre public), le roman populaire est une littérature bon marché, publiée sur papier « chandelle », tirée à un grand nombre d'exemplaires.

Tragique ou comique, le genre eut une même origine, car il fut issu du mélodrame et du roman anglais du milieu du XVIIIe siècle, comme du roman « noir » anglais de la fin du même siècle. Le roman d'amour moderne a été inauguré par Samuel Richardson, rénovateur de la technique du roman par lettres : *Paméla ou la Vertu récompensée* (1740), et *Clarisse Harlowe* (1747-1748). La technique épistolaire permit à Richardson d'analyser en profondeur les motivations de ses personnages. Le schéma du récit est simple, il s'agit d'un art descriptif; l'action dramatique naît d'un thème édifiant : l'ascension amoureuse et sociale d'une humble servante qui épouse un homme riche après avoir triomphé de nombreux obstacles.

Dans *Clarisse Harlowe,* la vertueuse et angélique héroïne s'oppose au vicieux et satanique Lovelace, prototype du séducteur qui apparaît dans tous les romans d'amour. C'est ici encore la relation de la victime et du bourreau, la lutte menée par la victime pour échapper au séducteur, symbole du Mal.

Le roman populaire est issu aussi du mélo, du drame à la Pixerécourt, comme du roman « noir » ou terrifiant illustré par Ann Radcliffe, Lewis, Maturin, Ducray-Duminil; traduit avec une tendance plus nettement moralisatrice et édifiante par les œuvres de Mme Cottin : *Mathilde* (1815), *Claire d'Albe* (1821). Destinés à un public féminin, aristocratique et bourgeois, les romans de Mme Cottin synthétisent les structures et les thèmes du roman noir : mal-mariées, mariées séquestrées par leurs époux, rivales meurtrières, mortes et vivantes, ermites par désespoir d'amour. C'est un dérivé de la formule anglaise : « Boy meets girl – Boy looses girl – Boy gets girl. »

Les structures sont celles du roman populaire des XIXᵉ et XXᵉ siècles, construction du récit autour de trois personnages principaux : la victime, le sauveur, le séducteur. L'intrigue repose souvent sur des conflits de sentiments aux prises avec les convenances sociales.

D'abord plus ou moins sorti du giron du préromantisme et du romantisme, avec des romancières comme Mᵐᵉˢ Cottin ou Louis Reybaud, puis incantatoire et fabuleux, avec Eugène Sue, grivois et comique avec Paul de Kock, le genre s'ouvrit au plus large public avec l'avènement du roman-feuilleton, débité en tranches dans les journaux quotidiens à relatif bon marché : *La Presse* d'Émile de Girardin et *Le Siècle* de Dutacq, nés tous deux en 1836. Le feuilleton devient un phénomène inouï de lecture collective, d'appréhension par les auteurs – Sue, Soulié – de tous les courants de la sensibilité populaire. Sue, Soulié, Kock, sont les auteurs les plus représentatifs du genre, pour la période 1840-1860. Le dénouement heureux consacrant le rétablissement de la norme troublée par le Mal ne devient une règle de l'univers romanesque populaire que lorsque le peuple a « atteint les niveaux psychologiques de la bourgeoisie » (Jean-Louis Bory). C'est donc la fin du roman socialiste des années 1840-1850. Naît le roman « bourgeois » qui entend rassurer et non plus essentiellement dépayser, le désir de vraisemblance « facilitant l'identification l'emporte sur la psychose de l'héroïsme » (Jean-Louis Bory). Ce qui compte désormais pour le lecteur, féru d'un certain réalisme, c'est la crédibilité, et non plus la croyance aveugle au surhomme; le héros devient humain, il cesse d'être un demi-dieu gravitant dans un monde féerique mais un petit bourgeois membre d'une classe en constante ascension sociale, rêvant de choses accessibles. La recherche de la toute-puissance dégénère dans la possession d'une femme ou la conquête d'une situation; le justicier-surhomme devient l'amant querelleur, la femme fatale une catin, le traître un rival, le roman populaire deviendra roman d'amour à partir de 1880. Ce roman populaire embourgeoisé quitte les fictions échevelées pour le réalisme, comporte une fin heureuse obligatoire, devient un serviteur complaisant de l'ordre établi, il n'y a pas pour le lecteur, homme moyen, de solution collective. C'est le « Dieu est bon! » de *La Porteuse de pain*.

Ce roman populaire « bourgeois », davantage lié à la défense des valeurs bourgeoises, conformiste, et non plus révolutionnaire, comme avec Sue, accentuera son évolution conservatrice, d'abord, entre 1860 et 1870, avec Ponson du Terrail et Paul Féval, puis, après la défaite de 70, le genre deviendra cocardier, antisémite, encore davantage conformiste, quoique décrivant toujours des personnages issus du peuple et des conflits sociaux : Xavier de Montépin, Jules Mary, Eugène Chavette, furent les auteurs marquants des années 1870-1900. Pierre Decourcelle et Daniel Lesueur illustreront les archétypes de la sensibilité « populaire » durant les années 1900-1920, ils s'adressent à un public surtout bourgeois.

A partir de 1920 s'ouvre une nouvelle ère, l'ère psychologique, rapprochant le genre des procédés de construction des romans « littéraires ». Cette nouvelle période sera illustrée par une série de romancières féminines (Delly, Max du Veuzit), puis par Guy des Cars.

Une remarque importante, pour conclure ce rapide survol historique : les romans populaires furent écrits à l'origine (à la fin du XVIIIe et au début du XIXe siècle), par des femmes : Mmes Cottin, Riccoboni, Aycard. Cette première période, la préhistoire du genre, est celle de l'affirmation des aspirations sentimentales de la femme. Ces aspirations furent ensuite, entre 1840 et 1900, essentiellement décrites par des hommes. Le roman populaire s'émancipe vraiment lorsqu'il devient un genre proprement féminin, destiné à un public surtout féminin.

Mon but étant une histoire du roman populaire en France, de 1840 à 1978, j'avais le choix entre plusieurs méthodes : une étude du contenant ou une étude du contenu. Une étude du contenant, celle des moyens de diffusion, de tout ce qui concourt à la création romanesque ou influe sur elle. La création d'archétypes étant le fait d'un travail collectif, le produit d'un système socio-économique. Ou une étude du contenu : une analyse de caractères et un rapprochement des thèmes (sans oublier l'étude des interventions du lecteur dans l'élaboration du roman : ces interventions ont pu être examinées dans le cas de Sue et de Ponson du Terrail, mais il est malaisé de le faire pour d'autres auteurs, faute de documents).

La création d'archétypes est « le fait d'une élaboration collective, et non point d'une élaboration consciente, le terme d'une évolution... » (Francis Lacassin, *Entretiens sur la paralittérature, op. cit.*). Une étude de ce processus doit envisager tout ce qui concourt à la création ou influe sur elle : techniques de fabrication, impératifs commerciaux, pression de l'actualité, préoccupations du public.

Devais-je envisager une histoire du roman populaire en fonction des moyens de diffusion (romans-feuilletons, collections populaires) et en fonction du public, ou destinataire? J'ai préféré exclure de ma méthode une étude des variations des goûts du public, car aucune étude n'a encore été réalisée sur le phénomène de la lecture populaire. En outre, une telle étude, une telle conception, sociologique, nécessiterait tout un ensemble de renseignements sur les groupes socio-économiques ayant eu progressivement accès à la lecture. Enfin, une étude d'un tel type nécessiterait l'emploi d'un langage particulier, assez rebutant pour le « grand public ».

J'ai choisi une histoire des structures et des archétypes du roman populaire en fonction de l'évolution globale des moyens de diffusion, car il eût été illogique d'isoler le contenant du contenu. Il sera tenu compte, dans la mesure du possible, de l'évolution des besoins et des goûts du public.

L'intérêt de ma méthode est de trouver des points de repère, des périodes clés, dans l'histoire du roman populaire. Ces périodes caractériseront le passage d'une structure à une autre, en opérant un rapprochement des thèmes et des tendances générales du genre. Ma méthode permet de suivre ainsi les mutations du genre, leurs caractéristiques, leur orientation, leur sens. Il est difficile de diviser artificiellement l'histoire du roman populaire en périodes bien distinctes les unes des autres, car il s'effectue des chevauchements d'une époque à une autre, l'évolution d'un archétype est souvent en puissance dans un archétype antérieurement daté. Afin de mieux saisir la totalité du problème, il m'a paru plus rationnel de subdiviser cette histoire en périodes correspondant à celles de l'évolution des moyens de diffusion de la lecture.

Ma méthode, une histoire des structures et des archétypes du roman populaire, a l'avantage d'envisager ce que ce foisonnement considérable de textes a pu apporter à nos mentalités actuelles, et surtout elle permet d'envisager quels sont les romans populaires encore lisibles de nos jours. Il m'a fallu opérer une sélection, parmi les récits qui nous sont le plus accessibles, ceux que nous aimons à lire et à relire. Il en est qui portent trop nettement la marque de leur époque, la pression de l'actualité, les préoccupations du public. Je les ai éliminés, car de tels textes ne sont plus que des objets culturels, utiles pour les chercheurs universitaires, les spécialistes de l'histoire du roman populaire selon des critères psychanalytiques ou structuralistes.

Or, tel n'est pas le but de mon étude. Il offre simplement l'intérêt d'offrir au lecteur moderne un choix de fictions encore pour lui riches d'émotion, d'intérêt, séduisantes, envoûtantes, lui apportant du rêve et de l'évasion. J'ai donc choisi les textes les plus en conformité avec ces critères, ceux qui présentent un caractère, un ensemble de thèmes auxquels nous aimons nous identifier. Mon étude n'a donc nul caractère scientifique ou structuraliste. Le roman populaire, ses productions les plus célèbres, c'est une nouvelle vie pour les isolés du monde moderne, les frustrés, les inquiets, recherchant une réalité autre que celle du monde contemporain.

L'étude des structures et des archétypes de temps anciens, d'un passé mort, doit en définitive offrir aux lecteurs, surtout aux lectrices, en quête d'identité et de dépaysement, la nourriture mentale, l'indispensable ballon d'oxygène permettant de mieux supporter les contraintes de la vie moderne.

PLAN

Chaque période considérée de l'histoire du roman populaire sera une période clé, articulée autour des auteurs les plus représentatifs de l'évolution du genre, et comprenant des chapitres d'inégale longueur.

L'histoire évolutive des structures est constituée par le passage du roman-feuilleton au roman populaire édité en volumes, puis en fascicules.

L'histoire évolutive des thèmes, et plus précisément des archétypes, est celle de l'identification des lecteurs aux personnages. Quels sont les personnages représentés lors de chaque étape de l'évolution du genre? Correspondent-ils à une évolution des goûts des lecteurs, ou bien s'agit-il de types stéréotypés? Les réponses données à ces questions permettront de dégager une histoire des tendances générales du roman populaire.

Après la « préhistoire » (1780-1840), période liée à l'histoire du roman « noir » anglais et du préromantisme, qui fut illustrée par Pigault-Lebrun, et, dans une moindre mesure, par Victor Ducange (les ouvrages de ces auteurs sont diffusés essentiellement par le moyen des cabinets de lecture, offrant un système de lecture à très bon marché) commence l'histoire proprement dite.

Naissance : Du héros romantique au petit bourgeois (1840-1870).

L'année 1840 est celle du début de l'industrialisation du roman-feuilleton, de sa pénétration dans l'ensemble des couches sociales françaises. Paul de Kock, quoique surtout pris en relais par les cabinets de lecture, est un des représentants les plus marquants de ce nouveau genre, un des romanciers les plus lus. L'œuvre de Paul de Kock a un contenu social, reflet de l'actualité : Paul de Kock s'inspire des faits divers à travers lesquels s'identifient ses lecteurs. Le succès imposant des romans-feuilletons de Kock est attesté aussi bien dans les classes les plus humbles que parmi la bourgeoisie. Paul de Kock trouve son support dans la presse quotidienne à bon marché, inaugurée en 1836 par les fondateurs de *La Presse* et du *Siècle*.

Kock s'adresse à un public surtout masculin. Ses romans sentimentaux tendent à ramener les conflits de caractères et de classe à des conflits individuels et moraux. La portée sociale de ses œuvres est le reflet des préoccupations du peuple et de la petite bourgeoisie, jusqu'alors non représentés dans la littérature, et entendant affirmer leur existence.

Toutefois, plus marquant encore que Kock, l'apport d'Eugène Sue reste fondamental, car il fut, à la différence de Kock, un conducteur de foules, doté d'un pouvoir incantatoire et magique, et ses fameux feuilletons humanitaires, surtout *Les Mystères de Paris* et *Le Juif errant,* influèrent profondément sur les mentalités. Sue se servit du feuilleton à des fins démocratiques, il dénonça avec vigueur les injustices de son temps. Idole du peuple, dont il fut une sorte d'inspirateur et de guide, Sue contient en son œuvre toute la mythologie du roman populaire; et aussi, il fit atteindre à ses fictions une dimension universelle, qui déborde largement le contexte d'une actualité défunte. Sue, mort en 1857 à 53 ans, reste le seul cas d'auteur magique, de feuilletoniste à la fois écrivain et refaiseur du monde. Sue comme Victor Hugo frappent et émeuvent de nos jours, avec la même vigueur qu'ils le firent en leur temps.

Frédéric Soulié (1800-1847) dans un moindre rayonnement que Sue influa profondément le feuilleton de cette période romantique des années 1840. Tout comme Sue, il dut affronter de violentes attaques du genre, menées par le Pouvoir et par l'Église. Le roman-feuilleton, durement taxé en 1850 par la loi Riancey, faillit disparaître du rez-de-chaussée des journaux.

Vers 1855, le roman populaire tend de plus en plus à devenir « bourgeois », il rassure, il devient, notamment avec Ponson du Terrail, une sorte d'outil du Pouvoir. Ponson du Terrail (1824-1871) apporta des fictions évitant complaisamment toute critique sociale, mais qui eurent le don de captiver les foules. Auteur prolixe, mauvais écrivain, Ponson du Terrail, hormis la série des *Rocambole,* reste peu lisible.

Virginie Ancelot et Clémence Robert furent les concurrentes les plus célèbres durant cette nouvelle période qui va de 1855 à 1870.

La librairie populaire à bon marché diffuse les œuvres de ces auteurs ; les collections de Degorce-Cadot véhiculent des romans populaires à deux sous, en raison de la disparition des feuilletons à succès. Chavette s'oppose à la description manichéenne de l'univers représenté par Ponson du Terrail. Paul Féval (1816-1887) fut un des auteurs les plus célèbres du temps du Second Empire. Conservateur, parfois tenté par la critique sociale, doté d'un style plus recherché que celui de Ponson, il accentue l'évolution du genre amorcée par Ponson du Terrail : alors que sous Louis-Philippe, le roman populaire à la Sue exaltait lyriquement la toute-puissance du héros, le roman d'évasion devient le serviteur d'un ordre établi. Toutefois, Clémence Robert a amorcé une évolution des thèmes vers des thèmes encore influencés par le socialisme de Sue.

Maturité : Un genre conformiste (1870-1920).

A partir de 1880, Jules Mary et Xavier de Montépin, relayés par Émile Richebourg, donnent au genre une nouvelle coloration, préférant, surtout avec Montépin, les intrigues criminelles, les histoires d'adultère ou de captations d'héritage, aux grandes fresques sociales. Mais le thème de l'erreur judiciaire est au centre de l'œuvre de Mary. C'est le triomphe du « roman de la victime ». Tout tourne autour de l'Argent, à la fois corrupteur et occasion de rédemption. Les filles du peuple deviennent marquises, l'ascension des victimes de la société est le corollaire de la chute de leurs oppresseurs.

Si Georges Ohnet s'inspire largement de l'actualité contemporaine, en faisant la partie belle au monde de l'argent, son œuvre ne contient pratiquement aucune critique sociale : il représente le courant idéaliste, assez proche de la technique narrative et des thèmes apportés par Octave Feuillet. Ce courant idéaliste trouvera son achèvement et son paroxysme avec Delly.

Dans le domaine de la librairie, les années 1870-1880 sont marquées par un soudain essor des publications en fascicules, qui concurrencent nettement le roman-feuilleton. De nouvelles maisons d'édition se consacrent uniquement à la publication de romans populaires : c'est le cas de Rouff. Les éditions Arthème Fayard, nées vers la fin du Second Empire, concurrencent Rouff, puis Ferenczi et Tallandier.

Le roman populaire s'ouvre plus largement qu'auparavant à des auteurs féminins : c'est le cas de Pierre Ninous, assez fidèle disciple de Sue, républicaine et socialiste, un des auteurs les plus lus durant les années 1880-1890. L'héroïne entend assumer son propre destin : l'évolution du genre le rapproche des thèmes féministes illustrés par Louise Gagneur. Les thèmes marquants des œuvres de Pierre Ninous offrent certains traits communs avec ceux développés par Paul de Kock, ou Dennery : orphelin à la recherche de son identité, la recherche de l'identité se double souvent d'une intrigue policière à caractère accessoire.

A partir de 1900, l'essor de la presse populaire atteint le plus large public : les feuilletons quotidiens des « quatre grands » *(Le Petit Journal, Le Petit Parisien, Le Matin, Le Journal)* sont lus, surtout par un public féminin. *Le Petit Journal* fit notamment la fortune de Richebourg et de Mary.

Pierre Decourcelle est l'auteur le plus représentatif du début du XXe siècle. Ses romans sont publiés dans les collections populaires de Fayard : le volume à 65 centimes, ou à 40 centimes, a pris le relais des romans parus en fascicules, durant la période recouvrant les années 1875 à 1900.

On assiste à un certain essoufflement du genre, entre 1900 et 1914. Pierre Decourcelle illustre le mieux cette période. Les structures de ses romans, épaisses fictions écrites à la va-vite, sont celles du roman à épisodes, du roman-fleuve, mettant en conflit des intrigues parallèles à l'intrigue principale. Il consacre l'épuisement du roman articulé autour du héros tout-puissant : la recherche de l'identité s'articule plus nettement autour de la victime et du sauveur, qui n'est plus le justicier enrichi au détriment de la ruine du séducteur, comme avec Jules Mary. *Gigolette* consacre le triomphe de l'innocence et de la vertu persécutée, dans la tradition du roman psychologique et sentimental du début du XIXe siècle.

Daniel Lesueur concurrença Pierre Decourcelle dans la conquête du public féminin. Par la conception d'héroïnes viriles et intrépides, bravant les interdits sociaux, l'inégalité de leur condition de femmes, elle rompit décidément avec la tradition du « roman de la victime » et eut ainsi le mérite de donner à ses héroïnes des traits modernes : *Nietzschéenne* annonce déjà nettement *La Garçonne* émancipée des années vingt. Par ailleurs, c'est vers 1900 que Jean de La Hire commença de se faire un nom, avec des ouvrages assez maniérés, des romans mondains. Il deviendra un auteur populaire avec *La Roue fulgurante*.

La guerre de 1914 provoque l'essor du thème de l'héroïne virile ; et du sauveur en lutte contre le Mal, représenté par des financiers international ou des nouveaux riches. La fusion des classes antagonistes (nouveaux riches contre nouveaux pauvres) s'effectue sous forme de relations sexuelles entre la victime et le séducteur. Arthur Bernède est le romancier le plus représentatif de cette époque intermédiaire.

Décadence : L'ère psychologique (1920-1977).

Les Delly, le frère et la sœur, publiés dans les collections à bon marché de « La Bonne Presse », puis par Flammarion, sont les auteurs les plus caractéristiques d'une époque marquée par l'expansion du féminisme. Le xixe siècle est mort en 1920. Les œuvres de Delly traduisent la permanence d'un courant idéaliste, leurs romans sont des féeries, aussi peu que possible liées à l'actualité contemporaine : dépaysantes, faisant oublier les duretés de la vie moderne, elles connurent et connaissent encore un succès inouï.

Au début des années 1940, apparut Guy des Cars, aussi vilipendé par les critiques que le fut en son temps Pierre Benoit. Le romanesque, chez Guy des Cars, contrairement à Delly, s'alimente dans une actualité reflétant largement l'évolution des mœurs. Malgré qu'il n'hésite pas à aborder des thèmes scabreux, Guy des Cars est rapidement devenu l'auteur pour tous publics.

I

Naissance :
Du héros romantique
au petit bourgeois
1840-1870

CHAPITRE PREMIER

Origines du roman populaire

L E roman populaire, sous sa forme spécifique de roman-feuilleton, est un type nouveau de lecture qui apparaît en France au début du XIXᵉ siècle.

Que lisait-on à cette époque?

Qui lisait?

Quels furent les débuts du roman-feuilleton dans la presse?

Voici les premières questions que je me posais avant d'examiner l'histoire du genre. Quand on envisage d'étudier de nos jours la lecture des Français, les premières questions qui nous viennent à l'esprit sont : Quels livres sont lus? Quels journaux ou revues? Mais si on s'interroge sur la lecture au XIXᵉ siècle, ces questions sont insuffisantes pour rendre compte des lectures des différentes classes sociales de la France.

Le livre a, au début du XIXᵉ siècle, un tirage très restreint. Il est d'un prix excessif, inabordable pour les gens disposant de peu de moyens financiers; il reste donc l'apanage d'une classe privilégiée, d'une élite numériquement peu élevée. L'in-8° se vend en moyenne 7,50 francs (prix de l'époque). Souvent, un roman se débite en quatre volumes in-8°.

Le livre à bon marché n'existe donc pas, et, depuis la Révolution, qui proclame le droit de tous à l'instruction, un large public populaire a soif de lecture, de culture. C'est cette soif immense que le roman populaire satisfera, et c'est là un des principaux mérites du genre. L'éditeur Gervais Charpentier provoque un effondrement des prix, et une révolution dans l'édition, quand il lance en 1838 une collection de volumes in-18 à 3,50 francs, concernant la matière d'un livre in-8° ordinaire : Charpentier ne publie pas des romans populaires, mais des nouveautés littéraires.

A la suite, notamment, de l'initiative prise par Charpentier, l'édition change de physionomie après 1840 : on constate d'abord une désaffection pour les nouveautés littéraires; les tirages des volumes à 7,50 francs sont de 500 exemplaires en moyenne, quand il s'agit d'auteurs populaires à succès, comme Alexandre Dumas ou Paul de Kock. Les tirages ne sauraient être plus importants, car les éditeurs sont des gens peu hardis, qui doivent aborder des problèmes ardus de concurrence (celle, notamment, des pirates belges qui inondent le marché français de livres populaires à très bon marché, sans se soucier de payer, ni les éditeurs ni les auteurs[1]). En outre, tous les éditeurs ne suivent pas l'impulsion créée par Charpentier, ils se confinent toujours au livre cher. Ainsi, en 1838, un in-8° vaut 7,50 francs; quatre in-12, 12 francs, alors que le salaire quotidien moyen d'un ouvrier est de 3 francs maximum[2].

En 1845, l'éditeur Gustave Barba provoque une nouvelle révolution dans l'histoire du livre populaire à bon marché, quand il lance une collection de volumes in-folio, puis in-8°. La collection s'intitule « Romans populaires illustrés » : dès 1845, donc, le terme de « roman populaire » entre dans le circuit commercial de l'édition à bas prix. Barba s'explique sur l'étendue de son innovation, dans un prospectus en date de l'année 1849 : « FAIRE TRÈS BIEN ET À TRÈS BON MARCHÉ, tel est le problème difficile que je viens résoudre en publiant ma collection des *Romans populaires illustrés,* à 20 centimes la livraison, contenant un volume in-8°.

« Éditeur d'ouvrages dont le mérite est universellement apprécié, je les offre au public à des conditions inusitées...

« Une exécution matérielle irréprochable serait sans but et sans résultats si elle était consacrée à des livres médiocres; mais ceux que je publie ont une valeur incontestable... Je m'adresse à la littérature vivante, aux livres qui sont la propriété de leurs auteurs...

« ...DICKENS, le Paul de Kock de l'Angleterre... Puis bientôt, par un contraste hardi, entendez-vous dans le lointain ce grand éclat de rire si franc... C'est PIGAULT-LEBRUN qui ajoute des chapitres sans nombre

1. Paul Féval, notamment, se plaindra bien souvent des excès de la contrefaçon belge. La situation ne sera régularisée que vers 1850, grâce au vote d'une loi réprimant de tels excès. Sous le Second Empire, Hachette lancera avec succès une collection populaire à bon marché, la « Collection des chemins de fer ».

2. *Cf.* Louis de Hessem, *Le Cinquantenaire de la Bibliothèque Charpentier (1838-6 août 1888),* Le Livre, août 1888. Charles Gosselin lança en 1840 la « Bibliothèque d'élite » à 3,50 francs le volume; Delloye inaugura en 1840 la « Bibliothèque choisie » à 1,75 franc le volume (Jacob, Lewis y parurent). De son côté, Barba lança la collection des « Romans modernes » à 1 franc le volume.

aux romans de Voltaire. Ceux qui font cortège aux romans de Pigault, ce sont ses élèves favoris, Paul DE KOCK et Auguste RICARD : gaieté non moins franche, mais plus retenue; imaginations que rien ne lasse, dialogues que rien n'arrête. Après Paul de Kock et Auguste Ricard, Victor DUCANGE, le Corneille du boulevard, le terrible agitateur de toutes les émotions populaires... »

La révolution concrétisée par Barba dans la conquête du public populaire reste malgré tout limitée : le prix des volumes de sa collection demeure encore inabordable pour les petites bourses, mais la collection offre le grand avantage de présenter un grand nombre de romans en un minimum de pages, seize par livraison.

Lectures populaires

Pour faire face au besoin puissant de lecture régnant chez les gens peu aisés, une solution s'offre au début du XIXe siècle, leur permettant de se procurer des romans à moindres frais : en louant livres, mais aussi journaux et revues, dans des « cabinets de lecture ».

Les cabinets de lecture ont joué, surtout dans la première moitié du XIXe siècle, un rôle essentiel dans la vie littéraire française[1].

A Paris, les tarifs varient peu : vers 1830, l'abonnement coûte 3 ou 4 francs par mois; la location au volume est de 10 ou 20 centimes, selon le format (in-12 ou in-8º). Ces prix sont à la portée du rentier moyen, voire de l'employé ou de l'étudiant peu fortuné.

Jusque vers 1840, une très large clientèle populaire reste donc fidèle aux cabinets de lecture : leur nombre varie de 300 à 500 pour la seule ville de Paris, autour des années 1830 à 1835. La progression se maintient, jusque vers 1840, puis c'est le fléchissement : de nouveaux concurrents sont apparus, la presse quotidienne à bon marché et à grand tirage, les éditions populaires plus compactes, à des prix plus abordables.

Déplorant de voir les classes laborieuses privées de la nourriture qu'elles commençaient à réclamer, Émile de Girardin écrit vers 1836 : « La véritable réforme de la librairie n'aura lieu que le jour où un ouvrage de M. Victor Hugo par exemple... ne se vendra plus, au lieu de 15 francs, que 3 francs les deux volumes. »

1. L'importance des cabinets de lecture, comme phénomène de diffusion de livres bon marché, ne cessera de décroître vers la fin du siècle dernier. Au début du XXe siècle, le cabinet de lecture se réfugiera dans la boutique du débitant de tabac.

Attaques contre les cabinets de lecture

Le cabinet de lecture est fort critiqué par les moralistes et les lettrés de l'époque : les uns lui reprochent de répandre, dans le peuple et auprès des femmes, une littérature immorale et pernicieuse; les autres, de favoriser le mauvais goût en imposant aux éditeurs — et partant aux auteurs — les conceptions esthétiques d'une masse de petits bourgeois sans idéal et sans culture, qui constitue la clientèle des loueurs de livres. Un personnage d'un roman de mœurs de Jules Brisset, *Le Cabinet de lecture* (1843), l'abbé Vaudemont, stigmatise « cette œuvre de démoralisation et de dissolution que la littérature des théâtres et du cabinet de lecture poursuit journellement au milieu d'une société qui ne demanderait pas mieux que de se refaire ». Les *Nouveaux Tableaux de Paris* de Pain et Beauregard (1828) condamnent en termes aussi rigoureux le type de roman pour cabinet de lecture. « Ici, vous ne trouverez que d'insipides romans où la raison est outragée à chaque ligne », jugés coupables d'amener les petites bourgeoises à abandonner leurs travaux domestiques pour rêver.

Une clientèle féminine?

Le caractère féminin de cette production romanesque — auteurs, propriétaires de cabinets de lecture, public — est fort justement marqué, un peu exagérément peut-être.

Que loue-t-on dans les cabinets de lecture? Un genre romanesque appelé « roman pour cabinets de lecture ». Pigoreau, libraire et tenancier d'un cabinet de lecture, écrit dans un opuscule de 1821 destiné aux cabinets de lecture et à leurs tenanciers, supplément à la *Petite Bibliographie biographico-romancière ou Dictionnaire des romanciers* : « On a éclairé les chaumières [...] on a instruit le peuple [...]. Tout le monde sait lire, tout le monde veut lire. Avec deux paravents dans nos places publiques, on a formé des cabinets littéraires; c'est là que mon portier, c'est là que ma fruitière vont prendre connaissance des opérations législatives; laissez-les lire des romans, et conseillez-les de ne plus se mêler des affaires d'État. Abandonnez-leur les châteaux de Mme Radcliffe, les cavernes [...] les souterrains [...] laissez-les errer au milieu de fantômes nocturnes et des ombres sanglantes. »

L'univers des cabinets de lecture

Quels sont ces romans?

Les auteurs favoris sont Pigault-Lebrun, Paul de Kock, Victor Ducange; pour les femmes de lettres : Mmes de Genlis, Cottin, de Montolieu, de Riccoboni. Cette littérature qui prend naissance sous le Directoire et le règne de Napoléon semble propre à détourner les lecteurs des préoccupations politiques, dangereuses pour le gouvernement. Le roman semble imposé au lecteur. Pourtant, le succès attesté de ces romans de cabinet de lecture soulève la question : littérature imposée ou désirée? On peut constater que le genre s'épanouit durant la période de stabilité politique de la Restauration; les auteurs pour cabinets de lecture, précurseurs du roman populaire et du roman-feuilleton, sont d'origine bourgeoise, hormis une seule exception, sous Louis-Philippe, Michel Masson, ouvrier lapidaire. Les auteurs féminins appartiennent également aux classes favorisées [1].

Tous les genres sont représentés : roman gothique et « noir », à la Ducray-Duminil, roman comique et grivois, illustré notamment par Pigault-Lebrun. Le roman populaire se transforme librement et s'adapte aux exigences nouvelles. Le lecteur populaire s'enthousiasme, rit et pleure. Le genre connaît un énorme succès, d'où sort la passion de la lecture. Il fallait au peuple des fictions simples, faciles à lire, suscitant son intérêt, son émotion, afin de mobiliser la participation de lecteurs aux romans. Le genre donne au peuple le goût de l'instruction.

En dehors des romans d'aventures lestes et humoristiques, appréciées surtout par le public masculin, ce genre relate aussi de sombres mystères, les malheurs d'orphelins et d'orphelines. « Partout, des victimes et des bourreaux, écrit René Virolles, dans un climat de violence, de cruauté, d'injustice, de bonheur inaccessible, ou accessible seulement après mille épreuves » (*Histoire littéraire de la France,* t. IV, 1re partie : « Vie et survie du roman noir », pp. 138-147).

Les questions que posent les auteurs, et sur lesquelles réfléchissent et s'émeuvent de nombreux lecteurs, sont celles-ci : Pourquoi l'amour, naturel et innocent, est-il source de malheurs? Pourquoi la vertu ne paie-t-elle pas? Pourquoi la femme est-elle l'éternelle persécutée? Ces romans d'amour, de douleur, de violence, de crimes, sont à l'origine du roman populaire.

---

1. Citons aussi Mme Julienne Bayond, portière, auteur de *Fidélia ou le Voile noir* (1822).

L'adaptation au goût d'une classe aristocratique de thèmes d'origine plus populaire provoque la formation d'une sensibilité collective de classe, en même temps que s'élabore une tradition littéraire, à partir de thèmes et d'archétypes éparpillés, destinés primitivement à d'autres fins et à un autre public[1].

Portée des romans pour cabinets de lecture

On peut s'étonner actuellement de l'énorme influence qu'exerça le genre sur la sensibilité populaire, l'évolution des mœurs, des goûts, voire des modes. Cette littérature stéréotypée, dont l'invraisemblance générale et le manque plus ou moins important de vérité sociale (selon que l'on passe du roman « noir » au roman tragi-comique) nous paraissent vite accablants, fut le ballon d'oxygène qui a permis à toute une génération de petits bourgeois et de gens du peuple de ne pas étouffer dans la société fermée, hiérarchisée et sans espoir, des années 1815-1850. Les lecteurs recherchent essentiellement une évasion hors d'une vie trop étroite[2].

Préhistoire. Apparition des concierges

Le genre s'épanouit donc dans plusieurs directions. Pigault-Lebrun ouvre la série, avec son œuvre à la fois comique et fantaisiste. Il est le véritable créateur du « roman de la portière ».

Pigault-Lebrun connut une vie orageuse et fantastique, qui se reflète en partie dans son œuvre. Il est l'auteur le plus représentatif de la veine gauloise et humoristique. Né en 1753 à Calais, mort en 1835, il connut toutes sortes d'aventures scabreuses et galantes, se sépara de son père, fit naufrage sur un bateau l'emmenant vers l'Amérique, puis aborde en 1790 le théâtre, avant de se lancer dans le roman. Il publia soixante-dix

1. Cf. J. S. Wood, *Sondages, 1830-1848. Romanciers français secondaires*, University of Toronto Press, 1965.
2. Le roman populaire d'avant 1830 est autant réaliste, satirique ou humoristique (Auguste Ricard, Pigault-Lebrun, Paul de Kock) que « noir » (Mmes de Saint-Venant, d'Arlincourt, Lamothe-Langon). Il décrit essentiellement les classes populaires : employés, ouvriers (Raban, Eugène L. Guérin); les problèmes sexuels propres aux exclus de la société (comme les filles-mères : *La Fille-Mère*, de Mlle Louis Maignaud, 1830). Ce roman est sain; les « épopées grivoises » de Pigault (A. Berkovicius), les scènes de genre d'A. Ricard, les « gaietés parfois larmoyantes » de Kock *(idem)* appartiennent au genre autant que le roman dramatique. Jean Tortel a donc eu tort *(Histoire des litté-ratures*, Pléiade III, p. 1582) de rejeter la littérature réaliste du roman populaire.

volumes de romans, dont le plus célèbre reste *L'Enfant du Carnaval* (1796), sans compter *Angélique et Jeanneton de la place Maubert* (1799), *Mon oncle Thomas* (1799), *La Folie espagnole* (1801), *Monsieur Botte* (1802) ou *Adélaïde de Méran* (1815). Pigault-Lebrun connut une telle célébrité qu'une certaine dame Guérard, dite baronne de Méré (1751-1829) le pilla sans vergogne et publia plusieurs suites des œuvres de l'auteur.

Le caractère très décousu de l'œuvre de Pigault-Lebrun rend malaisée une analyse des tendances générales, des archétypes. Parce que Pigault-Lebrun est un homme de transition, entre l'ancien et le nouveau régime, le principal mérite de son assez abondante production est de montrer la vanité des préjugés : il « présente le triomphe du peuple et son accession au pouvoir » (Charles Beuchat, *De Restif à Flaubert,* chap. 4, « Les romanciers populaires », p. 115)[1].

Distraire en émouvant

Pigault-Lebrun est l'historien des mœurs légères, des situations bouffonnes et extraordinaires. Il choisit de divertir son public populaire par le biais de la satire de mœurs, du trait humoristique plus ou moins gros.

Afin d'arriver à un tel but, l'auteur ne ressent point le besoin de concevoir de fortes trames, de respecter un processus rigoureux dans la technique romanesque, une unité solide. Il ressort de cette œuvre à la construction lâche, une sorte de leitmotiv, dépeignant l'odyssée comique et burlesque d'un enfant du peuple qui traverse toutes sortes d'aventures, se joue des périls, raille les conventions sociales et les préjugés, et finit, après une vie de patachon, par épouser une jeune fille belle, aimante, de noble origine, « pour le plus grand bien de l'égalité et de la justice », selon l'expression de Beuchat.

Pigault-Lebrun est donc bien un auteur « populaire », puisqu'il représente chez ses héros un désir constant d'ascension sociale, d'égalité. L'époque est agitée : à la suite de la Terreur, reviennent des émigrés que l'on croyait morts, des couples séparés par la Révolution se retrouvent

---

1. *Cf.* André Berkovicius, « Visages du bourgeois dans le roman populaire (1800-1830) », *Romantisme,* n° 17/18, 1977, Paris, Champion. Pigault est le roi du roman en quatre volumes in-12 (Paul Féval fut un de ses lecteurs fascinés). Alors que Ducray-Duminil ignore la bourgeoisie, que Pigault en parle fort peu (douze bourgeois sur les soixante-dix volumes des œuvres de Pigault, selon Berkovicius), mais fort bien *(Monsieur Botte).* Les femmes ont des mœurs libres. Haine des gens de justice (qu'on retrouvera chez Féval). Pigault se soucie peu des injustices de son temps.

dans de bizarres situations : les maris, plus ou moins cocus, des aristocrates s'énervant de reconnaître leurs femmes, voire leurs maîtresses, sous un tout autre état social, épouses de bourgeois. Il s'opère donc tout un déclassement social, dans une atmosphère réelle de substitutions d'états, d'enfants, de changements d'identité. Les femmes reprennent plus malaisément le chemin du foyer domestique : le premier mari, le premier amant, leur deviennent un étranger, voire un ennemi.

Horreur ou gaieté?

Toutes ces situations, puisées dans une actualité changeante et plus ou moins houleuse, marquent l'œuvre de Pigault-Lebrun, mais aussi l'univers du roman populaire, depuis ses origines. A une époque de bouleversement général : bouleversement des mœurs, des conditions, des sentiments, les règles ordinaires de l'existence perdent leur valeur intrinsèque et cèdent le pas à l'étrange, au baroque, issus du reste aussi de la tradition du roman « gothique » anglais (celui de Mme Radcliffe ou de Lewis) comme du roman « noir » français, celui de Mme de Montolieu ou de Mme Cottin. L'arbitraire des situations, des techniques romanesques, épouse donc au plus près les préoccupations et la sensibilité des lecteurs [1].

L'Enfant du Carnaval se présente comme une juxtaposition d'anecdotes et de scènes de genre, dont le fil conducteur est plus ou moins visible. Les dialogues sont surabondants, la démarche du récit, sautillante.

Le peuple, ce héros

Le héros est choisi dans les classes populaires. Le principal but est d'amuser, comme l'affirme l'auteur dans la préface de *L'Enfant du Carnaval* : « Riez donc, mes compatriotes, si j'ai pu être plaisant... J'ai voulu amuser. »

La principale caractéristique de ce roman, comme en général de toute l'œuvre de Pigault-Lebrun, est de faire succéder sans transition le burlesque au tragique, les scènes comiques aux scènes dramatiques. Cela tient à ce que l'auteur, peintre assez fidèle de son temps, se complaît

---

1. Pigault retint les suffrages de la midinette et de sa patronne, de l'ouvrière et de la bourgeoise (A. Berkovicius, *op. cit.*, pp. 31-32).

surtout dans la fantaisie faubourienne. Le récit va de joyeuses extravagances à des séquences d'horreur, reflets de la Terreur et de la société troublée du début du xixe siècle, à des poursuites et évasions dignes d'Arsène Lupin. Chez Pigault, ces séquences sont encore empreintes de naturel, parce que l'auteur les a vécues.

L'Enfant du Carnaval est aussi un roman d'aventures grivoises centrées autour d'un personnage principal, qui marque de son emprise l'action. Le héros est cuisinier chez les capucins, puis auteur dramatique; c'est l'amour et la perte de Juliette, mise en prison, quoique enceinte. Apparaît donc déjà le « roman de la victime », celui de l'héroïne angélique et persécutée, descendant de catastrophe en catastrophe avant de connaître la rédemption finale : un tel type de roman sera illustré à partir de 1870, par Xavier de Montépin et Jules Mary. Le héros tue un prêtre lubrique qui convoite son aimée, Juliette : la tournure du récit est volontiers anticléricale, et elle marque l'ensemble de l'œuvre, Pigault étant un vrai fils de Voltaire.

Un héritage du roman « noir »

L'influence du roman « noir » imprègne la technique narrative : prédomine l'allure bondissante du récit, on passe sans cesse d'un milieu à un autre, description des milieux défavorisés, puis des riches, enchevêtrement de ces milieux, l'intrigue souvent sexuelle est marquée par les relations, souvent hors mariage, des nobles et des filles du peuple.

On retrouve ici une autre influence du roman « noir » à la Ducray-Duminil ou à la Cottin, dans les descriptions de voyages; les épisodes tragiques, comme l'évasion du couple persécuté par le souterrain aux tombeaux. Fantastique aussi, de certaines situations, marqué par la toute-puissance du héros, même momentanément vaincu : le lecteur doit avoir l'impression constante que les persécutés du sort s'en tireront à la fin. On rencontre aussi d'autres éléments fantastiques, centrés notamment autour du personnage du mort-vivant, une des constantes du roman « noir » : un fantastique puisé auprès des changements d'identité, reflet de l'actualité du temps. C'est ainsi que le révolutionnaire Brutus n'est autre que l'ex-curé qu'on croyait mort [1].

Une dernière influence du roman « noir » sur ce prototype et ce pré-

---

1. Comme dans l'archétype des enfants perdus, volés ou trouvés, tous d'origine obscure, tous raillant les conventions et les tabous sociaux.

curseur du roman « de la portière » français, est l'emploi assez fréquent, pour faire pièce aux situations grivoises et comiques, et très burlesques, d'un ton larmoyant et « sensible »; le héros écrit à sa belle, alors qu'il gémit en prison, et lui apprend sa détention : « Pleure... mais sois assez forte pour te consoler. Vis pour ta fille, vis pour toi. Pardonne-moi l'amour que je t'ai inspiré, et que je ne méritais pas; pardonne-moi tes malheurs, et hâte-toi de les réparer. Un homme vertueux t'adore, je te remets entre ses mains. »

L'archétype de l'héroïne « déshonorée » par la séduction ouvre ici la voie à toute une littérature sur la « honte » marquant la victime, mise au ban de la société, avant d'être finalement réhabilitée : ainsi, Juliette se juge « indigne » d'épouser son amant; la honte, le rejet de la société, enveloppent la fille-mère comme son enfant.

L'action tourne autour de trois personnages principaux : la victime, le sauveur, le séducteur. Juliette s'est prostituée à Brutus pour sauver la vie de l'aimé.

La fin est très moralisante, le héros conclut : « J'ai fait des fautes : qui n'en fait pas? Mais j'ai fait aussi quelque bien. Je me propose d'en faire encore, et d'embellir ainsi mes derniers jours. »

Une œuvre réaliste?

Certains critiques, comme Beuchat, ont pu qualifier l'œuvre de Pigault-Lebrun sous l'étiquette de « mauvais naturalisme » (étude citée, p. 116). Un « mauvais naturalisme » qui serait confectionné à l'usage d'un public peu exigeant : on retrouve ici la question de savoir si le roman populaire est un genre littéraire, et non « populaire », question débattue dans l'introduction de cet ouvrage.

En fait, le but principal de l'auteur « populaire » est de rechercher la plus grande faveur du public, de vouloir la fortune en se calquant sur les désirs, les préoccupations de ses lecteurs; alors que l'auteur « littéraire » fait surtout grand cas d'une expérience personnelle, et non d'une expérience collective, et que chez lui, le fait de tirer de l'argent, au maximum, de son œuvre, est moins prépondérant.

Il n'existe donc pas deux littératures, mais deux conceptions, différentes, de l'esthétique romanesque, esthétique du reste assez relative dans le cas du « roman populaire ».

Un univers baroque et réaliste

L'univers, les archétypes de l'œuvre de Pigault, est celui d'une grande gaieté, même tempérée par les scènes graves.

Cet univers est baroque, basé sur l'outrance, l'imprévu des situations, le caractère odieux des crimes : il annonce donc la littérature de description des bas-fonds des grandes capitales, surtout de Paris, illustrée après Eugène Sue, à partir de la seconde moitié du xixe siècle par Ponson du Terrail. Univers baroque : celui de la curieuse étude de mœurs des bas-fonds parisiens, que l'on trouve notamment dans *Angélique et Jeanneton*. Jeanneton est la fille d'une marchande de la place Maubert, ce qui atteste une nouvelle fois le caractère populaire des œuvres de Pigault, présentant des personnages issus essentiellement des classes laborieuses, jusqu'alors absents du roman. Réalisme de la condition des héroïnes : Jeanneton aime et épouse le garçon charcutier Bastien[1].

Mais ce réalisme des descriptions sociales s'oppose à un large emploi du bouffon. L'œuvre de Pigault est une suite ininterrompue de quiproquos : ainsi, dans *L'Homme à projets,* Robert et Louison passent sans cesse des aventures galantes aux brigandages : le héros ne sait plus s'il est comédien, dieu chez les Apaches, ou jeté comme fou à Charenton, d'où il passera dans le « grand monde » des riches. La finale est le châtiment des méchants et la récompense des bons.

Le réalisme des descriptions, teinté de « fantastique social », est en fait l'élément le moins prépondérant de l'œuvre de Pigault : on ne le retrouve à l'état pur que dans *Monsieur Botte*. L'auteur affirme avoir puisé ses types dans la réalité. Il l'explique en sa postface : « On ne crée pas de caractère, il faut les prendre dans la nature, parce que, dans la nature, il n'y a rien. » Le héros est un plébéien parvenu, désolé de voir son neveu aimer la fille d'un émigré, dont le père refuse l'idée de tout mariage. Finalement, le plébéien vainc l'aristocrate. A cette trame compliquée se conjuguent des scènes sentimentales, des danses rurales, des mots assez grossiers et une gaieté débordante[2].

---

1. Sous le Premier Empire, fleurit une littérature féminine qui le disputait à Pigault pour la peinture réaliste des mœurs populaires, comme pour la critique du mariage, du divorce et de l'union libre : citons notamment Mmes Guénard, Bournond-Malarme, Robert-Kéralio ou de Carlowitz. La très grande liberté de ton avec laquelle ces romancières attaquaient de tels problèmes est un fait remarquable.

2. Les critiques du xixe et du xxe siècle (Jules Janin, Chantavoine, Lehmann) repro-

Pigault traduit l'avènement du roman populaire, sous sa forme essentielle de roman populaire, marqué par l'opposition, pour la domination de la société, des « mauvais nobles » aux « bons » roturiers, misérables ou déclassés ; une surabondance d'épisodes saugrenus et un dénouement heureux, pour les victimes du Mal, de l'injustice, du malheur, de la misère.

L'auteur décrit un peuple idéalisé (toujours bon, à travers ses vices), en fantaisiste réaliste. Pigault évite de faire peur, avec le rappel des scènes tragiques de la Terreur.

Les œuvres de Pigault connurent un immense succès : elles captivèrent deux générations, et recouvrirent une clientèle très diversifiée, composée de moyens et petits bourgeois ; de domestiques, d'employés ; d'artisans et d'étudiants très probablement.

Du roman noir au roman-feuilleton

Si les lecteurs populaires font grand cas d'une sentimentalité fade, ils aiment parfois les émotions violentes, surtout lors des périodes troublées. La littérature populaire issue de la Révolution, souvent teintée de naturalisme, à travers les outrances du roman dit « gothique » ou terrifiant : elle devait satisfaire ce besoin d'émotions fortes en multipliant les scènes horribles ou épouvantables, que n'utilisa pas Pigault. Un des auteurs les plus représentatifs d'une tendance romanesque préférant les situations horribles, les émotions fortes, aux scènes lestes ou trop sentimentales, reste Victor Ducange.

Le « Corneille du boulevard »

Victor Ducange naquit à La Haye en 1783. Son père était secrétaire d'ambassade et écrivit à ses moments perdus deux volumes pour la jeunesse. En 1805, Victor obtint un emploi dans le cadastre, puis dans l'administration du commerce et des manufactures, mais la Restauration le priva de ses moyens d'existence en supprimant cette place, et il alla chercher fortune en Angleterre. Il revint bientôt en France, mais sa vive

---

chèrent souvent au genre son manque de style, son langage qui est celui des classes laborieuses, jugé « trivial et laid » par Lehmann en 1911, voire l'emploi systématique de l'argot.

opposition au système monarchique, sa haine des Bourbons, lui fermèrent presque toutes les carrières.

Il mourut assez pauvre, à Paris, en 1833, quoiqu'il fût l'un des auteurs populaires les plus lus de son temps. S'il jouit d'une grande faveur auprès du public, les gouvernements de la Restauration veillèrent souvent à lui attirer des avanies, des persécutions judiciaires qui le ruinèrent. C'est ainsi qu'un de ses romans, *Valentine, ou le pasteur d'Uzès* (1821), fut poursuivi pour avoir prétendument dépeint la duchesse d'Angoulême d'une manière fort critique. *Valentine* fut saisie, et l'auteur condamné à six mois de prison et à cinq cents francs d'amende, comme coupable d'outrage à la morale publique et d'excitation à la guerre civile. *Valentine* présentait un tableau saisissant des excès commis dans le Midi par les bandes royalistes et cléricales, tableau aux couleurs trop chargées. Sitôt après avoir purgé sa peine, Ducange rédigea une gazette libérale, le *Diable rose;* il fut condamné en 1822 pour un article, et le journal fut sabordé. On citera une autre peine judiciaire, frappant un roman de Ducange : *Thélène, ou l'Amour et la Guerre* (1823) lui valut, sur la réquisition du ministère de la Guerre, deux mois de prison et cent francs d'amende. L'auteur s'enfuit en Belgique d'où il ne revint en France qu'en 1825 [1].

Un auteur de transition

Victor Ducange concrétise de la manière la plus éclairante la transition entre le roman « noir », encore très présent dans l'œuvre de Pigault, et le roman populaire. Si, tout comme Paul de Kock son contemporain, du moins pour les débuts de sa carrière, Ducange commença par écrire des mélos, il s'en détourna vite pour inaugurer, plus profondément sans doute que Pigault, une littérature réellement « populaire », c'est-à-dire puisée dans l'observation des petites gens, de leurs malheurs, de leurs espoirs, de leur triomphe final. Mais il ouvre cette série de mœurs populaires sous le signe de la jovialité, de la tolérance, du dégoût des scènes scabreuses : en cela, il abandonne franchement la manière de Pigault.

Auteur populaire, Ducange le fut aussi en accumulant un nombre important de volumes : *Agathe, ou le petit vieillard de Calais* (1820), son premier ouvrage, qui connut vite un important succès; *Léonide, ou la*

---

1. *Thélène* connut un précédent avec un roman de Faverolle, *Nella de Sorville, ou la Victime des événements de 1814* (1814).

Vieille de Suresnes (1823), *Le Médecin confesseur* (1825), *L'Artiste et le Soldat* (1827), *Marc-Loricot* (1836).

Sentimentalisme et baroque

L'œuvre de Ducange se distingue de celle de Pigault, car elle est plus nettement orientée vers la description des passions, en évitant les passages scabreux. Ducange est bien ici un héritier direct du sentimentalisme anglais du XVIIIe siècle, inauguré par Richardson. Toutefois, Ducange présente certains points communs avec Pigault : tout comme lui, il aborde franchement les intrigues, il apporte à la composition de ses œuvres un ton simple, cordial, tutoyant littéralement le lecteur, un lecteur issu des couches populaires, qui se divertit en reconnaissant des scènes et des décors familiers.

La construction reste encore lâche, moins lâche toutefois que chez Pigault-Lebrun : l'auteur se contente de placer deux ou trois personnages principaux dans telle ou telle situation, abandonnant l'un pour revenir à l'autre. Un pareil procédé rend parfois peu clair le texte, et moins évidente l'influence que les héros exercent sur le déroulement de l'action. Le rythme romanesque s'en trouve plus ou moins obscurci, et le fil directeur du canevas risque d'échapper à un lecteur peu familiarisé avec les trop brusques ruptures dans le déroulement du récit. C'est que, de prime abord, il n'apparaît qu'aucun trait commun ne relie entre eux divers épisodes surabondamment exposés.

On a un bon exemple de cette technique flottante et peu rigoureuse dans *Le Médecin confesseur,* paru en quatre volumes : l'histoire d'Élisa occupe tout le premier tome; le tome deuxième s'occupe de Clotilde; les deux autres volumes observent la même allure fantaisiste, la même trame peu serrée. Il est vrai, l'on apprendra, mais seulement vers la fin du récit, que Clotilde et Élisa sont une seule et même héroïne. Ce qui donne un caractère d'unité relative à cette construction, c'est l'emprise de l'héroïne sur l'action.

La jeune lingère Élisa, « aimable petite ouvrière », « la plus sage et la plus belle de toutes les filles de boutique », rêve d'un amour qui l'endolorit et la charme en même temps. Elle devient l'orpheline Clotilde, et c'est pour l'auteur l'occasion de ménager un retour en arrière. L'histoire de la vie de Clotilde (comme souvent chez Pigault et plus tard, chez Paul de Kock ou Xavier de Montépin, la vie des héroïnes est souvent dépeinte dès leur enfance), tissée d'épisodes navrants, touchants et comiques, commence dès sa mise en nourrice, chez la femme d'un pauvre bûche-ron. Digne héritière du roman « noir », Clotilde est « l'enfant du malheur, la victime d'un sort cruel, et d'un préjugé excusable et néces-saire peut-être, mais qu'il est courageux et noble de braver, pour lui arracher son innocente proie ».

Le chevalier de Coivel s'éprend de Clotilde, se refuse à l'épouser, car il est pauvre, mais l'épouse quand même... Intervient Roqueville, le médecin des prisons de Paris, pour accoucher la jeune femme. Roque-ville est « le docteur philosophe, original et philanthrope ».

Sur cette histoire se greffe plus ou moins heureusement celle des amours de Clotilde et de Paul Marcelin, fils d'une lingère de la rue Saint-Denis. Aux amours du plébéien et de la fille noble s'opposent celles de la gentille ouvrière et de l'aristocrate : antagonisme des situations sociales, des préjugés, dans la tradition de Pigault, qui sera du reste aussi un des archétypes majeurs du roman populaire.

Quels sont les archétypes utilisés par Ducange? Ils restent, pour une bonne part, issus du roman « noir » : amours contrariées, vertu persé-cutée, faiblesse de la femme, surtout, de l'homme aussi, devant les conventions sociales, les préjugés de la fortune, de la naissance. Les héroïnes aiment à enfermer dans leur cœur le poids d'un amour qui leur apporte plus de peine que de joie, leur suscite des malheurs; elles gardent souvent une résignation fière, dans leur renoncement même. Ce dernier trait les apparente aux « héroïnes du silence » dont parle René Brochon à propos des romans « noirs » de Mme Riccoboni, parus au début du XIXe siècle *(Histoire de la littérature de colportage)* [1].

Si Ducange témoigne d'un vif sentimentalisme, qui en fait un héritier de Samuel Richardson (sentimentalisme de l'ascension sociale des filles du peuple éprises d'aristocrates ou de bourgeois), il est tempéré et contrasté par un vif goût du baroque, de l'étrange, de l'horrible, bien plus encore que chez Pigault. Les héros sont des orphelins; des « amants missionnaires » *(Albert, 1820)*; des jeunes filles mises au couvent, comme *Élodie ou la Vierge du monastère* (1822). Le style est vif, animé, entraîné; le ton du récit reste souvent badin : même dans les situations les plus violentes, Ducange entend ne pas faire trop peur. Ainsi, commentant une histoire de séduction, dans *Le Médecin confesseur,* déclare-t-il : « Voilà bien certainement un cruel accident : j'en suis tout consterné; mais, quand je vous l'aurais raconté d'un ton lamentable, il n'en serait pas

---

1. Sur Mme Riccoboni, *cf.* Andrée Demay, *De la pensée féministe chez une romancière du* XIXe *siècle,* La Pensée universelle, Paris, 1977; Michèle Servien, « Mme Riccoboni », thèse de 3e cycle, université de Paris-IV, 1973.

autrement; j'aurais pu seulement vous arracher des larmes; je vous prie de les garder pour une autre occasion. »

Vers un nouveau type de lecture

Les œuvres de Pigault et de ses disciples ou concurrents, répandues en volumes, offrent aux lecteurs l'avantage de posséder une histoire complète, en bon état, mais dont le prix souvent trop cher écarte de l'achat des romans populaires les gens peu fortunés. C'est à cette clientèle que viendra recourir le roman-feuilleton. Les origines du roman populaire sont liées à l'essor des cabinets de lecture, permettant une diffusion relativement importante des romans populaires. Mais cela ne suffit pas : le public désire du nouveau, il l'obtiendra.

BIBLIOGRAPHIE

BEUCHAT (Ch.), *De Restif à Flaubert* (chapitre 4 : « Les romanciers populaires »), La Bourdonnais, Paris, 1939.

BROCHON (R.), *La Littérature de colportage,* La Pléiade, Paris, 1974.

CRUBELLIER (Maurice), *Histoire culturelle de la France. XIXe-XXe siècle,* Armand Colin, Paris, 1974.

ORECCHIONI (P.) et PARENT (P.), « Le Marché du livre », *Histoire littéraire de la France,* tome IV, Éditions sociales, Paris, 1972.

VIROLLE (R.), « Vie et Survie du roman noir », *Histoire littéraire de la France,* tome IV, Éditions sociales, Paris, 1972.

CHAPITRE II

Paul de Kock et ses disciples

1. LE FEUILLETON, LECTURE COLLECTIVE

L E besoin de lecture ressenti par la clientèle populaire, qui compose en une notable partie celle des cabinets de lecture, trouva un nouvel aliment dans le roman-feuilleton. Le roman-feuilleton fut une révolution dans les mœurs, dans l'histoire de la presse quotidienne à bon marché. C'est en Angleterre que parut en 1719 le premier roman-feuilleton connu : *Robinson Crusoé,* de Daniel de Foe. Mais auparavant, dès 1668-1671, Lagravète de Laxolas édita des lettres en vers et en prose, précurseurs du genre. Arnaud publia sous le Directoire un roman-feuilleton dans *Le Propagateur; Les Martyrs de Lyon,* de F. Z. Collombet parurent en plusieurs parties dans *La Revue provinciale* en 1831.

En France, la publication d'un roman-feuilleton dans la presse est liée à l'avènement d'une Presse d'information relativement bon marché : durant la même année 1836, Émile de Girardin fonda *La Presse,* et son concurrent, Dutacq, *Le Siècle.* L'abonnement annuel à ces journaux était de quarante francs, et non de quatre-vingts francs, comme pour les autres organes de presse. Immense nouveauté, type de lecture aux conséquences très importantes, le roman-feuilleton influera sur la sensibilité de toutes les classes sociales : bourgeoises comme populaires[1].

---

1. C'est la loge de la concierge, c'est le café où se réunissent les hommes, qui sont vers 1840 les lieux de lecture collective du roman-feuilleton les plus fréquentés.

Le feuilleton, œuvre collective

Surtout, le feuilleton eut pour but de mobiliser la participation des lecteurs aux textes diffusés dans le corps des journaux, textes de fiction puisant souvent dans l'actualité. La participation des lecteurs aux textes s'opère suivant différentes formes : par l'envoi aux auteurs de réclamations[1], de suggestions ou de conseils; en intervenant directement ou indirectement dans la technique de composition et des archétypes. Parfois aussi, les couches sociales trop vivement atteintes par certains feuilletons exercèrent sur cette masse romanesque énorme diverses censures, utilisèrent des moyens de pression, entraînant, dans les cas extrêmes, la suppression du journal ayant publié le roman.

Une mine d'or pour les auteurs et les journaux

La Presse et *Le Siècle* connaissent des tirages relativement beaucoup plus importants que ceux de leurs concurrents : *La Presse* plafonne autour de 20 000 exemplaires à la fin de la Monarchie de Juillet, tandis que *Le Siècle* atteint 35 000 exemplaires, pour la même période : 1847. Mais le tirage moyen des quotidiens s'enfle subitement lorsqu'ils publient le roman d'un auteur à succès, ou qui suit les impératifs de la mode du jour[2].

Le premier roman-feuilleton « populaire » parut en 1837 dans *La Presse : Les Enfants de la marquise de Gange,* de Francis Wey.

La Presse et *Le Siècle,* quotidiens dont les directeurs avaient le sens des affaires, le génie de vouloir asseoir leur fortune sur la connaissance des goûts du public, outre les informations et les annonces, publient une partie littéraire dans une rubrique appelée : « Variétés ». Dans cette rubrique paraissent de courtes nouvelles. En octobre 1836, les lecteurs de *La Presse* purent lire *La Vieille Fille,* de Balzac. Déjà, dans des revues (notamment, la *Revue de Paris* de Véron) paraissaient des nouvelles, des romans, découpés en tranches ou « feuilletons »; mais c'est la première fois qu'une telle tentative est faite dans le cadre de la presse quotidienne. Elle se généralise peu à peu : *Le Siècle,* en mai 1838, a publié *Le Capi-*

---

1. Cette participation s'opère aussi en fonction des demandes de prolongation : ainsi, pour les feuilletons de Jean de La Hire dont on parlera plus loin.
2. Outre le feuilleton proprement dit, commença de se développer le roman par livraisons, apparu en Angleterre vers 1830.

taine Paul de Dumas, qui fait gagner en quelques jours 5 000 lecteurs au journal.

Publié, non plus dans le corps du journal, mais au rez-de-chaussée de la première page, le feuilleton s'installe peu à peu dans la presse quotidienne, où il attire de nombreux lecteurs.

Le feuilleton, nourriture familiale

« Dégusté par le père et la mère, le feuilleton va droit aux enfants qui le prêtent à la domesticité d'où il descend chez le portier si celui-ci n'en a pas eu la primeur. Comprenez-vous quelles racines un feuilleton ainsi consommé a dans un intérieur et quelle situation cela assure sur-le-champ à un journal? Désormais ce journal fait partie intégrante de la famille. Si par économie on le supprime, la mère boude, les enfants se plaignent, la maison entière est en révolution. Il faut absolument le reprendre, se réabonner pour rétablir l'harmonie domestique et le bonheur conjugal. Voilà, Môssieur, comment le feuilleton joue désormais un rôle social, et s'est placé avec avantage auprès du pot-au-feu et de la batterie de cuisine », écrit Louis Reybaud.

La demande du public influe sur l'évolution du roman-feuilleton. « L'emploi, à partir de 1836, d'un nouveau mode de publication des œuvres littéraires entraîne la conquête d'un nouveau public qui, à son tour, vers 1842-1843, impose la forme d'un nouveau genre littéraire » (René Guise, *Balzac et le roman-feuilleton,* Plon, Paris, 1964, p. 284).

Le nouveau genre littéraire : le roman-feuilleton, est très lié au journal qui le publie. Surtout, chaque journal s'attache à prix d'or les maîtres du genre, les gloires du roman populaire : Eugène Sue, Alexandre Dumas, Paul de Kock. Il s'ensuit une fiévreuse spéculation, dénoncée par Old Nick en un article paru dans le *National* du 26 novembre 1844, et intitulé « La fièvre du roman » : « La littérature des feuilletons fit éclore des noms spéciaux, qui n'ont pu éclore que sur ce sol à part... Les abonnés de tel journal acceptaient telle prose, refusée par ceux de tout autre. Tel genre d'émotions était propre à telle classe de lecteurs. »

Une usine à émotions

Au début des années 1840, la première tendance du feuilleton est de susciter l'émulation de toutes sortes d'auteurs, c'est une tendance « niveleuse », selon l'expression d'Old Nick. A partir de 1844 s'ouvre une ère nouvelle, « aristocratique », car il y a sur la place des réputations déjà consacrées; le roman-feuilleton devient roman-fleuve : c'est déjà le cas des *Mystères de Paris* d'Eugène Sue, objet de la passion des foules, paru dans le *Journal des débats,* pendant seize mois, en 1842-1843. Ce l'est aussi de Kock, Soulié ou Dumas, dont les œuvres suscitent un abondant courrier de leurs lecteurs.

Un bon feuilletoniste doit soutenir l'intérêt de l'intrigue jusqu'à son point culminant en multipliant les péripéties les plus extraordinaires et les coups de théâtre les plus émouvants. Il doit doser judicieusement le mystère. Il éveillera la curiosité en terminant chaque livraison par des promesses de rebondissements qui laisseront le lecteur sur le gril jusqu'à la publication de la suite annoncée.

Tendances générales du feuilleton

Le feuilleton, à son zénith, durant les années 1840, est une littérature originale, bien que reprenant certains genres de l'époque : goût de l'horrible, le roman « noir ». Le roman « noir » et le roman « d'amour » sont représentés, mais aussi, le roman historique[1].

Le succès du roman-feuilleton est attesté aussi bien dans les classes les plus humbles que parmi la bourgeoisie. De grandes campagnes de dévalorisation de cette littérature sont entreprises par l'Église, qui stigmatise son immoralité, et par une fraction de la bourgeoisie qui lui reproche ses goûts vulgaires et peu littéraires. Ainsi, vers 1845, l'Académie de Châlon met au concours la question suivante : « Signaler les dangereuses théories et les hérésies morales et littéraires, qui, dans les œuvres contemporaines ont contribué à corrompre le goût de la société. » Mais les auteurs à succès, tous issus de la classe bourgeoise, prospèrent et touchent des ponts d'or.

---

1. Sur les mythes et les tendances du feuilleton, *cf.* « Curiosités du journalisme et de l'imprimerie », *Bulletin officiel des maîtres-imprimeurs du Haut-Rhin et de la Moselle,* décembre 1938. Le premier roman-feuilleton comprenant la formule rituelle « La suite au prochain numéro » fut d'Alphonse Royer, et parut dans *La Presse* en 1836.

« C'est du Paul de Kock », dit-on encore aujourd'hui de telle situation, de tel personnage. Comment peut-on expliquer le retentissement sur nos sensibilités actuelles d'une œuvre vieille de plus d'un siècle?

Nouveau vieil auteur, Paul de Kock le fut déjà de son temps, puisqu'il aborda le roman-feuilleton avec une expérience déjà ancienne, et bien des titres de gloire. Il fut de ceux, assez rares dans l'histoire du roman populaire, qui avaient une réputation assez solide pour ne pas tout miser sur le seul feuilleton; nouveau vieil auteur, il le reste de nos jours, doté d'éternelle jeunesse.

Un humoriste tranquille

Charles-Paul de Kock naquit à Passy en 1793. Il était le fils d'un banquier d'origine hollandaise et d'une Suissesse. A quinze ans, il entre comme commis chez les banquiers Scherer et Finguerlin. Il lui arrivera souvent d'écrire « un chapitre entre deux bordereaux », selon Eugène de Mirecourt (*Les Contemporains,* Roret, 1854).

Après avoir dévoré *Les Trois Gil Blas,* de Lamartelière, cette lecture décida de sa vocation. Il déclara dans ses *Mémoires* (Dentu, 1873) : « *Les Trois Gil Blas* avaient porté coup; le genre gai, naturel, était mon genre de prédilection. » A dix-sept ans, ayant lu Pigault, il écrivit deux volumes que tous les éditeurs refusèrent : *L'Enfant de ma femme* (1813) et *Georgette.*

Un auteur à succès [1]

Mais bientôt, la roue tourne et Kock eut la chance de connaître l'éditeur Barba qui se l'attacha à des conditions avantageuses pour le jeune auteur. Kock était déjà loin du temps qu'il offrait gratuitement aux éditeurs *L'Enfant de ma femme.* Comme des épreuves narrées dans la pré-

1. Il succède à Pigault, à partir des années 1820, dans la faveur du grand public.

face d'une nouvelle édition de *Georgette,* en 1849 : « Mes parents, suivant l'usage, se moquaient de moi et de mes prétentions à faire des romans. Je jure bien qu'il n'y avait aucune prétention de mon fait; j'écrivais par goût, par plaisir. » *L'Amant de la lune* lui fut payé 20 000 francs-or en 1847 par l'éditeur Baudry.

Un nouveau roman de Kock, paru en 1826, *Gustave ou le mauvais sujet,* fit parler de lui. On l'accusa d'immoralité. Le livre lui valut aussi une lettre de femme : « Monsieur l'auteur, ne sachant pas votre adresse, je vous écris chez votre libraire. J'ai lu votre *Gustave,* et ça m'a donné l'envie de vous connaître. Voulez-vous venir souper après-demain à la maison?... » L'aventure n'eut guère de suite.

Désormais, l'auteur est lancé : *Georgette* (1824) eut une très belle vente : 6 000 écus au bout de six semaines, partagés entre l'éditeur Barba et Kock. *Monsieur Dupont, ou la jeune fille et sa bonne* (1824) se vendit à 6 000 exemplaires en librairie. Selon Mirecourt, « le jour où l'on mettait en vente un roman de Paul de Kock, il y avait une véritable émeute en librairie. On courait prendre les volumes par centaines, et les cabriolets brûlaient le pavé pour aller répandre l'œuvre nouvelle d'un bout de Paris à l'autre. L'affiche était presque simultanément collée à toutes les vitres des cabinets de lecture, qui achetaient quelquefois jusqu'à dix exemplaires du même ouvrage, sans pouvoir contenter l'impatience des lecteurs [1] ».

Une des gloires du feuilleton?

Auteur pour cabinets de lecture, Paul de Kock écrit depuis plus de trente ans déjà lorsque l'essor du roman-feuilleton le tente et le décide à élargir sa clientèle de lecteurs. Cette clientèle qui en fait le « romancier des cuisinières, des valets de chambre et des portiers », selon Mirecourt. Mais, déjà célèbre, Kock n'écrit pas *pour* le journal, il se contente souvent de publier dans les journaux des œuvres déjà parues en librairie. S'il a une prodigieuse facilité d'écriture, il ne peut satisfaire tout le monde à la fois : éditeurs et directeurs de journaux.

Toutefois, certaines œuvres de Kock, parues d'abord en feuilleton,

1. Outre le relais du cabinet de lecture, il convient de signaler les louables efforts tentés en 1834 par une maison d'éditions parisienne, établie 24, rue de Chabrol-Poissonnière. Elle lança la première collection, en livraisons, à vingt centimes, in-8° et en in-32. Mais le médiocre renom des auteurs publiés (H. Daniel, E.-F. Varez, A. Petit) fit que cette collection sombra au bout de quelques mois.

puis en volumes, connurent un important succès au rez-de-chaussée des grands journaux : ainsi, *Les Parisiens au chemin de fer,* paru en 1838 dans *Le Siècle.*

Vers la fin de sa vie, Kock devint donc le feuilletoniste attitré des grands quotidiens. *L'Amant de la lune* et *La Jolie Fille du faubourg* parurent en 1861 dans les *Veillées parisiennes.* La publication en 1869 par la *Petite Presse* du *Concierge de la rue du Bac* fit monter de 80 000 exemplaires le tirage de ce journal.

Toutefois, Kock connut un moins grand succès comme feuilletoniste que lorsqu'il fut diffusé par la librairie populaire, notamment par certains pirates de l'édition à bon marché, comme les contrefacteurs belges, qui, vers 1840-1850, exportaient régulièrement en Amérique 20 000 ou 30 000 exemplaires de chacune de ses œuvres, ce qui représentait, en y ajoutant ce qu'ils vendaient en Europe, un total de douze à quinze millions de volumes de livres à bon marché (Mirecourt, *Paul de Kock*).

Un écrivain abondant

Paul de Kock est un de nos plus abondants romanciers, il déclara lui-même avoir publié près de quatre cents volumes. Il ne se contenta pas du reste d'écrire des romans, mais aussi des mélos, des vaudevilles, voire une « physiologie du mariage ». Pendant cinquante ans (1820-1870) il connut une célébrité qui, si elle n'eut d'écho auprès des lettrés, répandit son nom en France et à l'étranger. Toutefois, les temps forts de sa gloire, de sa gloire de feuilletoniste, coïncident avec l'essor du roman-feuilleton, durant les années 1840-1850.

Paul de Kock meurt à Romainville en 1871, peu de temps après la Commune. Il laissa un fils, Henry de Kock, qui tenta d'imiter d'abord, assez peu heureusement, les procédés qui firent l'immense fortune de son père, puis multiplia les romans de cape et d'épée.

Un auteur aussi vite oublié que lu ?

Kock fait-il partie de ces romanciers populaires dont le message est si léger, si rapidement consommable, qu'on l'oublie sitôt après l'avoir lu ? Peut-on encore de nos jours relire avec agrément, émotion, des situations et des études de mœurs ayant fait la joie ou la tristesse d'un important public de concierges, d'employés, d'ouvriers, d'artisans, surtout, de petits bourgeois?

Kock est par excellence le « romancier de la portière », il parle son langage, ses menues peines, ses désirs. Il est le peintre d'un petit peuple aujourd'hui disparu. Et pourtant, aujourd'hui encore, les romans de Kock résument à merveille l'esprit populaire français, cet « esprit gaulois », illustré par un représentant de « la vieille gaieté française ». Il a su concrétiser les permanences de l'esprit français, semble-t-il. Fut-il le peintre idéaliste d'un petit peuple laborieux et de mœurs légères? Doit-on le lire comme un moraliste revêche? Faut-il voir en lui un romancier réaliste, à l'école de Balzac? Telles étaient les questions que je me posais avant d'étudier l'œuvre de Kock.

3. LA TECHNIQUE ROMANESQUE

Kock, auteur favori des concierges, des midinettes, des petits bourgeois, donc auteur « daté », décrivant une époque qui n'apporte rien à la sensibilité actuelle? Ou bien n'a-t-il établi que des volumes de gaudrioles dont les légères fumées s'évaporent vite? Entrons dans son œuvre pour en juger.

a) Délimitation de l'œuvre de Kock

L'œuvre de Kock exclut d'abord le roman policier dont Gaboriau fut le prototype : sentimentale, grivoise, elle répugne aux sombres couleurs des drames judiciaires. Lorsque le crime intervient chez Kock, c'est à titre accessoire; ses héros brandissent de préférence le « couteau à dessert » (Léo Lespès, *La Vie de C.-Paul de Kock,* Barba, 1873).

Le genre illustré par de Kock répugne également au « cape et épée ». Les rares tentatives où il aborda le roman historique furent de grands échecs commerciaux [1].

Enfin, on ne trouve point chez l'auteur du *Cocu* de ces longues histoires exotico-judiciaires dont Ponson du Terrail sera un des gros fournisseurs. Kock, à la fin de sa vie, tentera d'imiter du Terrail, mais sans grand succès.

C'est pourquoi j'ai limité à l'année 1850 l'étude de l'œuvre de Kock.

1. Ce fut le cas des *Étuvistes* et d'*En ce temps-là.*

1850 est pour lui le début du déclin... Il aborda en vain le roman-fleuve, tentant de concurrencer Ponson du Terrail. *Les Enfants du boulevard* (1864) et *Le Petit-Fils de Cartouche* constituent une pâle imitation de *Rocambole* [1].

b) L'univers de Paul de Kock

Là où il excelle, c'est dans la description des grisettes ou ouvrières aux mœurs légères; des commis grognons, des boutiquiers poussifs, des « portières sublimes » ou des tourlouroux « enflammés », comme en jugea un article nécrologique paru dans *La Lune* après la mort de l'auteur. Les Parisiens de 1825 et 1850 sont « à jamais esquissés dans les odyssées... que Paul de Kock a chantées sur ses mirlitons si français... ».

La morale? Le pape Grégoire XVI fut un lecteur assidu de Kock, dont les romans furent les seuls qui soient entrés au Vatican pendant son règne. Le pape faisait demander des nouvelles de l'auteur par son nonce à Paris.

c) Une aisance merveilleuse

L'auteur de *L'Amant de la lune* écrivait souvent un roman en quinze jours. Jamais il ne relisait ses phrases. Il composait avec une rapidité de douze pages à l'heure, et ses manuscrits ne portent aucune rature. Sur ses épreuves, il n'apportait jamais de changements.

d) Le peintre de la femme

Paul de Kock est essentiellement un auteur de romans d'amour; ses amoureuses faisaient souvent rêver des lectrices jeunes et moins jeunes, sensibles à sa délicatesse dans la description des gradations du sentiment.

Il est beaucoup de titres dont la femme est l'héroïne : 27 titres « féminins » sur 46 titres « masculins ». *La Laitière de Montfermeil, La Pucelle de Belleville,* connurent de grands succès car ils furent très lus par les femmes. Beaucoup de bourgeoises vinrent acheter *Le Cocu* par fidélité à l'auteur, mais, choquées par le titre, demandaient « le dernier de Paul de Kock ». Avec Paul de Kock, les femmes frémissent, rêvent, désirent un monde d'éternelle jeunesse.

---

1. Si Kock dédaigna le roman judiciaire (illustré dès 1831 par *Le Bonnet vert* de Méry, qui mit en scène l'archétype du forçat régénéré par l'expiation), il évoque dans *Les Enfants du boulevard* le bandit Schinderhannes et le vil marquis de Sauvigné, père du vaurien Séverin, chef de bande cynique et implacable. Kock répugne à décrire le bagne et ses horreurs, comme le fit Henri Simon dans *Les Deux Forçats, ou le dévouement fraternel* (1822).

A côté des femmes : amoureuses, femmes mariées flirtant avec un beau jeune homme audacieux, laitières au grand cœur, actrices intrigantes, on trouve beaucoup de ridicules petits bourgeois. Nul mieux que Kock n'a su, avec autant de verve et de naturel, comme de vérité, décrire la vie, les mœurs, les ridicules de l'employé amoureux, de la grisette, du militaire, du bourgeois parvenu. Il a édifié une sorte de *Comédie humaine* des petites gens[1].

e) Une trame assez lâche[2]

« Point d'exposition; une situation tout de suite. Un colonel et son fidèle hussard [...] qui causent de leurs affaires en roulant en chaise de poste; un essieu se casse; les voyageurs qui tombent dans un fossé, à peu de distance, naturellement, d'une maison où l'on s'empressera de les recueillir et où il leur arrivera toutes sortes d'aventures. C'est ainsi qu'on entamait un roman [...] en prenant le taureau par les cornes. Aujourd'hui, on ne vous montre le taureau qu'au second ou troisième chapitre », déclare l'auteur dans ses *Mémoires*.

Après une exposition très rapide des principaux héros, Kock scinde son récit en anecdotes et en scènes de genre, centrées autour de multiples personnages : le séducteur, les grisettes, les dupes. On notera sa facilité prodigieuse de pouvoir presque sans transition passer du comique au sérieux. En fait, le seul fil conducteur est l'analyse d'une passion, d'un ridicule : il s'agit d'une intrigue très linéaire.

Un mystère...

Avouant, à soixante-seize ans, qu'on l'a appelé le romancier des cuisinières, il répliqua : « On m'a lu, et on me lit beaucoup, et j'ai dans l'idée qu'on me lira longtemps encore, ne fût-ce que pour connaître une époque déjà éloignée et si différente de celle où nous vivons, et pour rire... Rire! Un genre de plaisir que je ne vois guère qu'on se procure en lisant les romans d'aujourd'hui[3]. »

1. Beaucoup de ses filles du peuple (Denise, la laitière de Montfermeil, Suzanne, la paysanne) s'embourgeoisent par amour. Elles ne sont jamais « ni odieuses ni ridicules » (A. Berkovicius, *op. cit.*), sauf Georgette, punie pour avoir refusé l'amour, et qui expire, avec son enfant mort dans les bras, dans l'église où l'amant éconduit se marie.
2. Une bonne part de l'univers de Kock est construite selon les procédés du théâtre. « Ses grands grotesques correspondent à des types issus de la comédie moliéresque » (A. Berkovicius, *op. cit.*), Raymond *(Mon voisin Raymond)* est « le fâcheux bavard et mythomane », Robineau, « le bourgeois gentilhomme », l'épicier Dupont *(Monsieur Dupont)* « le mari berné par son Agnès »...
3. En fait, Kock hérita de toute une tradition gauloise et irrespectueuse. Il eut comme

Donc, chez Paul de Kock, la bonne humeur est à la base de son œuvre : pas de recherche de profondeur, pas de prétentions; il observe le monde qui passe, décrit les types qu'il a choisis dans la réalité. Il fait parler les humbles : on lui reproche son mauvais style? C'est la façon de parler du peuple, du XIXe siècle. Les mœurs populaires sont dissolues? C'était bien le cas. « Ma plume a pu être, souvent, quelque peu leste, elle n'a jamais été immorale. »

Résultat de ces procédés? L'auteur ignore la convention mais non le drame et le mystère. L'auteur affirme tout prendre d'après nature : personnages pleins de vie, sottise bourgeoise, simplicité campagnarde, espoirs et peines de tout un petit monde d'ouvriers, d'artisans, d'employés. Paul de Kock connaît à merveille l'âme, le cœur de la foule[1].

Lisez *La Maison blanche* (1840). L'employé de bureau Robineau part acheter en Auvergne un château, car il vient d'hériter, rencontre une chevrière orpheline, Isaure, dont il s'éprend, avant de se marier ailleurs. Les amis de Robineau, le viveur Alfred de Marcey et Édouard, s'éprennent eux aussi de la bergère. Un mystérieux homme apparaît de temps à autre; autre mystère : Isaure ne peut s'éloigner de la Maison Blanche. L'inconnu surgit lors de chaque progrès de l'action. « Quel est donc cet être mystérieux qui exerce un si grand empire sur elle? » Tant de mystère alarme Édouard : « Enfin, mademoiselle, quel pouvoir a donc sur vous cette personne à qui vous me sacrifiez?... De quel droit cette personne, qui se cache avec tant de mystère, prétend-elle vous séparer de moi?... Où est-elle? Je veux la voir, la connaître, lui parler. — Non!... non! n'y songez pas, s'écrie Isaure. Ah! je vous en prie, si vous m'aimez encore... ne cherchez pas à connaître cette personne... »

... Et la solution du mystère

La construction du roman est orchestrée autour de l'héroïne, du bienfaiteur et du persécuteur. Toute l'action est liée à la recherche de son

concurrents Émile Vanderburch et Émile Cabanon, ce dernier surtout célèbre par son *Roman pour les cuisinières* (1835). C'est le roman de Cabanon qui fournit l'étiquette, adoptée par la critique, de « fiction pour cuisinières ».

1. Dans cet univers non manichéiste, les conflits sociaux s'affirment à l'intérieur d'une même classe. « Vision lucide mais non contestataire » des bourgeois (A. Berkovicius, *op. cit.*), la grande bourgeoisie d'affaires n'échappe pas aux critiques (*La Femme, le Mari et l'Amour*). Les traîtres sont rares (*L'Homme de la nature, Madeleine, Frère Jacques*). Kock préfère « une humanité moyenne qui a beaucoup plus de travail que de vices. Ce qu'il y a de bourgeois chez lui, c'est la toile de fond de ses romans » (A. Berkovicius, *op. cit.*).

Autour des héros grouille une foule de petites gens, d'intermédiaires (rentiers, parfumeurs, courtiers, marchandes des quatre-saisons).

identité par Isaure. Le héros a un caractère de toute-puissance. D'autres traits apparentent le roman au genre illustré par Sue, le roman populaire et social : univers féodal marqué par la fidélité au serment; l'influence du passé sur le présent dans l'articulation du récit, le comportement des personnages; enfin, la « reconnaissance » finale : le drame repose sur une vieille vengeance; Isaure est la fille naturelle du méchant vagabond. Dernière touche noire : Alfred tue le vagabond, pour faire œuvre de justice. Isaure se marie sous un nom supposé, « elle croit que ce dernier nom est celui de son père. »

Lisez aussi *Sanscravate, ou les commissionnaires* (1844). Le milieu décrit est celui de la Chaussée-d'Antin, à Paris, mais aussi les quartiers populaires : la rue Saint-Jacques et ses grisettes. Là aussi, tout tourne autour d'un mystère d'identité. On ignore l'origine d'un des commissionnaires, Paul, ami de Sanscravate. Sanscravate est le prototype du héros masculin de Kock : querelleur, bohème, bon cœur. La sœur de Sanscravate est séduite par le viveur Albert. Une certaine dame hait Albert, car elle veut venger sa sœur, brodeuse, séduite par le père d'Albert. Rien ne manque à ce récit, même la croix-de-ma-mère : « Cette femme, pensant que si on voulait ravoir cet enfant il fallait pouvoir le reconnaître, lui fit une croix sur l'avant-bras et écrivit sur un petit papier : Il se nomme Paul de Saint-Cloud[1]. » Ainsi, le héros, prolétaire malgré lui, apprend pour finir qu'il est issu d'une noble famille[2].

On trouve un autre cas d'univers manichéen à l'intérieur duquel s'opposent le Bien et le Mal, avec *La Jolie Fille du faubourg* (1840). L'archétype ici choisi est celui de l'erreur judiciaire, de la réhabilitation de la fille de l'innocent : Alexis Ranville ne doit pas aimer Marguerite, fille d'un homme condamné à tort. Le drame oppose trois forces qui en sont deux, le Bien contre le Mal : le coupable, les victimes, le vengeur. Si Hélène de Brévanne dut épouser, très jeune, le vieux et laid de Pom-

---

1. Dès 1830, Rey-Dusseuil *(La Fin du monde, histoire du temps présent et des choses à venir)* prévoit la guerre des classes, représente le bourgeois capitaliste, « maître cruel du jeu économique » (A. Berkovicius, *op. cit.*). 1830 marque la rupture entre la période de la description comique et apitoyée des classes moyennes, et la phase de la satire implacable : Lamothe-Langon *(Le Comptoir, la Plume et l'Épée*, 1834) fait succéder à la féodalité du château celle du négoce. Raban *(Les Ouvriers*, 1835) critique sévèrement la justice de classe, déifie les ouvriers émeutiers de juillet 1830. Ses héros, Oscar et Georges, ouvriers imprimeurs, combattent ouvertement le régime louis-philippard.

2. Ici non plus, Kock n'innova point : dès 1807, Mme Guénard publia *Éléonore ou la belle blanchisseuse.* Quant aux critiques reprochant à Kock ses visions laxistes, il pouvait se trouver un précédent dans un ouvrage anonyme, *Émile de Valbrun ou les malheurs du divorce* (1808). Ou bien dans *Héléna Aldenar, ou le Bigame*, de Charlotte Bournon-Malarme (1809).

ponney, c'est parce que le père de Marguerite lui vola son bonheur. Le coupable, Pomponney, est démasqué et puni. Ici encore, on a affaire à un univers tragique, dont la fin, très morale, est le rétablissement de la norme troublée par l'invasion du Mal, le retour au bonheur. La dépositaire de la norme sociale, c'est Hélène, représentante de la société, qui l'investit dans sa mission de punir le coupable en le forçant à doter richement Marguerite. Donc, ici encore, on a un bonheur troublé, puis le triomphe du Bien sur le Mal.

L'aspect social de l'œuvre est complété par le récit de la chute puis de l'ascension sociale de Marguerite. On a donc vu un peu vite Paul de Kock comme seul auteur comique, une bonne part de son œuvre est tout aussi tragique que celles de ses concurrents, Sue ou Soulié.

Une bonne humeur contagieuse

Paul de Kock a su créer des types qui restent encore aussi vrais et presque aussi neufs, aujourd'hui, qu'autrefois : des types devenus des expressions courantes, comme *La Famille Gogo*. Gogo, c'est le type du bourgeois parvenu, suffisant, ridicule. Il s'agit de toute une famille d'anciens paysans subitement enrichis. Le trait marquant de ce roman, comme de toutes les œuvres de Kock, et qui le distingue des autres auteurs populaires, Sue par exemple, reste l'amalgame étonnant de comique et de tragique. L'univers est bien manichéen, les méchants sont punis, on assiste même à un meurtre, celui du séducteur, mais on rit surtout.

Sur une intrigue peu serrée, des coquins, de braves gens malheureux d'abord, puis récompensés : le schéma des romans de Kock reste bien dans la lignée de Sue. Il s'agit d'un univers familial, d'une même famille au sein de laquelle le Bien et le Mal se déchirent; où l'amour et la vengeance s'opposent entre gens issus d'un même sang.

Par rapport à Pigault, les archétypes ont évolué. On trouve souvent le fils du coupable épris de la fille de la victime; la victime à la recherche de son identité; parfois, il y a « inceste » innocent lorsque le frère et la sœur s'aiment, puis découvrent qu'ils ne sont pas du même sang. La séduction est liée à la possession ou à la dépossession de la fortune.

Ce qui importe, c'est le réalisme du détail, le caractère échevelé des situations, des histoires pleines de quiproquos, de coups de théâtre, de personnages.

Tout comme Sue, Kock a parlé du peuple au peuple, il a écrit pour les humbles, les bannis, les victimes. Ces grisettes dont on en a fait le peintre complaisant, ouvrières mal payées, séduites par des fils de riches, abandonnées avec leur enfant, il a pu les observer sans rien changer à leur façon de parler, de se vêtir, d'aimer, de souffrir. La grisette aux mœurs légères, mais bon cœur, qu'elle s'appelle Bastringuette, ou Jenny, reste une victime.

Les ouvriers, comme dans *Sanscravate,* travaillent durement, se retrouvent au cabaret pour boire, ont droit à ce que l'on représente leurs amours, leur misère, tout comme les autres couches sociales. Les viveurs, fils de riches, ne sont guère flattés : vus, eux aussi, d'après nature. Tout le monde vit et revit sous la plume de Kock, de la banlieue parisienne, si souvent décrite, à la capitale dévoreuse de rêves et d'ambitions. Si Paul de Kock connut une telle gloire, c'est qu'il fut le premier à avoir mis en scène des couches sociales totalement absentes du roman, jusqu'au début du XIXe siècle. Il fut, surtout, l'auteur du petit peuple, et des bourgeois amusés de ses tableaux[1].

Quelques jugements

Chateaubriand disait : « Paul de Kock est consolant. Jamais il ne présente l'humanité sous le point de vue qui attriste. Avec lui, on rit et on espère. » De son côté, Alexandre Dumas entreprit la défense de Kock, un flatteur lui ayant dit qu'il resterait seulement trois romanciers du XIXe siècle, Dumas, George Sand et Balzac. « Veuillez, dit Dumas, en ajouter un quatrième... Paul de Kock ; il vivra plus longtemps que nous. »

Parmi les auteurs contemporains, André Salmon et Jules Romains ne cachèrent pas leur admiration pour le romancier des cuisinières et des concierges, ayant su rester assez modeste pour rester loin du bruit du monde, dans sa chère retraite de Romainville.

1. A l'inverse de Ducange, Raban ou Dinocourt, Kock accepta telle quelle la société de son temps. Il ignore la spéculation immobilière (traitée par Jules David dans *La Bande noire,* 1837). Il ne fait pas de ses héros les porteurs d'une contestation sociale (comme le représentèrent A. Signol et S. Macaire, avec *Le Chiffonnier,* 1831). Il ignore l'usurier, vampire du petit peuple, un des archétypes du genre (illustré par Eugène Sainville, auteur du *Prêteur sur gages,* 1833). On ne trouve pas chez Kock le Paris d'avant Sue, celui des bouges (S. Chaumier, *La Tavernière de la Cité,* 1835). Il ignore totalement les problèmes posés par une justice inégalitaire et puritaine (à l'inverse des *Robert Macaire* de Raban, d'E.-L. Guérin et d'A. Royer, célèbre série des années trente).

Auguste Ricard

Il fut un des concurrents les plus célèbres de Paul de Kock. Né à Lyon en 1799, mort à Paris en 1841, fils d'un général et d'une actrice, élève de l'école de Saint-Cyr, il prit part comme officier de cavalerie à la guerre d'Espagne, en 1823, quitta le service en 1825 et trouva sa fortune en pillant souvent sans vergogne les procédés de Kock, en reproduisant avec moins de facilité que lui des scènes de la petite bourgeoisie et des classes populaires. On peut citer, encore lisibles : *La Grisette* (1850), *L'Ouvreuse de loges* (1853) ou *La Sage-Femme*. Là encore, il s'agit de mystères d'identité, du sort souvent à plaindre des femmes, souvent guettées par la séduction. Ricard reste un travailleur honnête, mais sans le génie de Kock. On n'oublie toutefois pas le type de Mme Forceps, de la robuste sage-femme qui, dans *La Sage-Femme,* fait et défait les intrigues. Ou cette portière maquerelle faisant de sa fille une courtisane, par ambition, dans *L'Ouvreuse de loges*. Ricard est bien de l'école de Pigault par le sens de l'humour et du scabreux[1].

Marie Aycard

Après s'être lancée sans grand succès dans le roman d'amour mondain, Marie Aycard, joviale Marseillaise (1794-1854) devint la collaboratrice d'Auguste Ricard, et écrivit au fond une bonne part des œuvres signées par ce dernier seul. *La Saurel* (1840), c'est une fois encore la fille perdue, déshonorée et séduite[2]. *Monsieur et Madame Saintot,* feuilleton de *La Quotidienne* en 1847, c'est l'histoire d'une union malheureuse. Au fond, Marie Aycard brode, depuis le début de son œuvre, sur cet arché-

---

1. *Monsieur Mayeux,* (Lecointe et Cie, 1831), prototype du petit bourgeois ridicule et gourmé, connut un succès inouï : des affiches, caricatures, objets divers, popularisèrent ce roman.
2. Ainsi, dans *Julienne Petit, ou le voleur et la grisette* (1837) a-t-on comme archétypes les frères ennemis, la séduction. *Les Gentlemen de grands chemins* (1857) met en scène un chef de bande et un policier à la solde des brigands.

type : pourquoi la femme n'est-elle pas maîtresse de son destin? Pourquoi attend-elle si longtemps le bonheur?

Émile Souvestre

Breton mélancolique, fouriériste, de tempérament (1804-1854), Émile Souvestre n'est pas seulement l'auteur du très connu *Foyer breton,* mais de romans mettant volontiers en scène les pécheresses, les déclassés, les pauvres. Depuis *Riches et Pauvres* (1837) jusqu'à *Humiliés et Vengés* (1850), c'est la même constance dans le plaidoyer social[1].

BIBLIOGRAPHIE

GONCOURT (Edmond et Jules de), *Journal,* tomes I et II, Fasquelle, Paris, 1896.
KOCK (Paul de), *Mémoires,* Dentu, Paris, 1873.
LEMER (Julien), « Paul de Kock », étude placée en tête des *Intrigants,* Sartorius, Paris, 1874.
LESPES (Léo), *La vie de C.-Paul de Kock,* Barba, Paris, 1973.
MIRECOURT (Eugène de), *Les Contemporains,* n° 24, Roret, Paris, 1854.
MONSELET (Charles), *Statues et Statuettes contemporaines,* Giraud et Dagneau, Paris, 1852.
ROMAINS (Jules), « J'aime Paul de Kock », *Carrefour,* 11-11-1944.
SALMON (André), « Paul de Kock ». En préface à l'édition *Le Cocu,* Trémois, Paris, 1925.
WITKOWSKI (Georges), *Les Accouchements dans les beaux-arts, dans la littérature et au théâtre,* Steinthal, Paris, 1894.

---

1. C'est-à-dire l'exposé sans fards de la guerre des classes (*Riches et Pauvres; L'Homme et l'Argent,* 1839) ou de l'exploitation des filles du peuple *(Humiliés et Vengés).* Cf. Édouard Charton, *Émile Souvestre, Magasin pittoresque,* décembre 1854.

CHAPITRE III

Eugène Sue

Évoquer Eugène Sue, c'est évoquer nécessairement le roman-feuilleton, Sue fit la fortune des journaux qui le publièrent, il donna au feuilleton ses lettres de gloire, en faisant une machine idéologique, une usine à rêves, une mythologie vivante nourrie par d'innombrables lecteurs. Le feuilleton, ce type nouveau d'écriture qui met l'auteur en relation constante avec son public, fut érigé à l'état de système par Sue. Le feuilleton est avant tout déterminé par les « conditions de son existence » (Jean-Louis Bory, *Tout feu tout flamme, op. cit.*) [1]. Il s'adresse au plus vaste public possible par l'intermédiaire de la presse qui le publie en tranches : il doit se nourrir de ce découpage, en tirer des effets, une « esthétique », selon l'expression fort juste de Jean-Louis Bory. Le feuilleton a pour éléments essentiels l'épisode et la série. L'épisode publié doit satisfaire l'attente du lecteur, et la renouveler, en créant des effets dramatiques. Première conséquence de cette règle sur la forme du roman : « la ligne brisée de son action, série de pointes coïncidant avec les coupes du feuilleton » (Jean-Louis Bory), ligne discontinue. Seconde conséquence : ce bondissement dans l'espace et dans le temps, ces substitutions étonnantes de décors, cette rupture provocante de la linéarité du récit, entraînent la règle des « trois multiplicités » (Samuel de Sacy) de temps, de lieu, d'action, c'est-à-dire une grande complexité de l'intrigue, un pullulement de décors et de personnages permettant à l'auteur d'alimenter la péripétie, de précipiter le dénouement, surtout quand, comme pour Sue, le plan mine l'inspiration. Cette discontinuité

---

1. On ne terminera jamais une intrigue avant la date fatidique du réabonnement, règle d'or du genre, à partir de Sue.

de l'action et cette multiplicité entraînent une « dispersion » (Jean-Louis Bory). C'est le roman de l'aventure morcelée, de l' « éparpille-ment héroïque », qui déconcerte le grand public (Jean-Louis Bory).

D'où tout un ensemble de procédés remédiant à cet éparpillement et à cette complexité croissants : les rappels (« On se souvient que... ») parfois prétéritifs (« Nous croyons inutile de rappeler au lecteur que... »); les annonces (« Nous raconterons plus tard les suites de cette découverte »), annonces qui se font anticipations quand l'auteur précise au préalable l'évolution d'un personnage; les coïncidences soulignées; les explications différées. Toutes ces interventions de l'auteur ont pour but d'atténuer le caractère hasardeux de son œuvre, de même quand il utilise le procédé des hasards convergents (faisant se réunir tous les personnages dans un même lieu : ce hasard qui rassemble les héros des *Mystères de Paris* dans l'étude Ferrand). Grâce à ces astuces et à cette « convergence des hasards » (Jean-Louis Bory), l'action, qui risquerait de s'éparpiller sous l'effet de la règle des trois multiplicités « se boucle sans cesse sur elle-même » (Jean-Louis Bory)[1].

La fiction réaliste est peuplée de signes : les signes qui définissent les personnages, le costume permettant l'identification sociale; l'objet, agissant pour modifier un personnage, ou pour indiquer, dénoncer ou tuer (les médaillons, les marques de naissance, la croix-de-ma-mère). Le physique détermine le moral : le héros est à la fois beau et sympa-thique (Rodolphe, Rio Santo, Lagardère ou Pardaillan, mais aussi, côté femmes, Fleur-de-Marie, la Sarah des *Mystères de Londres* de Féval). La hideur physique est signe d'abjection morale : le Maître d'école des *Mystères de Paris*. Le physique détermine donc le moral par harmonie, mais aussi par contraste : la Mayeux des *Mystères de Paris* est à la fois ver-tueuse et laide; l'héroïne fatale de *Paula Monti* de Sue est une fort belle diablesse. Pas de raffinements psychologiques. Les archétypes sont l'Amour, pur ou fatal; la haine démente et « généralement unilatérale » (Jean-Louis Bory); la cupidité, l'ambition vénale, chez le représentant du Mal, alors que chez un pauvre, l'ambition est digne d'admiration, source de joies pures.

---

1. *Cf.* Régis Messac, « Le style du roman-feuilleton », *La Grande Revue*, n° 12, décembre 1929, pp. 221-234.

Cf. aussi Jean-Louis Bory, « Le roman populaire aime les mythes », *Les Lettres nouvelles*, n° 9, décembre 1960. La « mythologie » actionnée par le genre satisfait la « soif du divin [...] au sein d'une société privée de magie ». Le lecteur a une foi mystique, absolue, en Rodolphe, comme en Rio Santo ou en Jeanne Fortier. L'espace et le temps de cet univers sont lourds de symboles. Il s'agit de textes initiatiques.

Le manichéisme est à la base même de l'action : les victimes sont bonnes, ce sont les pauvres, les exploités, les humiliés (enfants martyrs, prostituées, etc.); les riches sont mauvais. Ce dualisme imprègne fortement le décor : affrontement de la chaumière et du château, de la mansarde et de l'hôtel particulier. Les héros sont extraordinairement purs; si le héros a en lui Bien et Mal, c'est qu'il va du Mal vers le Bien, le Chourineur, Rocambole, mènent une lutte-épreuve préliminaire à leur rachat, à leur rédemption. Tout est fonction de l'événement, seul compte le drame traduit par la lutte du Bien et du Mal.

Genre dramatique, le feuilleton est proche du mélo : « Le feuilleton-roman n'est qu'un théâtre mobile », note Alfred Nettement en 1845 (*Études critiques sur le feuilleton-roman*). D'où, nécessité d'appréhender le lecteur dès le début, avec une exposition très sobre; primauté du dialogue, un dialogue théâtral; comme sur la scène, le décor est installé avant le début de l'action. Les personnages sont des « emplois » plus encore que des « types » (Jean-Louis Bory). Roman populaire et mélo s'adressent au même public qui exige avant tout de fortes et multiples émotions : il veut frémir, plaindre, admirer. « Le mystère s'impose, créant chez le lecteur une attente angoissée provoquant une vive émotion » (Jean-Louis Bory). Tout est mis en œuvre pour faire naître, entretenir et accroître cette émotion : par le procédé interrogatif (de qui s'agit-il?); par la création d'un monde ténébreux (souterrains, hommes masqués, faux papiers et fausse identité conférant au personnage « une fluidité inquiétante », selon l'expression de Jean-Louis Bory; enfants avilis, abandonnés, sociétés secrètes, squelettes, poisons, tempêtes). Le feuilleton est exotique parce qu'il s'adresse à un public sédentaire.

Le décor joue un rôle vivant, les objets ont une signification quasi magique. Exotisme des pays inconnus ou démoniaques, qui marquent pour le héros sa « traversée des ténèbres » préalable à son indispensable purification (Jean Tortel, *Entretiens sur la paralittérature, op. cit.*). De ces enfers sortent les bagnards innocents, les gens qu'on croyait morts, ils émergent transfigurés et justiciers tout-puissants.

Au centre de cet univers, surgit la ville, faite de paradis et d'enfers, emplie de pièces secrètes, de dessous déviant vers les enfers, qui sont catacombes ou souterrains. Sue sera le premier à sacraliser l'importance de la ville, à la fois sujet et acteur du drame.

Eugène Sue naquit en 1804 à Paris. Son père était médecin en chef de la maison militaire de Napoléon. Filleul du prince Beauharnais, le futur romancier se fit d'abord chirurgien dans la flotte. Il assista à la bataille de Navarin, puis démissionna en 1829 pour écrire des œuvres maniérées comme *Arthur* et des romans maritimes assez remarquables *(Plick et Plock, Atar-Gull*[1]*).* Dandy, homme à femmes, Eugène Sue ne trouva vraiment sa voie que lorsque Ernest Legouvé lui eut demandé d'entreprendre une grande fresque. Ce fut *Les Mystères de Paris,* qui parut dans le *Journal des débats* en 1842 et 1843. Le feuilleton connut un succès inouï, marqué par l'intervention des lecteurs dans l'élaboration de l'œuvre, commentant le caractère et la destinée de Fleur-de-Marie, du Chourineur ou du Maître d'école. Sue poussa le génie de « la suite au prochain numéro » à un degré inouï. Il crée des types : Pipelet, prototype du concierge, mais aussi Fleur-de-Marie, symbole de la pureté dans la fange. Sue avait en fait adapté *Notre-Dame de Paris* de Hugo au Paris moderne, et Hugo lui rendra la monnaie de sa pièce en faisant des *Misérables* une sorte de réplique des *Mystères de Paris.*

Désormais, le dandy devient auteur socialiste, humanitaire, il fonde un bureau recevant les réclamations de ses lecteurs; demi-dieu comme Rodolphe, il est la Providence de ces années 1840, il est revendiqué par toutes les philosophies, de Proudhon à Fourier, ses lecteurs, des gens du peuple qui voient en lui un phare lumineux, les dames de la bourgeoisie ou de la noblesse qui lui font fête, en font une sorte de mage, de conducteur de foules : Sue annonce 1848. Écrivant sur la pression du public, Sue est amené à modifier le sort de Fleur-de-Marie, qui mourra au couvent, et de Sarah, sa mère dénaturée, qui épousera un truand.

Roman des lecteurs autant sinon plus que roman de l'auteur, œuvre immense, fort mal écrite, boursouflée, *Les Mystères de Paris* modela durablement la sensibilité populaire, les ouvriers virent en Sue leur éducateur, leur guide. A la Chambre, en 1843, il n'est question que du feuilleton, un député fustigea *Les Mystères de Paris* « qui a initié les belles dames parisiennes à l'argot des bagnes et aux mœurs des mauvais lieux », rapporta le *Constitutionnel.* « Ce député a prétendu que de telles publications tendaient à la subversion de tout principe moral... »

Rosny Aîné nota en 1921 dans *Comœdia* que Fleur-de-Marie, « la prostituée-victime sociale, donne naissance à la mère de Cosette, et aussi aux prostituées similaires des Tolstoï, des Dostoïevski, de vingt autres Slaves, que ce type exalta frénétiquement ». Jules Janin devait penser à Sue quand il taxa le feuilleton de « lie inerte de l'esprit français ». Les

---

1. Pierre Mille découvrit des analogies entre *Atar-Gull* et *Mademoiselle de la Ferté* de Pierre Benoit. Longue nouvelle, *Atar-Gull* est l'histoire d'une femme rancunière et ardente qui fait payer à un homme tout ce que les hommes lui firent antérieurement souffrir, déçoit la passion folle qu'il a pour elle, le ruine, et quand l'amour l'a réduit à l'état de loque, lui dévoile sa longue machination.

contemporains de Sue le comparèrent à Jean-Jacques Rousseau.

Débarrassée de toutes ses intrigues adjacentes, l'histoire des *Mystères de Paris* est simple, romantique : elle préfigure le roman du « martyre féminin », des innombrables *Séduite et Vengée* de la fin du XIXᵉ siècle. Fleur-de-Marie fut élevée par une marâtre, la Chouette, qui la battit souvent; elle connut en prison l'enfant trouvée Rigolette, « bien honnête », « très bonne ouvrière ». Fleur-de-Marie, malmenée par le Chourineur, ouvrier bandit, est sauvée par Rodolphe, incarnation de la Providence, dandy, devenu humain parce qu'il aime. Pour avoir tiré l'épée contre son père, Rodolphe, prince germanique, entreprend le rachat de sa faute : il descend dans les enfers de Paris (bouges et taudis), devient ouvrier, sauve Fleur-de-Marie, regagne le paradis de Gerolstein. Il arrache à la damnation le Chourineur, se l'attache. Féodal, il condamne le Maître d'école, mari de la Chouette, à devenir aveugle. Dieu rédempteur aux arrêts implacables, justicier tout-puissant, redresseur de torts, Rodolphe est paternaliste. Il traite souvent son secrétaire Murph en esclave. Il agit en autocrate, en despote éclairé du XVIIIᵉ siècle, dont il a les tirades ampoulées sur le bonheur des hommes. Devenu commis, il ne voit dans cet emploi qu'un « rôle ». Autre conception paternaliste de la justice selon Rodolphe : Fleur-de-Marie est remise par Rodolphe à des « bienfaiteurs », Mᵐᵉ Georges et le curé de Bouqueval, pour, régénérée, avoir l'estime des « honnêtes gens », c'est-à-dire d'une société bourgeoise profondément inégalitaire. Sue se contente de voir du « bon sens moral » dans la sagesse qui empêche le peuple de se révolter.

Ce qui fit le succès inouï de l'œuvre, fut sa portée sociale, socialiste : Sue porta dans *Les Mystères de Paris* tout un catalogue de réformes (réformes pénitentiaires, concernant le statut des filles-mères, des « orphelins de la loi », fils de criminels exécutés, établissements de fermes-modèle du genre de celle de Bouqueval, banques prêtant aux ouvriers chômeurs, etc.), mais son idéal reste une « association honnête [...] qui assurerait le bien-être de l'artisan sans nuire à la fortune du riche [...] et qui, établissant entre ces deux classes des liens d'affection, de reconnaissance, sauvegarderait à jamais la tranquillité de l'État ». Les riches ne pèchent que par ignorance : l'ouvrier lapidaire Morel, à bout de misère, ne trouve à dire qu'un « Si les riches savaient! si les riches savaient! » La grisette Rigolette, loin de songer à la révolution, se fie « à la commisération et à la justice divine ». La morale de Rodolphe reste platement bourgeoise quand il confie à son amie, Mᵐᵉ d'Harville, « un rôle à jouer dans une bonne œuvre à venir, certain d'ailleurs de trouver... quelque malheur à soulager » : Rodolphe s'exprime comme une dame patronnesse.

On comprend le jugement de Paul Féval : « Ce livre bizarre et tout près d'être magnifique, qui a eu le grand tort de placer nos misères sociales dans le domaine de la féerie. » Féval reprocha à Sue de trop prêcher, « et c'est un tort mortel; ce sont les faits qui doivent avoir de l'éloquence, non pas le conteur ».

Karl Marx fut bien plus sévère, dans *La Sainte-Famille* : le Chourineur, boucher puis assassin, est corrigé par Rodolphe, qui le transforme en « entité morale », selon le philosophe Szeliga. D'après Marx, Rodolphe fait du Chourineur un fourbe, un mouchard, puis le voilà « métamorphosé en chien », puis en petit bourgeois « qui se sacrifie pour son maître ». Fleur-de-Marie est obligée de devenir sainte car elle a reconnu que ses égarements sont des crimes contre Dieu, « Rodolphe a donc métamorphosé Fleur-de-Marie d'abord en pécheresse repentante, puis la pécheresse repentante en nonne, et enfin la nonne en cadavre. » Marx dénonce la « nouvelle théorie », qui, par la récompense des bons et le châtiment des méchants, « empêche la société de s'écrouler ». Il reproche à Rodolphe d'être fouriériste. C'est un hypocrite voulant supprimer la peine de mort, muer la peine de mort en expiation, mais qui devient partisan du châtiment suprême dès que l'assassin tue l'un des siens. Marx taxe aussi Sue de « marchand de mystères », critique le côté « moralité petite-bourgeoise » de l'œuvre, donc sa mystification, mais Marx ne vit pas que le succès du roman « est lié à l'apparition d'une conscience politique indépendante, quoique encore confuse, dans les masses populaires proches de la classe ouvrière ou dans la classe ouvrière elle-même, conscience politique à laquelle le romancier a su accorder sa puissante voix pour en faire un instrument de propagande » (Pierre Brochon, *La Littérature populaire et son public*) [1].

Sue est sincère quand il déclare « venir fraternellement en aide au travailleur qui, vivant déjà difficilement au jour le jour, grâce à l'insuffisance des salaires, ne peut, quand vient le chômage, suspendre ses besoins ni ceux de sa famille parce qu'on suspend les travaux ». Dans Ponson du Terrail, selon Pierre Brochon, « il ne restera plus que le lâche soulagement que procure l'exercice de la charité ». Et surtout, Sue reproduit d'après nature : Sainte-Beuve nota que « la génération

---

1. *Cf.* Marcelin Pleynet, « Souscription de la forme. A propos d'une analyse des " Mystères de Paris " par Marx dans " La Sainte-Famille " », *Nouvelle Critique* (Colloque de Cluny, 1968).

spirituelle, ambitieuse, incrédule et blasée, se peint à merveille, c'est-à-dire à faire peur, dans l'ensemble des romans de M. Sue [1] ».

C'est à Sue que pensa Edmond Texier quand il jugea : « Suivant l'énergique expression d'un homme d'esprit, M. de Girardin venait de créer la grande secte politique et littéraire des endormeurs...

« Le journal règne sans partage dans le salon, la boutique... C'est parmi les prolétaires que le libraire ira chercher les souscripteurs. Les publications à deux sous et à cinq sous se répandent avec une nouvelle recrudescence dans les fabriques, passent de main en main, et inondent les garnis et les mansardes... Seulement des hommes usant, dans un but anti-social, de cet immense moyen de propagande, jetteront dans la circulation les plus folles théories, et verseront, à la ronde, le vin frelaté du communisme [2]. »

Si Edmond Texier fut aussi sévère, dans son camp, que le fut Karl Marx pour le sien, Antonio Gramsci, le célèbre marxiste italien, nuança davantage ses jugements : Gramsci vit en Sue un « intellectuel organique », un « romancier idéologique-politique de tendance démocratique » qui exprima dans son œuvre les idées politiques de la petite bourgeoisie quarante-huitarde et qui sut s'adresser à un public populaire dont l'intérêt allait au seul contenu (les héros, l'action, jamais la forme). « Être pris et être surpris, c'est tout ce qu'exige le lecteur : l'identification aux héros jouant à plein, sans possibilité d'échapper à leurs sortilèges, est signe d'un bon roman populaire » (Bernard Caburet, préface à *La Marquise Cornélia d'Alfi,* de Sue, Thônes, Jacquet, 1978). Le feuilleton quotidien, comme Sue en joua, « crée un besoin, aliène, délicieusement ou cruellement, le lecteur » (Bernard Caburet).

L'œuvre magistrale de Sue, *Les Mystères de Paris,* contient à elle seule tout le répertoire de thèmes sociaux dont se nourrit l'ensemble du roman populaire : situation d'esclave de la femme, jouet de la lubricité des puissants (la fille de l'ouvrier lapidaire Morel séduite par le notaire Ferrand puis, enceinte de lui, est délaissée par lui; les infortunes de Fleur-de-Marie); le régime de l'isolement pour les prisonniers et les aliénés, la contrainte par corps pour dettes, injustice des arrestations préventives. Hugo imita Sue avec *Les Misérables,* et Féval voulut égaler le « dandy... mais socialiste » (Jean-Louis Bory) en produisant *Les Mystères de Londres.* L'originalité de Sue est d'avoir créé le « roman social populaire » (Jean-Louis Bory, *Eugène Sue,* Hachette, 1973). Certes, Michel

---

1. *Portraits contemporains,* Michel Lévy, 1870-1871.
2. *Les Petits-Paris,* Taride, 1854.

Masson et Raymond Brucker avaient publié dès 1829 un roman social populaire, *Le Maçon de Notre-Dame,* mais cet ouvrage n'avait pas l'ampleur de celui que donnera Sue. Personne, parmi les contemporains de Sue, ne se trompa sur la portée de l'œuvre[1].

Sue exprima, dans *Les Mystères de Paris,* le glissement des classes dangereuses (les bandits, les asociaux) aux classes laborieuses. Le passage du Chourineur aux Morel traduit ce glissement, qui s'effectua sous la pression des classes laborieuses : d'ores et déjà, un tel glissement amorça ce que Jean Tortel appellera la « portée mystificatrice », aliénante, du roman populaire *(Entretiens sur la paralittérature, op. cit.).* Le mythe du Purificateur, du Messie rédempteur, joue à plein : Sue est Rodolphe, c'est-à-dire le Christ[2].

La fresque humanitaire et véhémente des *Mystères de Paris,* qui annonce 48, répétons-le, était fort mal composée et fort mal écrite. Sue conçut son feuilleton au jour le jour, il fut le contemporain de ses personnages et d'une certaine façon partagea les incertitudes de leur avenir; il fut ainsi « un *deus ex machina* dénouant les affaires les plus embrouillées, un démiurge qui est maître des vies qu'il a établies » et est obligé de s'identifier à ses personnages (Bernard Caburet). Il s'établit avec le feuilleton de Sue ce qui allait devenir une des règles d'or du genre : un jeu à plusieurs, noué entre l'auteur, ses personnages, ses lecteurs, jeu « où se mêlent le doute et l'expectative, la curiosité et l'inquiétude... la vie et la mort finalement, l'auteur n'ayant d'autre avantage sur ses partenaires que d'être, en dernière instance, celui qui jette le sort » (Bernard Caburet). Cette ignorance, chez l'auteur, de ce qui va arriver, contraignit Sue « à une perpétuelle surenchère dans l'affabulation et l'extravagance » (Bernard Caburet). On comprend mieux ainsi le pourquoi de ces personnages très simplifiés, à la vie tout extérieure. Sue, à Ernest Legouvé qui demandait la suite des *Mystères de Paris,* répliqua : « Quant à la suite, je serais très embarrassé de vous l'envoyer, je ne la connais pas. J'ai

1. Les prolétaires apparaissent fréquemment au début des années 1830, et on peut considérer comme précurseurs de Sue Edmond Arnould, auteur de *Paul Guy, l'ouvrier* (1833) ou Napoléon Landais, qui publia en 1834 *Une femme du peuple,* sans parler des *Mémoires d'un savetier,* de Joseph Mangin (1839). Quant au Gavroche des *Misérables,* il connut un précurseur avec *Le Gamin de Paris* de Lamothe-Langon (1833). Et Raban, avec *Les Ouvriers* (1835), présenta une fresque remarquable, l'illuminisme de Sue en moins.

2. L'argot des voleurs, immortalisé par Sue, apparut pour la première fois dans *Les Deux Cartouches du XIXᵉ siècle,* d'Eugène-L. Guérin (1834). On y voit décrits avec verdeur le milieu, les gangs. Quant aux *Aventures d'un gentilhomme parisien,* de lord G.J.W. Ellis (1837), y est donnée une étude très documentée sur les voleurs anglais. Du même auteur, *Les Souvenirs d'un escroc du grand monde* (1839) forment avec l'ouvrage précité une sorte de préfiguration des *Mystères de Paris.*

écrit cela d'instinct, sans savoir où j'allais. Maintenant je vais chercher »
(Ernest Legouvé, *Soixante ans de souvenirs,* Hetzel, 1886).

On s'explique mieux ainsi l'écriture feuilletonesque de Sue, faite de
plus de clichés que d'innovations, écriture qui produisit efficacement
une littérature d'action qui alla droit au cœur et qui fut parfaitement
adaptée à son type de lecteurs et à son monde de lecture. Une écriture
pleine de tics : Sue ne sait pas laisser l'effet se produire à son moment,
« il lui faut toujours à la fin de chaque feuilleton une situation émouvante, une apparition, dont on n'aura l'explication que dans le numéro
suivant » (Nora Atkinson, *Eugène Sue et le roman-feuilleton,* imprimerie
Lesot, Nemours, 1929). Un tel procédé est lié à la forme même du feuilleton. Le genre exige un mouvement perpétuel, l'aventure sans cesse
renouvelée, le dépaysement offert à tous les types de lecteurs, la pègre
pour les bourgeois, le grand monde pour les prolétaires. « Le miracle
est obligatoire car le lecteur est haletant lors du dénouement » (Jean-
Louis Bory), la pression de la fiction est puissante, mais ce « miracle »
doit « être recouvert d'un vernis de causalité » (Samuel de Sacy, introduction à *Splendeurs et Misères des courtisanes,* de Balzac, Club du Meilleur
Livre, Paris, 1958).

L'écriture lourde, sans beaucoup d'humour, de Sue, passa tout de
même la rampe et exerça une durable magie sur d'innombrables lecteurs. Sue obéit à une des règles capitales du genre, le chassé-croisé
d'intrigues et de personnages secondaires, plus ou moins en rapport
avec l'intrigue principale, parce qu'il écrit sans plan : « Les exigences
de ce récit unique, malheureusement trop varié dans son unité, nous
forcent de passer incessamment d'un personnage à un autre, afin de
faire autant qu'il est en nous, marcher et progresser l'intérêt général
de l'œuvre (si toutefois il y a de l'intérêt dans cette œuvre, aussi difficile
que consciencieuse et impartiale) », déclare l'auteur dans la 3ᵉ partie,
chapitre 15, des *Mystères de Paris.*

Si Théophile Gautier, dans *La Presse* du 24 juillet 1841, vanta « la
rapidité limpide de la narration » dans *Mathilde,* le style de Sue est diffus :
des chapitres entiers ne disent rien, on trouve du remplissage; « partout
on trouve de l'emphase, de la déclamation, des tirades. Sue exagère et
les sentiments et le langage » (Nora Atkinson). Les dialogues sont peu
vifs. Sue admettait, dans le *Journal des débats* du 8 février 1843, que
Les Mystères de Paris était « une littérature mauvaise au point de vue de
l'art mais que nous maintenons n'être pas une mauvaise littérature
au point de vue moral ».

Si, avec l'histoire de la rédemption de Fleur-de-Marie et du Chourineur, toute la France, toute l'Europe frémit, Sue connut avec le *Juif errant,* feuilleton du *Constitutionnel* en 1844-1845, un succès formidable. Le feuilleton fut payé à Sue près de 160 000 francs actuels. Plus engagé à gauche que *Les Mystères de Paris,* ouvrage fantastique et allégorique, le roman plut parce qu'il était un répertoire de trucs de mélo : la médaille donnée par la mère mourante en dépôt sacré à ses filles Blanche et Rose, les touchantes orphelines, le bon soldat; le génie du Mal, le jésuite Rodin, convoitant l'héritage de toute une famille, à l'allure de mort-vivant, de vampire : « Ce masque livide, et pour ainsi dire sans lèvre, semblait d'autant plus étrange qu'il était d'une immobilité sépulcrale. » L'exotisme n'est pas absent, avec Faringhea, chef des Étrangleurs, que reprendra René de Pont-Jest. Les gens du peuple sont bons et sympathiques, comme Agricol Baudoin, le poète forgeron employé chez Hardy, protecteur de Blanche et de Rose; l'ouvrière la Mayeux, la grisette Rose-Pompon. Les persécuteurs sont les jésuites opposés au progrès social incarné par la famille Rennepont, objet de leur haine et de leur convoitise. On séquestre des orphelines. On menace de mort des honnêtes gens. On fait brûler la fabrique d'un patron progressiste, Hardy, ennemi de Rodin parce qu'il est « idolâtré de ses ouvriers, grâce à des innovations sans nombre touchant leur bien-être ». On trouve des tirades humanitaires dans le même style que celles des *Mystères de Paris.* Les riches ne pèchent que par ignorance : « Nous l'avons dit il y a longtemps : SI LES RICHES SAVAIENT !!! Eh bien! répétons-le, à la louange de l'humanité; lorsque les riches savent, ils font souvent le bien avec intelligence et générosité. » Sue veut que les classes sociales antagonistes se réconcilient : « Est-ce irriter l'ouvrier contre celui qui l'emploie que de montrer M. François Hardy jetant les premiers fondements d'une maison commune? » Sue dénonce « la cruelle insuffisance du salaire des femmes », les internements arbitraires dans les asiles.

Ce feuilleton fit monter de 30 000 à 40 000 le nombre d'abonnés du *Constitutionnel.* Durant ces années 1840, le nombre des lecteurs de journaux augmenta rapidement : il était de 70 000 en 1836 pour toute la France, et passa à 200 000 en 1846, pour Paris seulement[1].

La carrière de Sue devint dès lors, jusqu'au coup d'État de 1851, comparable à celle d'une vedette à succès. L'ancien chirurgien auxiliaire de seconde classe, embarqué en 1827 sur le vaisseau de guerre le *Breslau,* avait fait son chemin. 1848 fit de Sue un candidat heureux à la députa-

1. *Le Juif errant* vient d'être réimprimé par les N.E.O., avec une préface pertinente de Jean-Baptiste Baronian. L'antijésuitisme, issu de la Restauration, fut notamment illustré par *L'Enfant du jésuite* de Charles Laumier (1822).

tion, mais le coup d'État de 1851 amena le romancier à s'exiler. Il mourut à Annecy en 1857, ayant pour dernière Égérie une fille de Lucien Bonaparte, Marie de Solms [1].

En dehors des *Mystères de Paris* et du *Juif errant,* l'œuvre connut un moindre succès, parce qu'elle avait un moindre relief. *Mathilde* (1840) est un roman « mondain » à la trame centrale assez simple : Sue reprit le personnage de Lovelace avec le sinistre Lugarto, abusant Mathilde avec l'aide de l'envieuse Ursule. Comme avec *Les Mystères de Paris,* ce roman connut un abondant courrier des lecteurs. Émile Spruyt écrivit à l'auteur en 1840 pour lui demander, lisant en feuilleton *Mathilde* dans *Le Courrier belge,* la clé du mystère : « Il m'est impossible de me procurer la fin de votre passionnant roman sans m'adresser à vous, puisqu'il ne se trouve nulle part en vente. »

La technique de composition de *Mathilde* est celle habituelle à Sue : l'auteur reste un improvisateur, suivant l'inspiration de son imagination. « Ses personnages sont tous excessifs dans le bien et dans le mal... Mais dès qu'il est entré dans son vrai sujet, il apporte une évidente sincérité dans son inquiétude sociale, et, en dépit d'une exécution n'étant pas toujours à la hauteur de l'idée, c'est par cette sincérité qu'il a pu troubler son temps et faire surgir des questions dont on avait conscience, mais qu'on s'efforçait d'éluder » (Paul Ginisty, *Eugène Sue,* Berger-Levrault, 1929) [2].

Martin, l'enfant trouvé, contient un archétype du genre : le héros à la recherche de son identité. Enfant trouvé, abandonné par son père, le comte Duriveau, Martin est recueilli par un pauvre saltimbanque, La Levrasse, adopté par le maître d'école Girard, un apôtre, incarnant les conceptions démocratiques de Sue. Le héros miséreux à Paris, se révolte contre la société, tombe dans le crime, puisque la misère est un « dissolvant social » (Jean-Louis Bory). Là aussi, la composition pèche, comme dans l'ensemble de l'œuvre de Sue. (Rodin ne fut conçu qu'au milieu de l'action du *Juif errant.*) De là, les anomalies que présentent certains personnages : le comte Duriveau, égoïste et cruel, devient un fouriériste fervent, comme cette brute de Chourineur était devenue presque un ange.

---

1. Notons en passant d'autres œuvres socialistes de Sue, comme *Le Berger de Kravan* (1848) et *Le Républicain des campagnes* (1848).
Cf. René Guise, « Le Roman-Feuilleton et la vulgarisation des idées politiques et sociales sous la Monarchie de Juillet », *Romantisme et Politique...,* 1969, Paris.
2. *Cf.* Sainte-Beuve, « De la littérature industrielle », *Revue des deux mondes,* 1er septembre 1839.

Paula Monti (1842), se lit avec un certain intérêt : Léon de Morville aime Paula Monti, femme mariée. Iris, perverse demoiselle de compagnie de Paula, jalouse Paula. De Brévannes veut Paula mais elle s'éprend de Morville. De Brévannes la surprend avec Léon, il abat Paula; surgit le mari de Paula. Brévannes se tue. Comme dans l'ensemble de l'œuvre de Sue, les bons riches sont rares (hormis Rodolphe), la noblesse est décadente et corrompue, Brévannes est l'épicurien hypocrite et amoral poussant « l'économie jusqu'aux limites de l'avarice, la personnalité jusqu'à l'égoïsme, la sécheresse d'âme jusqu'à la dureté ». Iris la traîtresse fait tuer par erreur l'héroïne, mais le prince de Hansfeld, mari de Paula, épouse la fille de l'ouvrier graveur. L'exposition est lente, le développement est alourdi par des essais de peintures de caractères, un souci pas toujours constant de maintenir le « suspense »[1].

Fernand Duplessis (1851), se veut une thèse. Après un long prologue sur le passé du héros, son chaste amour pour la mère d'un ami, Mme Raymond, un va-et-vient entre différents personnages accaparant tour à tour l'action, se dessine une intrigue assez mince utilisant plusieurs procédés narratifs : échanges de lettres, fragments de journal. Les dialogues sont ampoulés. Le héros a épousé Albine; puis Césarine. Il tue l'amant de Césarine, ainsi que Césarine, il ne pouvait connaître le bonheur avec elle, c'était un mariage d'argent. La troisième partie est destinée à faire contrepoint aux deux premières parties : entre en scène l'angélique orpheline Claudine Châtelain, dotée de toutes les qualités puisqu'elle est une fille du peuple, une « pauvre couturière qui s'en va de maison en maison pour gagner un salaire de dix sous... elle est honnête, laborieuse ». Claudine, enceinte de Fernand, meurt.

Les Mystères du peuple ou Histoire d'une famille de prolétaires à travers les âges garde son ampleur de fresque sociale hallucinante. Le roman, ou plutôt, cet ensemble de romans, liés par une sorte de généalogie, parut de 1849 à 1857. C'est l'histoire de la famille Lebrenn, depuis le sacrifice de l'aïeule, Hêna, « la vierge de l'île de Sên », offrant son sang pour le salut de la Gaule envahie par César. Victoria, sœur de Jean Lebrenn, le serrurier, est une femme soldat, et prophétise l'avènement de la « République démocratique universelle ». En 1830 comme en Thermidor, les ennemis du peuple l'ont gagné de vitesse. On retrouve Rodolphe de Gerolstein, qui rencontre Marik, fille de Jean Lebrenn, et les

---

1. Élianne, l'héroïne d'Émile Chevalet (*Journal des femmes*, 1845) est « heureuse et libre » auprès de son père, un ex-notaire. Après avoir perdu son soupirant, Eugène Destureaux, elle se laisse unir à un fils de banquier et devient « une bonne mère, une épouse comme tant d'autres, et très ménagère de son immense fortune ».

emmène, tous les Lebrenn des temps modernes, vers l'Amérique. Ici encore, le hasard est roi, le hasard convergent : « Mais quelles circonstances les avaient réunis, ces personnages? Quel était le but de cette pérégrination lointaine..., dira peut-être le lecteur... » Rodin est ressuscité, les « jésuites ont la vie dure », Rodin est au courant des préparatifs du coup d'État de 1851. Cette histoire de la lutte des prolétaires contre les nobles, si elle ne parut pas en feuilleton, portait en elle tous les procédés de composition du feuilleton : improvisation fiévreuse, dépaysement, personnages fabuleux, effets dramatiques puissants.

Sue écrivit en exil, en 1852, une sorte de féerie socialiste, dans laquelle il résume toutes les idées-forces de son œuvre, *Gilbert et Gilberte*. Gilbert est dessinateur-lithographe, Gilberte, ouvrière en fleurs artificielles. Les deux héros sont des « honnêtes gens », des gens du peuple faisant le bien, enrichissant deux envieux, Auguste Meunier et sa femme. Ascension et chute des héros : de l'opulence à la misère, Gilberte va à Saint-Lazare comme Fleur-de-Marie. La morale de l'auteur est celle-ci : le « nécessaire légitime » auquel tout homme laborieux doit prétendre est une « modeste aisance », « sanctifiée par le travail, embellie par l'amour et par l'amitié ». Gilbert voit dans cette « laborieuse aisance » une « garantie contre le chômage, une épargne qui permet d'obliger l'amitié ou de secourir l'infortune [1] ».

Sue a fixé les stéréotypes du héros feuilletonesque : c'est immanquablement un enfant du peuple, un orphelin exclu de la société, qui retrouve à la fin ses origines, reconquérant son identité. La conclusion est mystificatrice : Fleur-de-Marie se révèle être la fille du prince Rodolphe. La société doit se réformer si elle ne veut pas périr. Sue fut le seul auteur magique du genre, à être lu comme un éducateur, un conseiller, un ami.

BIBLIOGRAPHIE

ATKINSON (Nora), *Eugène Sue et le roman-feuilleton*, Lesot, Nemours, 1929.
AUDEBRAND (Philibert), « Petits Mémoires du XIXᵉ siècle », *La Chronique,* Paris, février 1905.

1. Il faudrait dire aussi un mot des *Sept Péchés capitaux* (1848-1849) imposante série romanesque qui connut des précédents. En effet, Michel Raymond publia dès 1833 *Les Sept Péchés capitaux;* et l'association prélupinienne regroupée autour du *Prince Formose* d'Edmond Texier (1844) s'appelait *Les Sept Péchés capitaux.*

BORY (Jean-Louis), *Tout feu tout flamme,* Julliard, Paris, 1966.
—, *Eugène Sue,* Hachette, Paris, 1973.
BROCHON (Pierre), « Le roman populaire amoureux », *Les Lettres nouvelles,* Paris, décembre 1960. « La Littérature populaire et son public », *Communications,* n° 1, 1962.
CABURET (Bernard), Préface à *La Marquise Cornélia d'Alfi.* Jacquet, Thônes, 1978.
CHEVALIER (Louis), *Classes laborieuses et classes dangereuses,* Plon, Paris, 1958.
FOUCAULT (Michel), « Rapide... », *Le Figaro,* 30-7-1971.
—, « Eugène Sue que j'aime », *Les Nouvelles littéraires,* 12-1-1978.
GINISTY (Paul), *Eugène Sue,* Berger-Levrault, Paris, 1929.
MARX (Karl), *La Sainte-Famille,* Éditions sociales, Paris, 1969.
NETTEMENT (Alfred) : *Études critiques sur le feuilleton-roman,* Perrodil, Paris, 1845-1846.
—, *Le Roman contemporain,* Lecoffre, Paris, 1864.
NORIEY (Pierre), « Histoire du roman-feuilleton », *Le Crapouillot,* mars-avril 1934.
SACY (Samuel de), Introduction à Balzac, *Splendeurs et Misères des courtisanes,* Club du Meilleur Livre, Paris, 1958.
TORTEL (Jean), « Esquisse d'un univers tragique », *Cahiers du Sud,* n° 310, 1951.
—, *Le Roman populaire (Histoire des littératures,* tome III), Gallimard, Paris, 1958.

CHAPITRE IV

Frédéric Soulié

CONTEMPORAIN d'Eugène Sue, Frédéric Soulié rivalisa avec lui dans la conquête du plus large public; on ne se souvient aujourd'hui de Soulié qu'en raison d'un seul livre, les étranges et ironiques *Mémoires du Diable,* chef-d'œuvre du fantastique échevelé. Soulié, auteur prolixe, touche-à-tout, mérite que l'on redécouvre l'ensemble de son œuvre.

Né à Foix en 1800, il passa à Mirepoix les quatre premières années de son enfance. Son père, après avoir enseigné la philosophie à l'université de Toulouse, s'était engagé en 1792 et était parvenu au grade d'adjudant-général lorsqu'il fut forcé d'abandonner le service militaire pour cause de maladie. En 1808, il fut nommé à un emploi supérieur dans les droits-réunis à Nantes, son fils l'y suivit et y commença ses études. En 1815, le père du futur romancier passa à Poitiers et Frédéric Soulié fit sa rhétorique au collège de la ville, mais en fut chassé pour avoir écrit un poème.

Carbonaro, Frédéric Soulié établit une correspondance entre les ventes de Rennes et celles de Paris; il finit son droit et rejoignit son père à Laval, entra dans l'administration, en démissionna en 1824, publia un volume de poésies sous le nom de F. Soulié de Lavelanet puis abandonna la poésie pour le journalisme. A bout de ressources, il accepta de diriger une entreprise de scierie mécanique à la gare, près du jardin des Plantes, et s'en occupa jusqu'en 1828, date de son drame, *Roméo et Juliette,* qui le rendit célèbre. Il se lia avec Alexandre Dumas, écrivit en 1836 dans *Le Musée des familles,* en 1837 dans la *Gazette des enfants,* au *Magazine littéraire* en 1843. Il collabora aussi à *La Mode* et au *Voleur.* Il aborda le mélo. Son oncle, le maréchal Clauzel, lui offrit à deux reprises un emploi intéressant en Algérie, emploi qu'il refusa. Vers 1836, Frédéric Soulié conçut l'idée des *Mémoires du Diable :* « C'était le tableau de la société dans ce qu'elle a de plus hideux, de plus atroce; le crime, l'inceste, l'adultère, la ruse [...] s'y identifiaient à des personnages dépeints avec un art infini, sous les dehors trompeurs du bien et du bon, de l'innocence et de la pureté » (Maurice Champion, *Frédéric Soulié, sa vie et ses ouvrages,* Moquet, 1847). Le succès des *Mémoires du Diable* (1837-1838) fut retentissant. Désormais, Frédéric Soulié est un auteur lancé.

Feuilletoniste à succès, feuilletoniste en chef du *Journal des débats,* Frédéric Soulié y publia en 1839 *Le Maître d'école; Eulalie Pontois* en 1840. Il donna en 1845 et 1846 *La Comtesse de Monrion* à *La Presse.* Dans le numéro 1 de *La Presse,* en date du 1er juillet 1836, sous le titre « Le feuilleton », il évalua les perspectives du genre qui devait le rendre célèbre. « Le Feuilleton, le tout-puissant Feuilleton, réunit en lui ces deux principes : il y a dans son existence du puissant héritier et du grand parvenu... » Le feuilleton a abandonné « les études de mœurs [...] cette peinture du salon, de la rue, de la boutique... ». Que le feuilleton soit « gai », « franc », « méchant » s'il le veut, « amusant » s'il le sait, « varié » s'il le faut, car le feuilleton « a ses entrées partout, dans le passé et dans le présent, en haut et en bas... ».

L'œuvre de Frédéric Soulié séduit ou irrite : Paul Lacroix, qui rivalisa avec lui dans la production de romans historiques, note que ses œuvres manquent de correction, « mais la création, l'invention de l'œuvre, l'étude des caractères, l'agencement des scènes, la combinaison des effets, ce furent des qualités que Frédéric Soulié réunissait au plus haut degré ». Paul Lacroix estimait aussi que Soulié « prend son lecteur à l'ouverture du livre »; il le compara à Lewis et à Maturin, gloires du roman « noir » anglais. De son côté, Victor Hugo, dans le discours qu'il prononça lors des obsèques de Soulié, releva : « Dans ses drames, dans ses romans, dans ses poèmes, Frédéric Soulié a toujours été l'esprit sérieux qui tend vers une idée et qui s'est donné une mission [...]. Il était de ces hommes qui ne veulent rien devoir qu'à leur travail... » Charles Monselet voyait assez justement les choses quand il estimait que « c'est plutôt par l'idée que par la forme, et c'est surtout par l'action, par le sentiment, par la véhémence en un mot, que la plupart des œuvres de Frédéric Soulié resteront vivantes dans l'histoire littéraire du XIXe siècle » (*Statues et Statuettes contemporaines,* Giraud et Dagneau, 1852).

Lorsque la gloire vint, Frédéric Soulié s'attacha comme secrétaire Achille Collin. Il entra à l'Arsenal comme sous-bibliothécaire. Il mourut en 1847 d'une hypertrophie du cœur, dans sa maison de campagne de Bièvre.

Louis Lumet reconnut à juste titre que le socialisme, depuis 1830, inspira George Sand, Eugène Sue et Frédéric Soulié (« Les écrits, les œuvres et les hommes », *Petite République,* 14 mars 1914). Le peuple apparaît comme une entité dans l'œuvre de Soulié : dans *Les Deux Cadavres;* dans *Le Conseiller d'État,* sur la révolution de juillet 1830, où les travailleurs sont vus avec sympathie. Quant aux *Mémoires du Diable,* Eugénie, un des rares caractères vertueux de ce roman, est une fille du peuple.

Soulié fut, tout comme Sue, un improvisateur, un feuilletoniste écrivant sous la pression de la nécessité financière. Il est très peu soucieux de la forme, mais son style, quoique fréquemment banal, est rarement obscur et est vigoureux. Il créa ce qu'il appela le « roman-drame », un roman publié en feuilleton. C'est la vie, c'est le mouvement qui est la caractéristique de son œuvre. Le premier, Soulié donna au roman cet art des histoires s'enchevêtrant les unes dans les autres. Asseline disait en 1843, dans *La Revue de Paris :* « Je ne sais rien en effet de plus inégal que les différentes parties de ses romans; on sent qu'ils sont faits par morceaux et que jamais suite n'a été mise ni dans les événements qu'ils veulent assembler ni dans les développements successifs dont ces faits eussent pu être susceptibles. C'est le feuilleton, après tout, qu'il faut accuser de ce défaut de liaison... »

Soulié reste étonnant par sa création des effets dramatiques, qu'ils soient de nature physique (dans *Les Deux Cadavres* où tout ruisselle de sang, où se multiplient les cadavres, les détails de torture) ou morale (rapts, incestes, séquestrations, trahisons). Jules Janin, dans sa *Littérature dramatique,* loua Soulié de « cette magique puissance de résoudre avec une prestigieuse facilité les complications les plus surchargées ». Soulié a le génie de l'invention : *Les Mémoires du Diable* sont un fourre-tout comprenant des histoires de nobles, de paysans, de forgerons, de curés, de prostituées, de soldats, d'assassins, un roman picaresque. Richesse de l'invention dramatique, « une espèce d'effort suprême, dans lequel M. Soulié a entassé l'action, les intrigues, les imbroglios, les combinaisons sans fin... », jugea Paulin Limayrac en 1845, dans *La Revue des Deux Mondes.*

Feuilletoniste de renom, Soulié règne sur le feuilleton en 1839 et 1840, avec Balzac et Dumas. Sa popularité est universelle, mais en 1842-1843, son public le quitte pour le nouvel héros du genre, Sue. Soulié a le génie de l'intrigue, mais « aucun héros n'est resté », selon Albert Thibaudet (*Histoire de la littérature française,* Stock, 1936). Tout comme Sue, Soulié a le génie de « la suite au prochain numéro ».

Le génie de l'invention est particulièrement sensible dans *Si jeunesse*

savait, si vieillesse pouvait (1841). La composition incertaine, chaotique, est
rachetée par un tourbillon extraordinaire d'épisodes traités selon la
tradition du récit picaresque, en une série d'intrigues parallèles les unes
aux autres. Un des héros principaux est un gamin, chose rare avant le
Gavroche des *Misérables*. Un vieillard ruiné rencontre un chimiste qui
lui offre une potion de jouvence. La donnée de ce thème fantastique et
humoristique est ingénieuse : le vieillard est arrêté pour son propre
meurtre. La conception centrale est intéressante (passé du héros, peinture satirique de la société parisienne sous la Monarchie de Juillet).
Arthur est déclaré fou et mis à l'asile, tandis que le chevalier de Mun
épouse Mlle de Ménarès, puis l'action se déplace autour de nouveaux
personnages, Paul Destrames et Joseph ; c'est l'histoire du peintre Joseph,
fou, et d'une folle ; de Mun mourra fou car il se croit le héros de toute
son aventure passée. L'auteur accommoda allègrement un fantastique
ironique (l' « ombre » intervenant souvent comme la conscience du
chevalier) aux procédés du roman à tiroir, chaque histoire constituant
« un tout complètement séparé », selon Soulié lui-même [1].

Diane de Chivry est un épisode de l'insurrection de 1832 en Vendée.
Diane vit avec sa tante, la dame de Kernic, laquelle sympathise pour
la cause vendéenne, alors que le père de Diane est pour Louis-Philippe.
Léonard Ashton, chef rebelle, est caché au château, s'ensuit une idylle.
Ce roman parut en feuilleton en 1838 dans le *Journal des débats,* sous le
titre *Six mois de correspondance.*

Auteur très souvent tenté par le fantastique, même lorsqu'il aborda
le roman historique (comme dans *Les Deux Cadavres,* chef-d'œuvre du
roman d'horreur, situé sous Charles Ier d'Angleterre) Soulié modernisa
le fantastique en le cadrant dans un environnement contemporain, celui
des débuts de la civilisation industrielle. Ainsi en est-il avec *Le Magnétiseur* (1834). La technique est faible, l'auteur met souvent « en tableaux
d'action », le prologue, c'est le cas ici, au lieu d'expliquer à la fin la position des divers personnages vis-à-vis les uns des autres, au lieu de
« conduire tout le drame de ce roman à travers un mystère fatal qui
aurait éclaté à la fin... et qui eût éclairé d'un jour sinistre tous les personnages et toutes les intrigues de ce drame ».

Le maître de forges Charles Dumont est un patron énergique, qui

---

1. Le procédé mis ici en place par Soulié : double intervention de l'auteur, au niveau
de la mise en scène, et des personnages, au niveau de leurs réactions, trouvera sa consécration chez Paul Féval, voire Ponson du Terrail. Le procédé de la double écriture connut
également des développements baroques dans la série d'Ernest Capendu : *L'Hôtel de
Niorres, le Roi du bagne, Le Tambour de la 32e demi-brigade* (1860).

« annonça aux ouvriers que les journées commenceraient à cinq heures du matin et finiraient à sept heures du soir pour ceux dont les travaux n'avaient lieu que le jour; il leur marqua deux heures de repos ». La journée de travail est payée quarante sous. Les ouvriers qui rognent sur le temps de travail voient leur salaire réduit. Le patron renvoie l'ouvrier Aubert qui le traitait de bâtard et corrige cet « ouvrier insolent ». Le magnétiseur, l'inquiétant Lussay, fait son esclave de l'ouvrier congédié. Aubert faisait partie d'un complot politique dans lequel était impliqué aussi Charles Dumont. Le héros est à la recherche de son identité : stéréotype.

Si Soulié ne répugne pas à livrer son opinion sur la question sociale, il se refuse, à l'inverse de Sue, à faire partie des « architectes du nouvel édifice social[1] ».

Eulalie Pontois (1842), centré autour de l'archétype de l'erreur judiciaire, qui allait nourrir tout le XIXe siècle, est presque un roman policier, ou plutôt un roman criminel. Après une exposition embarrassée, l'intrigue, assez mince, se concentre autour du personnage douloureux d'Eulalie. Un trop grand nombre de personnages au rôle mal précisé encombrent le premier tiers du récit, un emploi systématique est fait de digressions sous formes d'explications de l'action. Tout accuse Eulalie Pontois, fille d'un assassin recherché par la justice, qui se laisse, par dévouement filial, condamner elle-même comme coupable du crime. Paul Chagoin a-t-il tué la marquise de Soubiran? C'est déjà le « roman de la victime », qui allait connaître une grande faveur dans le genre, à partir des années 1870. Eulalie échappe par la fuite aux recherches judiciaires et sous un nom supposé, elle devient le modèle d'un peintre. Humiliée et repoussée par tous, méconnue par son amant, elle apprend que Pontois n'était pas son père. Paul Chagoin, le coupable, se tue. Eulalie, l'innocente libérée, épousera Manuel Torcy. Le récit est traité de main de maître, plein d'intérêt et d'émotion.

Soulié, dans *La Comtesse de Monrion,* voulut réaliser un roman de mœurs copieux et susceptible de rivaliser avec Sue. Le roman parut en 1845. On y reconnaît, poussés à l'outrance, tous les défauts du feuilletoniste : pas ou peu de plan, des personnages qui surgissent et qui disparaissent sans qu'on sache trop pourquoi, des épisodes décousus, une trame

---

1. Il y aurait lieu toutefois de nuancer ce jugement. Soulié observa dans une grande partie de son œuvre une sorte de philosophie républicaine et contestataire, très perceptible dans *La Confession générale* ou *Saturnin Fichet,* romans historiques situés durant la Révolution française. Tout le côté fouriériste, tout l'aspect initiatique de Soulié, seront repris par Féval, notamment dans *Les Compagnons du silence.*

certes dramatique, mais à la fin assez falote, trop étirée, souvent inconsistante, trop floue parfois, car l'auteur hésite entre le « roman-drame » et le roman dramatique. En outre, la conclusion n'apparaît plus que le rabâchage de conclusions déjà esquissées en cours de route. Mais les personnages sont vivants, colorés, ils parlent bien le langage adapté à leur position sociale, les incorrections de la forme sont rachetées par une action dense du moins dans ses prolégomènes, restituant avec fidélité les mœurs de la bourgeoisie et de la noblesse parisienne et provinciale.

Toute l'action est construite autour de la perverse Léona, prototype de la femme fatale, dévoratrice mais se dévorant elle-même par l'excès de ses passions. Julie Thoré, fille de boutiquiers, aime le peintre Victor Amab : à l'angélique mais assez insignifiante Julie s'oppose la satanique Léona, maîtresse du peintre. Léona dispose à son gré des principaux protagonistes de cette sorte de drame bourgeois au style parfois épais, souvent emphatique. La seconde partie, après un épisode des plus échevelés (l'enlèvement et la séquestration par Léona de Charles, le frère de Julie, les amours orageuses du comte de Monrion, viveur qui a de l'éducation, et de Léona) est faite dans le genre noble qu'affectionnera Georges Ohnet : vie des hobereaux, importance donnée à un nouveau personnage, Hector de Montaleu. Victor Amab a épousé Léona. Léona remet à une paysanne, Jeanne Dromery, un nouveau-né, Jules : entre ici en scène l'archétype de l'abandon de l'enfant naturel par sa mère (ou son père) dénaturée. La fin est mélodramatique au possible : Léona meurt « de la pensée de son impuissance[1] ».

Frédéric Soulié est moins moraliste qu'Eugène Sue, il s'attache davantage que lui aux petits détails de la vie, son talent répugne aux fresques de Sue car il est fait de successions de tableaux de genre. On en a un bon exemple dans Le Maître d'école. Brutus, frère de Rosalie, est instituteur. Le vil Hector de Lugano convoite Rosalie. Jadis, le père d'Hector déshonora la mère de Brutus et de Rosalie, et tua leur père. Le roman est bâti sur la recherche de leur identité par le frère et la sœur : Brutus s'appelle en fait de Favières. La « reconnaissance théâtrale » et le « pardon » au bourreau, Lugano, constituent les temps forts de ce récit chaleureux. La relation de domesticité qui unit les victimes, le frère et la sœur, leur mère, devenue folle, à la famille Lugano, qui symbolise la richesse scélérate et jouisseuse, est bien vue mais pas étudiée en profondeur, avec

---

1. Léona est l'exact repoussoir de *Mathilde* de Sue, alors que Julie, gourde embourgeoisée, apparaît comme une réplique ironique et démythifiante de Fleur-de-Marie.

des aperçus sociologiques, comme l'eût fait Sue. Soulié constate les inégalités sociales, il ne les dénonce pas pour en faire une machine idéologique. Cela explique peut-être pourquoi Sue est resté, alors que l'œuvre
de Soulié est presque tout entièrement tombée dans l'oubli. Le comte
Lugano, riche bourgeois anobli, père du jouisseur Hector, fut pendant
la Terreur un persécuteur de nobles. Hector est promis à la riche héritière Paméla : c'est l'archétype des unions malheureuses, des mariages
d'argent, qu'on retrouvera encore chez Delly. Le maître d'école, le prolétaire du drame, est un être supérieur, mais pauvre et méprisé; le
dénouement sera amené par une folle qui a oublié sa vie passée, mais qui
guérit pour amorcer la conclusion. Autre thème social : un orphelin
pauvre, amoureux d'une jeune fille noble. Le travail hâtif de l'auteur ne
lui permet pas de suivre sa pensée jusqu'au bout ni de développer ses
caractères qui sont quelquefois bien vaguement esquissés, mais ont plus
d'unité que ceux de Sue [1].

« Ce qu'il y a de meilleur dans l'œuvre de Soulié, c'est le mouvement
dramatique, la rapidité de l'action et la véhémence des sentiments. »
(Nora Atkinson, *op. cit.*). C'est par ce côté que Soulié plut à ses contemporains, et nous enchante encore.

Soulié eut le tort, sans doute, d'écrire trop et trop vite, mais encore une
fois, c'était le mode d'écriture du genre. Il porta à son apogée l'art
du feuilletoniste, qui est de surprendre le lecteur à tout moment, de
susciter son émotion, d'entretenir ses besoins de justice et d'égalité
sociale. Soulié sait admirablement poser un roman, un drame, avec des
moyens scéniques; tout comme son principal rival, Sue, il ignore très
souvent comment évolueront ses personnages. Comme Sue, il mène un
jeu à plusieurs : auteur, personnages, lecteurs. Soulié faisait partie d'une
trinité du feuilleton, avec Sue et Dumas. Il tenta de rivaliser avec Dumas
en composant d'épais romans historiques *(Le Comte de Foix, Le Duc de
Guise),* parfois remarquables de vigueur et de charge émotionnelle,
comme *La Confession générale,* ou amusants et pittoresques, comme *Saturnin Fichet.* Mais il n'avait pas, comme Dumas, le génie du roman historique [2].

Feuilletoniste, Soulié connaît l'importance du découpage : les fins
de feuilletons sont très soignées; il ressent très bien la nécessité de mul-

---

1. Tout comme Sue, Soulié fabriqua ses fictions avec ses lecteurs. A Brutus de Favières
s'oppose Rodolphe, prince et ouvrier.
2. Sur la place à part de Soulié dans le feuilleton, *cf.* Annie Vierne, « Une lecture de la
bourgeoisie : les romans-feuilletons du *Journal des débats.* (1839-1840) », *Cahiers de l'Institut d'histoire de la presse et de l'opinion,* avril 1977, Tours.

tiplier les événements, d'accélérer le mouvement du récit. Ce fut lui qui apporta la mode des longs feuilletons *(Le Serpent, Le Maître d'école, Les Forgerons)* cela, dès 1839-1840, innovation qu'il partagea avec Sue. En 1841, *Les Quatre Sœurs* de Soulié occupèrent vingt-sept feuilletons du *Journal des débats, Mathilde* de Sue débordant, il est vrai, sur quatre-vingt-neuf feuilletons de *La Presse.* Dotées d'un rythme saccadé, pleines de tumulte, les œuvres de Soulié gardent encore de leur charme.

BIBLIOGRAPHIE

BARBEY D'AUREVILLY, *Voyageurs et Romanciers.* Calmann-Lévy, Paris, 1908.
BIANCHINI (Angela), « Il romanzo d'appendice », *Nuovi Quaderni,* n° 2, Torino, 1969.
CHAMPION (Maurice), *Frédéric Soulié, sa vie et ses ouvrages,* Moquet, Paris, 1847.
DRUMONT (Édouard), « Le mouvement littéraire », *Le Livre,* n° 49, 10 janvier 1884.
LOISNE (Menche de), *Influence de la littérature française de 1830 à 1850 sur l'esprit public et les mœurs,* Lecoffre, Paris.
MARCH (Harold), *Frédéric Soulié, novelist and dramatist of the romantic period,* Yale University Press, New Haven, 1931.
MONSELET (Charles), *Statues et Statuettes contemporaines,* Giraud et Dagneau, Paris, 1852.
—, « Causerie littéraire », *Événement,* 29 octobre 1874.
—, *Les Ressuscités,* Calmann-Lévy, 1876.
MURET (Théodore), « Le roman-feuilleton », *Revue de Rouen,* 1er semestre 1843.

CHAPITRE V

Les héritiers de Kock et de Sue (1850-1854)

L E « roman de la portière » a-t-il usé sa flamme romantique? Tend-il à devenir un genre sclérosé, ce type de récits pour pompiers, bonnes d'enfants ou commis-voyageurs? La fin des années 1840 s'est traduite par plusieurs courants de forces qui risquaient d'être particulièrement funestes pour le genre.

Certains de ces courants sont d'origine politique : depuis 1848, le roman-feuilleton bat de l'aile, en raison des révolutions, de l'instabilité du pouvoir. Il n'offre donc plus au gros public ce caractère magique de guide et de conseil qu'il avait au temps d'Eugène Sue. Il s'étiole.

Mort du feuilleton?

En juillet 1850, la loi Riancey frappa d'un timbre exceptionnel toute œuvre romanesque publiée dans les journaux. Afin d'éluder cette taxe, les directeurs des journaux remplacèrent les romans par des récits de voyages et des articles de vulgarisation scientifique. En fait, la loi Riancey n'eut qu'un effet relatif sur le régime des feuilletons, dont l'essor, limité, reprendra quelques années après la promulgation de cet arrêt de mort du genre. Le quotidien *L'Ordre* assura en septembre 1850 : « Une disposition fiscale ne peut modifier tout à coup les habitudes et le goût des lecteurs [1]... »

1. Riancey, en proposant, le 15 juillet 1850, l'impôt d'un centime « sur une industrie qui déshonore la presse », soutint que « le roman-feuilleton est un poison subtil qui s'est introduit jusque dans le sanctuaire de la famille... » (*Cf.* Gustave Claudin, *Le Timbre Riancey,* Dumisseray, Paris, 1850.)
Dès septembre 1848, *Le Constitutionnel* enterre le roman-feuilleton!

De son côté, Paul de Musset constatait dans un article publié par *Le National* du 19 août 1850 : « Le roman-feuilleton n'est plus! Vous savez comment le coup mortel lui tomba sur la tête à l'improviste. La loi était presque entièrement votée, lorsqu'un membre de la majorité proposa négligemment le timbre extraordinaire d'un centime : « Si nous détruisions, en passant, dit-il, cette littérature où l'on offense trop souvent la morale et les jésuites?

« Si le roman-feuilleton se fût éteint naturellement par sentence du goût public, qui devrait être le seul juge en matière de littérature, il n'y aurait rien à dire. C'était un élément envahissant qui tendait à détourner les journaux de leur but véritable. Cependant, parmi ces œuvres colossales dont le bas de page était encombré durant 18 mois de suite, on trouvait parfois des morceaux remarquables, des inventions originales... »

D'autres courants de forces hostiles au genre, au roman-feuilleton, proviennent d'attaques menées par l'Église, qui lui reproche son immoralité, son goût immodéré du sordide, du crime horrible, son influence pernicieuse sur les classes populaires. L'ouvrier risque de vouloir imiter ces héros tout-puissants du Mal, et même du Bien : le feuilleton est l'école de l'anarchie, de la paresse, de la licence, de l'irréligion.

Un dernier courant tient à une notable usure du feuilleton, qui ne parvient guère à se renouveler, hésite entre les pastiches de Kock, de Sue ou de Dumas. La loi Riancey ne fit qu'entériner une certaine lassitude du public envers le genre[1].

Un dernier obstacle à l'essor du feuilleton restait le prix encore élevé des journaux, comme leur tirage moyen peu important : *Le Siècle* plafonne à 35 000 exemplaires en 1848, il lui faudra attendre 1861 pour atteindre 52 000.

Faute d'un quotidien bon marché, le public populaire recherche un mode de lecture lui offrant le maximum de récits dans le minimum de pages. Que lui présentent les éditeurs?

Les périodiques populaires

En marge des journaux, existe une littérature populaire qui consiste surtout en fascicules à quatre sous (vingt centimes), qui contiennent

1. Du moins pour les longs feuilletons : il y en eut peu, au Second Empire, dans la presse parisienne, hormis *Le Bossu* de Féval, *Les Puritains de Paris* de Paul Bocage et les *Rocambole* de Ponson du Terrail.

tantôt un roman entier, tantôt les morceaux successifs d'un roman découpé en tranches. Une telle production provoqua bientôt les attaques du pouvoir : le procureur impérial de Besançon signalera, en 1861, que ces publications sont avidement lues par les jeunes ouvriers; celui de Rennes fustige de Kock et Pigault, qui, dans leurs romans, « sous le prétexte de peindre la vie réelle, glorifient les plus grossières convoitises et les instincts les plus désordonnés ». C'est la confirmation du goût de plus en plus vif du peuple pour le genre.

Une contre-offensive bourgeoise et bien-pensante se traduisit, dans le nord, par l'essor de la *Bibliothèque des bons livres :* née en 1827, elle avait fait paraître six cent huit volumes en 1858 (au prix de cinquante centimes, prix de 1859). Dans cette littérature, les bons, récompensés, étaient « la femme pieuse souffrant pour son époux impie; la vertueuse ouvrière repoussant les offres du patron libertin; l'ouvrier se résignant à son sort misérable... » et les méchants, punis, « le protestant, le Juif, l'athée [...], le père indigne, le fils ingrat... » (Pierre Pierrard, *La Vie ouvrière en France sous le Second Empire,* Bloud et Gay, 1965).

Les périodiques populaires à cinq centimes le numéro connaîtront un très large essor sous le Second Empire : *L'Omnibus* ou *Le Passe-Temps,* de tendance laïque; *L'Ouvrier,* de tendance catholique. La librairie Hachette lancera en 1855 un autre type de périodique, *Le Journal pour tous,* ouvert aux auteurs, « littéraires » comme « populaires ». Mais le prix en est de dix centimes le numéro.

Le public de ces périodiques, avide de sensations à bon marché, dévore des quantités de romans dont les auteurs les plus lus, outre Kock, seront Louis Noir, pour le roman d'aventures exotiques, ou Clémence Robert et Maximilien Perrin, les plus représentatifs du roman populaire, dans le début des années 1850. On connaît mal le tirage de ces publications : entre 150 000 et 200 000 exemplaires; le chiffre de 300 000 à 350 000 avancé par Vapereau nous semble excessif (Vapereau, *L'Année littéraire,* Hachette, 1861). La prolifération de telles feuilles est, en tout cas, la preuve du grand succès qu'elles connurent.

Évolution du roman populaire

Le genre est alimenté par plusieurs courants d'idées : le roman pathétique, qui sera celui « de la victime », mais est déjà en puissance chez Clémence Robert ou Paul Féval. Empreint de sentimentalisme, ce genre dépeint toutes les classes sociales, à travers un cortège d'enfants martyrs, de vierges flétries.

Il existe aussi un type d'œuvres inspirées du romantisme social, avec une coloration socialiste ou socialisante, la pitié pour les humbles, dans la lignée de Sue, et surtout de Clémence Robert; on y trouve encore souvent les recettes du roman « noir », avec une accumulation d'atrocités et le goût du mystère épais.

Une autre tendance, grivoise, comique, tend, comme les précédentes, à faire écho aux sentiments des lecteurs et à leur fournir une sorte d'approbation ou de justification, mais dans une critique sociale très atténuée. Il s'agit surtout de faire rire, non de dénoncer les tares du temps.

A travers toutes ses orientations, le roman populaire garde son étiquette de « roman de mœurs », qu'il a depuis les années 1840. « Les romans de mœurs ont essayé de guérir le mal en rendant le remède attrayant; pour être utiles, il fallait qu'ils plaisent; pour plaire, il fallait qu'ils surprennent l'attention du lecteur... Afin d'arriver à ce but, ils ont puisé dans les scènes de la vie actuelle le sujet de leur drame et le caractère de leur héros [...] enfin, le roman de mœurs s'est fait populaire parce qu'il s'adressait au peuple, il a voulu le corriger par ses propres vices, il s'est mis à sa portée » (Roland Bauchery, préface à *La Femme de l'ouvrier,* De Vresse, 1859). Il était d'autant plus intéressant de citer ce jugement, car il émane d'un auteur populaire, spécialisé dans le roman d'amour, fouriériste, mais ayant connu peu de succès auprès du public. Bauchery intitule sa préface « De l'influence des romans moraux sur les classes ouvrières », ce qui entre bien dans le cadre de mon étude.

Par ailleurs, Bauchery répond aux critiques reprochant au roman populaire ses fins commerciales, contestant son mérite, niant son utilité et l'accusant d'avoir une tendance vers le mal, tendance qui peut entraîner un lecteur assez faible à « calquer sa conduite sur les actions d'un héros imaginaire ». Il réplique en assignant au genre ce but : « On ne peut attaquer la société tout entière, mais on peut attaquer chaque vice en particulier; les romans moraux sont destinés à le faire. »

Le roman populaire, qualifié par Bauchery de « roman moral » ou de « roman de mœurs », remplit-il vraiment, au début des années 1850, sa mission de dénonciateur des vices des riches? Garda-t-il un contexte de dénonciation des inégalités sociales? Les antithèses sociales chères aux auteurs populaires : à côté du pauvre honteux ou honorable, le voleur; auprès du riche, l'escroc du grand monde; auprès de la femme du monde et de la courtisane vicieuse, l'ouvrière honnête, ces antithèses moralisèrent-elles le peuple ainsi que le voulait Bauchery ? En fait, le genre restait pour ses lecteurs essentiellement un divertissement, outre son rôle pédagogique, seul mode de lecture des classes laborieuses. Reflet de l'actualité sociale (les drames des cours d'assises : adultères et vengeances successorales, les histoires d' « auberges rouges » mais surtout, les échos, dans le feuilleton, des grandes affaires à sensation qui secouèrent l'Empire : affaire La Pommeraye, l'empoisonneur mondain, affaire Jud), une telle littérature ne saurait enseigner ou moraliser qu'au second degré[1].

Si le genre, sous l'Empire, prend une coloration cynique et bassement matérialiste, c'est qu'il le doit à la pression d'une actualité essentiellement mouvante, mais aussi aux mutations de la propriété : les « mauvais » du temps de Louis-Philippe étaient des banquiers ; sous l'Empire, ce seront des gens du monde, comme La Pommeraye, mais aussi, des entrepreneurs de sociétés anonymes, de tontines, des spéculateurs.

Côté femmes, la grisette popularisée par Paul de Kock a cédé la place à la courtisane méchante et peut-être égalitaire, car niveleuse de fortunes souvent mal acquises. L'ouvrière ne présente plus qu'un rôle secondaire.

Si une des principales orientations du genre reste le roman comique, c'est que l'on est dans une société troublée, encore mal remise du coup d'État de Louis-Napoléon Bonaparte. Le public recherche, devant les brusques changements de pouvoir, une littérature hilarante au possible.

Maximilien Perrin

« Pendant trois ou quatre mois environ, nous flottâmes de Ricard à Raban et de Raban à Maximilien Perrin ; mais ce n'étaient là que des équivalents bien faibles. Raban nous faisait rire, et c'était tout ; Raban nous paraissait grossier ; Maximilien Perrin nous ennuyait » (Charles Monselet, *Statues et Statuettes contemporaines, op. cit.*).

Perrin était-il un auteur ennuyeux ? Monselet, qui le découvrit, vers

---

1. Les drames des cours d'assises (affaires Lacenaire, Lafarge, La Pommeraye, de la Bastide-Mesplas, etc.) alimentèrent copieusement plusieurs générations de feuilletonistes, à partir des années 1830. C'est ainsi que Jean Valdier, dans *Le Justicier fantôme* (1932) fit de Campi, héros d'une célèbre cause judiciaire, un forçat innocent. Et que parurent, vers 1880, plusieurs *Mémoires* apocryphes de Pranzini ou d'Avinain, le boucher assassin, lequel devait inspirer *Le Boucher de Meudon* de Jules Mary. Sans parler du *Troppmann* de Jules Fréval. Ou du *Vampire* de Michel Morphy, cas puisé dans l'affaire Mingras. De *L'Abbé Delacollonge* de Francis Enne, et des *Amours de Dumollard,* le tueur de bonnes, de Marc Mario.

1845, chez Mme Cardinal, louant cabinet de lecture, semble bien sévère. Sans avoir l'ampleur ni le succès de Paul de Kock, voire de Henry de Kock, fils de l'auteur du *Cocu,* Perrin remplit consciencieusement son rôle de disciple de Pigault-Lebrun, et surtout de Kock.

Sa vie, fort modeste, ne connut aucun fait marquant. Né à Paris en 1794, il commença fort tard à écrire. Dès son premier ouvrage, *Le Prêtre et la Danseuse* (1832) il obtint un grand succès. Sans avoir la verve de Kock, il en avait la fécondité prodigieuse, et il ne cessa de publier à une cadence rapide. Homme réservé, discret, véritable type d'auteur « pour cabinet de lecture », peu à l'aise dans le feuilleton des quotidiens, Perrin se répandit surtout dans les périodiques, comme *Le Journal du dimanche* ou *L'Omnibus.* Il publia coup sur coup une soixantaine de romans comportant presque tous plusieurs volumes et qui, selon Félix Jahyer, dans son éloge funéraire de Perrin, eurent, « à leur apparition, la vogue qu'obtiennent, en général, les œuvres facilement écrites, renfermant d'ingénieuses observations et présentant des situations vives et amusantes » (*Chronique de la Société des gens de lettres,* avril 1879).

Perrin collabora à des petits journaux de théâtre, comme *L'Asmodée,* en 1845. Préoccupé avant tout d'écrire pour le peuple, il en étudia les instincts, et « retraçait souvent avec une franche gaieté des épisodes intimes et consignait de piquantes recherches sous une forme humoristique », nota Félix Jahyer.

Parrainé aux Gens de lettres par Achille Jubinal et Paul Lacroix, le bibliophile Jacob, Perrin se retira de la lutte vers 1856 : le genre qu'il exploitait avec une extrême facilité n'était plus au goût du public d'alors, préférant les grandes machines de Ponson du Terrail. Toujours selon Jahyer, Perrin était plus préoccupé de « l'aimable fantaisie que du réalisme vulgaire ». Devenu aveugle dans sa vieillesse, amer, Perrin mourut à Paris en 1879.

Un sous-héritier de Kock?

Perrin fut-il cet auteur qui fit bâiller Monselet ou suscita l'indifférence railleuse des lettrés? De son temps même, il était peu apprécié de la critique. Émile Chevalet ne lui ménagea pas les sarcasmes (*Les 365,* Havard, 1857). Il en fait une sorte de sous-héritier de Kock : « M. Perrin n'a d'autre but que d'attirer à lui une partie des lecteurs qui se complaisaient aux récits grivois de M. Paul de Kock. Il n'écrit que pour les grisettes, les aspirants-étudiants et les boutiquiers en retard de cinquante ans sur leur siècle. C'est une clientèle restreinte et dont il ne restera bientôt plus vestige. »

Héritier, et contemporain, de Kock, Perrin calqua si fidèlement certains des procédés de Kock qu'on pourrait lui reprocher une telle fidélité : ainsi, comme son maître, Perrin ne fit pratiquement pas de romans historiques, hormis *Laquelle des deux?* et quelques autres. Collaborateur d'Auguste Ricard, Perrin édifia un type d'ouvrages assez éloignés du mélo mais y revenant par moment.

La trame de ses récits reste assez lâche, et le langage sent souvent l'effort, Perrin maîtrise moins bien que Kock l'art des descriptions réalistes, mais il excelle dans le scabreux à demi suggéré, et ses longs canevas, étirés sur plusieurs volumes, affectent la forme des « séries » chères, plus tard, à du Terrail : *Les Folies de jeunesse* occupent quatre volumes in-8°. L'évolution dessinée par Perrin ramène le genre, en effet, vers le récit cyclique. Dépeignant un univers médiocre, ni fondamentalement bon ni profondément mauvais, Perrin rompt nettement avec le romantisme social dont s'était plus ou moins inspiré de Kock. A partir d'un thème donné, il brode une série d'anecdotes ou d'aventures individuelles, plus ou moins étroitement liées à la charpente de l'œuvre. Il agit en intimiste, en coloriste, davantage soucieux que Kock de ménager des situations scabreuses : l'univers dépeint est bien peu idéalisé.

Le ton général de l'œuvre reste donc vulgaire, voire grossier, et cela, dès les débuts de l'auteur : ainsi, dans *Les Mémoires d'une lorette* (1843). Dans ces mémoires à la première personne d'Alice de Merville, Perrin navigue entre le pathétique et le gros comique. Son héroïne, dont « la fatale beauté fit le malheur, et qui ne rencontra jamais que des suborneurs où elle espérait trouver des amis », est surtout l'occasion d'une foule de scènes de genre. Anne Tremblay, « la bonne et jolie fille » pauvre, devient « comtesse et riche dame ». Perrin n'évite pas le ton moralisant hérité de Pigault et de Kock, voire de Sue : « Oh! femmes, femmes! Que vous êtes coupables en trahissant vos devoirs! Que de douleurs pour l'époux qui vous aime! Que votre erreur, un fou caprice de votre part peut occasionner de honte, de désordre dans vos familles! »

Alice, que son père recherche depuis longtemps, emploie des termes de mélo dans les situations de l'amour malheureux : elle déclare à son amoureux, Oscar, dont les parents refusent le mariage avec elle : « Ton père me repousse et le défend, Oscar; je dois me soumettre et mourir. » On trouve aussi des rapts; Alice devient religieuse, digne fin pour une pécheresse repentie.

La construction du récit s'ordonne en général autour du trio ou du quatuor déjà traditionnel : la victime, le persécuteur, le sauveur-justicier, le protecteur. *La Famille Tricot* (1850) est le prototype de ce genre de récit bâti autour d'une trame très souple, faite d'une juxtaposition de portraits, et de scènes de mœurs populaires. Ursule Loquet, fille de concierges, aspirante actrice, fréquente le « jeune élégant » Jules Delmar et la maîtresse de Zéphirin. Femmes infidèles, incendie, amours d'une cuisinière. Les digressions ne sont pas toujours bien venues : la longue histoire de Marietta, « fille inconnue » et orpheline que le « hasard » a jetée sur les pas de Jules, pour l'amour de Lesby, fatigue et ennuie. Mais dans l'ensemble, le mélange de drame et de comique est réussi : aux scènes comiques (mœurs débridées de ces messieurs, petites brouilles avec leurs maîtresses), succèdent les scènes tragiques : une grossesse, deux rivales, le secret de la naissance de l'orpheline Lesby. Le récit se trouve construit autour du séducteur sympathique (Jules), de la victime (Lesby) et du « mauvais sujet » (Léon) en n'oubliant pas des séries de quiproquos [1].

Perrin excelle dans les romans d'aventures où revient la recherche de l'identité : ainsi en témoignent *L'Enfant volé* (1860), *L'Enfant de l'amour* (1862) ou *La Fille du forçat* (1860). Ce dernier récit offre, sur une trame simple et assez sobrement tracée, une histoire attachante. Le sous-caissier Durmond aime l'ouvrière Fernande; rapt de Fernande pour le compte d'un viveur; rapt de Marie, vendue par sa mère « infâme », et qui retrouvera à la fin son père, le forçat. Les thèmes romantiques restent sous-jacents : réhabilitation de la courtisane par l'amour, mère infâme contre père martyr, prolétaire et viveur.

Le ton comique, grivois, marque plus amplement certains récits, comme *Le Mariage aux écus* (1857). Restent assez vulgaires ces aventures d'un peintre dont la maîtresse a épousé son propriétaire, et d'une jeune fille noble éprise d'un prétendu orphelin. Les jeunes filles nobles aiment à se marchander; fille séduite, rivalités amoureuses; mariage, conçu comme une combinaison financière (reflet de l'affairisme de l'Empire) sont les archétypes de ce roman, que l'on retrouve ailleurs, dans l'œuvre de Perrin.

Dans ses meilleures gaudrioles, Perrin n'oublie ni l'humour ni la verdeur née des oppositions sociales. Ses héros sont des gens du peuple dont leur marche en avant vers la domination de la société est entravée par les personnes en place : nobles débauchés, bourgeois cupides. Mais

---

1. Apparaît ici une certaine distanciation, opérée par l'intervention de multiples personnages, le rôle du romancier restant neutre, toujours en retrait.

Perrin évite soigneusement de critiquer les tares d'un système bâti sur l'argent. Portraitiste du petit peuple, il l'est avec un bonheur particulier, dans *Le Sultan du quartier* (1853). Ici encore, l'action est centrée autour de la recherche de son identité par une orpheline. Lolo, amant de Zulma, « la reine des modistes », est le sultan du quartier. L'orpheline aime un orphelin, lui-même à la recherche de son identité ; des gaudrioles gardant leur verve ; des amoureux surpris par la mère de l'amant : « Amaryllis effrayée s'enfonce au fond du lit d'où s'échappe Olivier en chemise pour tourner autour de la chambre tout en cherchant son pantalon. »

Cet univers sans grandeur ignore le bric-à-brac des romans « noirs » : sociétés secrètes, héros tout-puissant, accumulation de scènes de catastrophe, de crimes et d'horreur. Mais, s'il s'agit d'un univers non tragique, l'émotion n'est pas ignorée du lecteur, qui, à travers la lecture des aventures simples de gens simples, qu'il connaît bien, éprouve le besoin de se voir refléter par les types et les archétypes présentés : les orphelins persécutés, la grisette devenue pécheresse par vengeance ou par chagrin d'avoir été délaissée par son amant, les petits bourgeois ridicules, les viveurs qui seront punis, les mères coupables, les pères martyrs. C'est justement la simplicité de cet univers qui en fait le charme, la force d'impact sur les sensibilités actuelles, car Perrin nous restitue sans tape-à-l'œil, avec un style souvent relâché mais coloré, les émois, les préoccupations, les amours, les luttes et les haines de personnes faisant partie d'une société abolie depuis longtemps.

Ennuyeux, Perrin ? Il ne le semble pas, puisqu'il a su, souvent avec une grande justesse de ton, correspondre aux désirs de son public populaire. Plus encore que Kock, il démythifie les archétypes du récit sombre, à la Sue, plus tard, à la Ponson du Terrail. Et c'est justement pour cette raison qu'il a défié les rides du temps.

BIBLIOGRAPHIE

1) Études générales sur l'évolution du genre

BAUCHERY (Roland), Préface de *La Femme de l'ouvrier,* Arnaud de Vresse, Paris, 1859.

CRUBELLIER (Maurice), *Histoire culturelle de la France, XIXᵉ-XXᵉ siècle,* Armand Colin, Paris, 1974.

OLIVIER-MARTIN (Yves), « Les périodiques populaires du Second Empire », *Le Chasseur d'illustrés,* n° 1, Paris, 1967.

PIERRARD (Pierre), *La Vie ouvrière en France sous le Second Empire,* Bloud et Gay, Paris, 1965.

2) Études sur Maximilien Perrin

BOURQUELOT (Félix) et MAURY (Alfred), *La Littérature française contemporaine, 1827-1849,* Delaroque Aîné, Paris, 1854.

CHEVALET (Émile), *Les 365,* Gustave Havard, Paris, 1857.

Chronique de la Société des gens de lettres, n° 4 : « Mort de Maximilien Perrin », Paris, 1879.

Galerie de la Société des gens de lettres, Librairie de la Société des gens de lettres, Paris, 1872.

MONSELET (Charles), *Statues et Statuettes contemporaines,* Giraud et Dagenau, Paris, 1852.

QUÉRARD (Joseph-Marie), *La France littéraire,* tome VII, Firmin-Didot, Paris, 1835.

CHAPITRE VI

Les lendemains de 48.
Un roman populaire socialiste?

Au début des années 1850, la condition ouvrière n'a guère évolué par rapport à la décade précédente : ouvriers de manufactures, grisettes, mais aussi employés et artisans, touchent un misérable salaire et s'entassent le plus souvent dans des taudis. Paris dévore non seulement ces existences incertaines, mais aussi toute une population de mendiants, de déclassés, de voyous ou rôdeurs de barrières. Les espoirs — avortés — de la révolution de 48 n'ont pu aboutir qu'à la création — éphémère — d'ateliers nationaux, fermés lors des journées de juin 48, mais dont la disparition entretient parmi la population laborieuse amertume et rancœurs.

Par ailleurs, les autres classes sociales : petits bourgeois (boutiquiers), mais aussi, paysans, qui attendent un Ordre leur assurant une vie paisible, ne se satisfont pas entièrement du nouveau régime instauré par Napoléon III. Quant à la classe aristocratique, généralement légitimiste, elle se réfugie dans une opposition hautaine et désabusée.

Plusieurs courants partagent le roman populaire; outre les récits de cape et d'épée ou d'aventures exotiques, qu'explorent méthodiquement des auteurs comme Amédée Achard ou Gustave Aimard, le roman populaire est obligé de respecter les consignes conservatrices établies par le nouveau régime : défense et illustration de la sacro-sainte propriété, description des tares sociales par la bande, c'est-à-dire d'une manière qui ne mette pas en cause le système capitaliste. Si le roman louis-philippard a été le témoin de l'ascension de la commandite, celui du Second Empire débutant sera celui de la société anonyme, de l'exode des campagnes vers les villes, de l'érection et de la chute de fortunes liées à la spéculation ou à la fraude.

Toute une classe de nouveaux riches s'installe : promoteurs, banquiers, familles ayant lié leur destin à la personne de Napoléon III.

Sous une telle pression conservatrice, le « roman de gauche », à la Sue, ne saurait s'afficher socialiste, d'autant plus que c'est de longue date que le pouvoir entend bâillonner le roman-feuilleton : le *Constitutionnel,* dès le mois de septembre 1848, enterrait le feuilleton humanitaire, socialiste : « *A l'heure qu'il est, tout est sérieux.* Il faut que l'écrivain y songe. » Littérature « sérieuse »? Littérature conformiste, amorale et cynique, dont Maximilien Perrin a été un des représentants les plus cotés.

Autour des années 1850 se dessine dans le genre une évolution vers la fiction mièvre et l'on assiste à l'épanouissement d'une sorte de roman de mœurs dont la technique et les procédés se rapprochent souvent de l'esthétique de la littérature générale, concrétisée par Étienne Énault, Charles Joliet, et surtout Paul Féval, à la fois auteur légitimiste et fêté par le régime impérial. Énault et Joliet (Féval se muant en critique social, dans *Madame Gil Blas* notamment) presque illisibles aujourd'hui, représentèrent la tendance la plus mystificatrice, la plus aliénante du roman d'amour. Ils transformèrent la vie, rude et incertaine, que l'on mena au début de l'Empire, en une série de rêveries intemporelles et de bluettes détachées de tout contexte politique ou social.

La tendance du romantisme politique et social, apparemment enterrée par l'échec des espoirs socialistes placés dans les révolutions de 48, l'exil d'Eugène Sue, se devait de resurgir. Toute une population misérable et aigrie continue de nourrir ses rêves de revanche sur les riches, sur les puissants. C'est à celle-là que Clémence Robert s'adressera, c'est elle qui en exprimera le mieux les préoccupations, les hantises, en petite-fille de Jean-Jacques et de Sue. Face aux différentes formes de romans populaires plus ou moins éloignés de la peinture de la vie politique et sociale : roman comique, roman douceâtre et bucolique, récit de cape et d'épée ou d'aventures exotiques, fictions nobiliaires[1] rejetant la société comme ses victimes dans une sorte d'Enfer sans issue possible, survit une certaine permanence du roman populaire social ou socialisant, « républicain », comme on disait à l'époque.

---

1. Ce type de « roman de droite » est exprimé par Féval, Jules de Saint-Félix et de La Landelle.

Clémence Robert

« Le mot du dernier logogriphe inséré dans *L'Écho sparnacien...* est *Appoggiature* où l'on trouve : Tage, otage, paie, roi, apôtre, râpe, pâte, tape, rage, pot, rat, rite, Prague, api, tiare, tige, tigre... » (Charles Monselet, *La Lorgnette littéraire,* Poulet-Malassis, 1857). Dans cette amusante énumération, Monselet entendait rappeler les mots clés expliquant l'œuvre de Clémence Robert : des rois, un apôtre (une vie extraordinaire de saint Vincent de Paul) et tous autres ingrédients du roman historique. En fait, Clémence Robert n'est pas essentiellement un auteur de cape et d'épée, et dans ses fictions historiques mêmes, elle fait passer un souffle épique, vengeur, comme le fera plus tard Zévaco [1].

Clémence Robert naquit en 1797 à Mâcon; elle était la fille d'un juge suppléant au tribunal de cette ville. Tout enfant, elle lit en cachette Montesquieu, Voltaire, et surtout le *Contrat social* de Rousseau, à l'âge où les jeunes filles étudiaient le catéchisme. Très jeune, elle décida d'être républicaine. C'était déjà un esprit fort. Chérie par ses parents, elle fut traitée par eux avec une douceur ayant trop d'influence sans doute sur ses « qualités naissantes », note un des amis de la future romancière, Senancour, assez justement (*Biographie des femmes auteurs,* sous la direction d'Alfred de Montferrand, Aubrée, 1836).

Très tôt réfléchie, passionnée de littérature, Clémence débuta en 1820 par une pièce de vers en l'honneur de la naissance du duc de Bordeaux. Ayant perdu ses parents, elle vint à Paris retrouver son frère, commençant d'être connu par des travaux d'horlogerie nautique. Aux prises avec les difficultés de la vie, elle accomplit d'humbles travaux de librairie. Enthousiasmée pour la République après avoir lu l'Histoire, passionnée pour Sue et George Sand, ses débuts littéraires furent encouragés par Hippolyte de la Morvonnais et Senancour. Clémence décida assez vite d'écrire des romans historiques, qui formeront une notable partie de son œuvre. Mais auparavant, elle courut sa chance en travaillant à une *Histoire de France,* pour le compte d'un noble hélas troué de dettes : l'on mit avant la terminaison de l'ouvrage les scellés sur les manuscrits.

Un premier roman parut, *Une famille s'il vous plaît!* qui reçut un assez maigre accueil. Mais très vite, les directeurs de journaux s'ouvrirent à

1. Michel Zévaco donnera au roman historique une orientation anarchiste : Pardaillan est un asocial, un marginal combattant le trône et l'autel.

la prose aisée de la fougueuse républicaine : *La Duchesse de Chevreuse* et un autre récit, *Jeanne la folle,* parurent dans *La Presse.* Un provincial naïf, séduit par la lecture de *Jeanne la folle,* cribla l'auteur de lettres pleines de reproches, accusant sans raison Clémence d'être une intrigante qui l'avait mené à la ruine.

Arrive une époque glorieuse pour la fille du petit juge : sous le coup des événements de 48, Clémence publia *Les Trois Sergents de La Rochelle* dans *La République,* en 1848 et 1849. Ce roman puisant dans une actualité point trop ancienne, un épisode de la répression menée par la Restauration contre les opposants, connut un succès énorme. L'histoire des sergents se vendit dans les publications à vingt centimes de l'éditeur Boulé au chiffre, inouï pour l'époque, de 60 000 exemplaires. Par ailleurs, une grosse machine à la Sue, *Les Mendiants de Paris,* parut simultanément dans *La Patrie* et dans *Le Commerce,* au début de l'année 1848.

Il y avait eu toutefois une période de silence, dans cette vie laborieuse : l'auteur s'était retirée en 1845 à l'Abbaye-au-Bois, et, à son retour, la presse quotidienne l'accueillit avec moins de faveur, les lecteurs de ses feuilletons habituels ne la voyant plus au rez-de-chaussée des quotidiens, les journaux qui la publiaient la délaissèrent. Clémence se rabattit alors sur les petits journaux populaires, providence de Maximilien Perrin, comme *Le Dimanche.* Elle fonda ses propres périodiques populaires : *La Semaine,* en 1859, *Le Siècle illustré,* en 1861, qu'elle alimenta de ses productions personnelles. La fin de sa vie fut moins heureuse, elle perdit les amis fidèles des premiers temps, comme Senancour, se retira dans un appartement modeste. Peut-être, aussi bien, se sentit-elle lasse d'empiler tant d'ouvrages en si peu de temps : de 1836 à 1845, par exemple, elle avait écrit près de dix fictions, surtout historiques. Elle put songer sur le tard, à l'amitié qu'elle eut pour Mme Récamier, durant le temps qu'elle se réfugia dans l'Abbaye-au-Bois. Clémence mourut, presque oubliée, à Paris, en 1873.

Une œuvre généreuse

Des « maximes socialistes », notait avec ennui Eugène de Mirecourt en voulant juger l'œuvre de Clémence. Il ajoutait que ses fictions étaient trop rigoureusement marquées de « fantaisie démocratique et sociale » (*Les Contemporains : Mme Clémence Robert,* Havard, Paris, 1856).

De son côté, Émile Chevalet lui reconnaissait des prétentions à la littérature à idées, notait qu'elle était remplie de conceptions généreuses, mais, assez dédaigneusement, en faisait une concurrente de la comtesse Dash, une collaboratrice de Dumas, pour les romans de cabinets de lecture (*Les 365*, Havard, Paris, 1857).

Selon un autre critique, contemporain de Clémence, tout n'est que luttes sanglantes, mystères et batailles, chez l'auteur des *Mendiants de Paris*. « Ses romans de mœurs excellent par l'inobservation, l'invraisemblable et la maladresse. Depuis le premier jusqu'au dernier de ses livres, tous n'ont qu'un but : préconiser les classes d'en haut au détriment de celles d'en bas. » Il lui reprochait aussi de doter le peuple de toutes les vertus, le reste de la société étant aux yeux de la romancière composé de vauriens. Clémence restait enfin accusée de « poétiser les monstres ».

Ces différents jugements, pourrons-nous les reprendre à notre compte ? Le seul tort de Clémence fut de vouloir produire un roman populaire socialiste en une époque particulièrement troublée : si elle se réfugia assez souvent dans les fictions historiques, c'est qu'il ne lui était sans doute pas permis d'exprimer toutes ses idées sur la société dont elle fut le témoin [1].

Auteur de romans historiques, certes, mais surtout, auteur de romans de mœurs. Tous, plus ou moins directement, plus ou moins profondément liés à l'actualité de ces années 1840 et 1850, entre la fin du régime louis-philippard, les espérances de socialisme utopique nourries durant les révolutions de 48 et le Second Empire. Républicaine dans l'âme, on l'a déjà noté, Clémence voulut être le dépositaire de la volonté révolutionnaire encore bouillonnante dans toute une partie du peuple, le témoin de ses luttes, de ses rêves, de ses souffrances.

Clémence perfectionna les procédés de Maximilien Perrin, qu'elle adapta au roman de mœurs sombre, à thèse : on retrouve chez elle l'épaisseur romanesque, le grossissement du trait lorsqu'il s'agit de juxtaposer des antithèses sociales les unes aux autres, le goût du réalisme de la vie quotidienne, le même amour des humbles, des déshérités, des victimes de la lutte pour l'existence. Clémence a repris à Perrin cette construction ordonnée autour d'un ou de plusieurs personnages principaux, l'étalement du mystère dans une intrigue désarticulée en épisodes apparemment non liés les uns aux autres.

Mais là où Perrin entendait créer une sorte de roman de mœurs cyclique, au sein duquel les mêmes catégories socio-professionnelles interviennent, Clémence entend élargir le champ de sa vision, abandon-

---

1. Une bonne moitié des romans-feuilletons parus sous le Second Empire furent des récits historiques, dus notamment à Emmanuel Gonzalès, Alfred Assollant ou Amédée Achard.

ner la littérature faubourienne chère à Perrin en construisant de grandes machines érigées chacune autour d'une idée-force : la justice, la charité, l'amour et la défense des humbles, la lutte contre les tyrans du passé comme du présent.

Surtout, on ne peut pas reprocher à Clémence de manquer de sincérité ni de conviction dans ses démonstrations, alors que Perrin tombait dans une complaisance souvent commerciale pour les petits êtres évoqués par lui : Clémence entend reprendre des mains de Sue la parole magique, incantatoire, le ton de meneur de foules de l'auteur des *Mystères de Paris*. On perçoit en effet, à travers toute l'œuvre de la bourguignonne, un écho plus ou moins brûlant des grandes luttes républicaines menées depuis le début du XIXe siècle. Clémence Robert se veut juge et même pamphlétaire de son temps, alors que Perrin en restait plutôt au stade de l'épicier en gros, servant à une clientèle peu exigeante les mêmes plats incessamment mijotés, selon des recettes techniques éprouvées.

Clémence Robert, au contraire, si elle perfectionna les procédés qui firent la gloire de Perrin, entendit briser ses récits en séquences démonstratives, ardentes, violentes; lointaine héritière du romantisme, surtout, du romantisme social, elle lui reprit ses archétypes : le héros toutpuissant et en marge de la société, la secte ou la société secrète, la lutte du Bien et du Mal pour la domination de la société. (Alors que Bien et Mal restent souvent complices, voire presque indissociables, dans l'univers délibérément médiocre de Perrin.) L'univers de Clémence Robert demeure vigoureusement manichéen [1].

Là où Perrin se réfugia dans une accumulation d'anecdotes savoureuses mais banales, Clémence emploie avec conviction les procédés du roman « noir » : dosage savant du mystère, accumulation progressive de coups de théâtre, emportant l'intrigue en un rythme furieux, cheminement continu de l'action vers un dénouement attendu et espéré par les lecteurs sensibles aux idées de justice sociale de l'auteur, exposition très ouverte des narrations, sur une série de personnages témoins, nettement typés, représentatifs des grands courants politiques ou sociaux du siècle dernier.

En outre, le langage utilisé par l'auteur des *Trois Sergents de La Rochelle* reste ce langage codé, magique, qui soulevait les lecteurs de Sue, à mi-chemin entre l'incantation et la griserie; peut-être par-

---

1. Dans *Les Mendiants de Paris,* notamment, apparaît une sorte de société secrète de mendiants, écho probable des sociétés secrètes républicaines écloses entre 1845 et 1855.

fois ampoulé ou rocailleux, mais toujours vibrant, sincère, véhément : chez Perrin par contre, on l'a vu, le vocabulaire se tient sans cesse à fleur de terre, vulgaire, confiné dans un réalisme plus ou moins étriqué, et en tout cas dépourvu, la plupart du temps, d'échappées sociales[1].

Clémence Robert croit au progrès de la science, de l'humanité, ce qui emplit ses récits, même les plus sombres, d'un optimisme inaltérable et fougueux, n'évitant pas toujours les pièges du plaidoyer trop passionné ou de la satire trop partiale : mais ne sont-ce pas là des défauts des qualités de Sue, puissant inspirateur de Clémence?

Clémence nourrit une affection toute particulière pour les déclassés, les gens du peuple : le frère, vengeur de l'honneur souillé de sa sœur; la vie incertaine et cruelle qui amène certains au crime, non comme pervers ou comme bourreaux, mais comme victimes de la société.

La conclusion de tels récits, impliquant le retour à la norme momentanément troublée par la victoire du Mal, est nécessairement ambiguë, puisque l'auteur, armant le bras de ses héros-victimes, ne peut qu'entériner leur condamnation légale. De ces exclus, qui restent souvent exclus (comme le pauvre Fortuné du *Saltimbanque*, ou le héros vengeur des *Mendiants de Paris*), le narrateur ne peut qu'enregistrer − avec peine, et avec indignation − l'écrasement par une société inique et inégalitaire.

L'exclu à vie, qui traverse l'existence comme un pitoyable fantôme, dans un paysage, pour une fois, délibérément et uniformément pessimiste, car il s'agit d'une réalité brute, non idéalisée ou articulée en fonction du langage de la fiction, n'est-ce pas le Fortuné du *Saltimbanque* (1854) vendu par son père, le pauvre Guérin, à un directeur forain, puis engagé par un cafetier, amoureux d'une jeune fille, cumulant divers métiers misérables, affrontant son rival, le vil bourgeois Raymond Perrot? Voyant Raymond en train de posséder sa belle, Fortuné le tue, est condamné à mort et exécuté, alors qu'Henriette venait d'obtenir sa grâce. Un tel récit-réquisitoire fut sans doute jugé trop noir par le directeur bonapartiste de *La Patrie,* car le manuscrit resta plus d'un an entre ses mains sans être accepté, en 1853.

Autres victimes de la société, ces deux touchants enfants du peuple, Pierre et Valentine, dans *Les Mendiants de Paris.* Pierre, fils d'un maraîcher, a élevé Marie, l'enfant trouvée; séduite par Herman de Rocheboise,

1. Autre exemple de récit puisé dans une actualité encore brûlante, ces *Quatre Sergents...* : il s'agit pour l'auteur, au lendemain de 48, de confectionner en l'honneur des combattants républicains de la Restauration une sorte de somme de leurs luttes. En cela, Clémence Robert est à placer aux côtés de George Sand et de Victor Hugo.

Marie en meurt : cela reste le passé, en partie démasqué, après le mariage d'Herman et de Valentine. Robinette, fille du peuple, devient la maîtresse de Herman, mais elle aime Pasqual, nouvel ami de Herman. La vieille Jeanne apparaît de temps en temps comme agent du destin : mère de Herman, elle est restée pauvre car « un devoir tout-puissant l'exigeait ». Herman est jugé pour meurtre : Pasqual se révèle à lui comme étant Pierre : « Oui, Herman de Rocheboise, je t'ai sauvé la vie, mais pour te tuer lentement... J'ai tué ton bonheur en te séparant de Valentine; j'ai détruit ce qui pouvait te rester encore de dignité, d'honneur, en te faisant faussaire, assassin. »

Les archétypes restent ceux du roman « noir », dont Clémence affirme la permanence, face à l'école de Perrin : la secte (Herman s'associe aux mendiants pour voler); la courtisane relevée par l'amour (Robinette); la traversée ténébreuse du héros du Mal, finalement réhabilité, en vertu d'une sorte d'évangélisme lamartinien : Herman, « réhabilité par la plus douloureuse expiation, partait pour un but inconnu », vers l'Amérique, après avoir vu Valentine une dernière fois[1].

Lorsque le roman de mœurs dépeint surtout des gens du monde, ou des bourgeois, c'est pour en stigmatiser les tares : il était facile aux lecteurs contemporains de Clémence Robert d'identifier par exemple Valéria et Émile Duvolney, les personnages de *La Pluie d'or* (1866) aux « lionnes » et aux gandins, ruineuses pécheresses ou frivoles et imprudents séducteurs qui emplirent la « haute » société du Second Empire. Dans ce récit à la grande simplicité de ton et du thème : rivalités amoureuses et châtiment du coupable, les personnages ne sont pas des fantoches. Pauline aime le viveur Émile, pris en charge par Valéria, alors que son ami·Raymond aime Valéria. Blessé de voir Émile épouser une fille riche et oublier Pauline, Raymond jette Valéria en pâture à Émile, « pour le punir et lui donner une leçon ». Pauline épouse Raymond. Émile est plaqué par Valéria : « Ce cœur lâche était puni de s'être attaché à une courtisane par les tourments mêmes de son déshonorant amour. »

Si, peut-être, Clémence Robert s'est sentie plus à l'aise dans le roman historique que dans le récit de mœurs contemporaines, c'est qu'elle ne pouvait transférer en ce dernier type de fiction les colères et les rêves socialistes d'une femme ardente, généreuse, navrée de rencontrer tant de misères et d'inégalités; mais, comme elle croit au progrès, elle auréole

---

1. Apparaît ici un écho de la conclusion des *Mystères du peuple* de Sue, avec la promesse de voyage messianique vers l'Amérique, voyage que traduira fort bien *Les Mystères du monde* d'Hector France.

ses héros du Bien d'une sorte de couronne merveilleuse qui en fait des êtres magiques. Auteur représentatif d'une époque de transition, entre le milieu de la Monarchie de Juillet et le Second Empire à son zénith, elle eut le mérite essentiel de garder le ton juste dans sa dénonciation des tares sociales et le rêve d'une République humanitaire et égalitaire.

Dès son plus jeune âge, note en 1862 Bérengère de Courtin, « sérieuse, réfléchie, tourmentée déjà par la Muse », elle « passait des heures entières à compulser tous les chefs-d'œuvre de l'esprit humain ». Cette vie studieuse et contemplative donna de bonne heure à l'auteur un caractère grave et contemplatif qui marquera toute son œuvre.

Témoin de son siècle, Clémence Robert adopta tour à tour le roman historique et le roman de mœurs afin de mieux se calquer sur les préoccupations d'une époque tumultueuse. Elle ne se sentait au fond vraiment à l'aise ni dans le cape et d'épée ni dans le récit de mœurs, et elle rêvait d'unir en un seul genre, hallucinatoire et vibrant, contemplatif et grave, les voix des lecteurs et de l'auteur : un tel type d'œuvres sera concrétisé, d'une certaine façon, par Ponson du Terrail et Capendu.

Henry de Kock

Fils de Paul de Kock, Henry de Kock (1819-1892) fut publié dans les mêmes collections populaires que Clémence Robert, Degorce-Cadot et Havard. Ayant les mêmes dons et le même succès que son père, il prolongea avec succès le genre comique légué par l'auteur du *Cocu :* ce ne sont chez lui que « lorettes vengées », « roi des étudiants », « reines des grisettes », affaires d'alcôve comme avec Paul de Kock. Toutefois, Henry n'évita pas d'aborder des situations scabreuses désavantageant l'innocence. Ainsi, dans *Brin-d'amour* (1850) le personnage de la femme entretenue reste de bout en bout immoral, même si, tout à la fin, on observe la rédemption de la pécheresse par l'amour pur. Comme chez son père, Henry de Kock ouvre ses romans par une exposition rapide mettant en jeu les principaux personnages, puis centre l'intrigue et les archétypes autour d'un, voire deux héros prépondérants. Dans le roman d'aventures, Henry de Kock ne fut pas un concurrent toujours heureux de Féval et de Dumas : il excelle surtout dans telles œuvres comme *L'Amant de Lucette* (1855) ou *Les Douze Travaux d'Ursule,* grivoises et ironiques.

Tout comme Clémence Robert, auteur représentatif du genre sombre, Henry de Kock rêvait de créer des personnages à la fois vivants et hallucinants. Un tel type de héros, dotés d'immortalité, sera apporté par Ponson du Terrail. Alors que Clémence Robert et Henry de Kock, s'ils représentèrent des êtres attachants, ne surent pas toujours plonger dans les abysses de l'inconscient des lecteurs afin de leur présenter le Rêve, le Cauchemar, l'Indicible[1].

BIBLIOGRAPHIE

Le Biographe et le Nécrologe réunis, tome IV, Paris, 1837.

BOURQUELOT (Félix), *La France littéraire,* Firmin-Didot, Paris, 1835.

Chronique de la Société des gens de lettres, n° 1, « Mme Clémence Robert », Paris, 1873.

COURTIN (Bérengère de), *Clémence Robert illustrateur des dames et des demoiselles,* Paris, décembre 1862.

DUVIVIER (Paul), « Mme Clémence Robert », *Le Petit Journal,* Paris, 27 février 1862 et 6 mars 1862.

MIRECOURT (Eugène de), *Mme Clémence Robert,* Havard, Paris, 1856.

La Lorgnette littéraire, Paris, Poulet-Malassis, 1857.

MONTFERRAND (Alfred de), *Biographie des femmes auteurs contemporaines françaises,* Armand Aubrée, Paris, 1836.

---

1. Toutefois, Henry de Kock abordera un thème anticipatif avec *Les Hommes volants, histoire extraordinaire* (1864).

CHAPITRE VII

Rocambole et la suite
1855-1870

En 1855, c'est l'essor du régime impérial, c'est aussi l'intrusion d'un nouveau phénomène dans la littérature populaire : le régime de Napoléon III, encore peu sûr de l'avenir, recherche un homme qui lui soit fidèle, qui puisse mobiliser des millions de lecteurs dans une sorte de tension fiévreuse, d'enthousiasme et d'inertie : surtout, pas d'écrivains politiques ! Pas de messages incendiaires ! A la société jouisseuse et cynique des années 1850, 1860, il faut un portraitiste qui lui permette aussi d'oublier, dans le vacarme d'énormes aventures rêvées, la précarité du régime impérial. Cet homme sera Pierre-Alexis, vicomte Ponson du Terrail.

« Ce pauvre garçon ? »

Les Goncourt notaient dans leur *Journal,* à la date du 19 juin 1861 : « Ce pauvre garçon la gagne assez, sa voiture, et par le travail et par l'humilité de sa modestie littéraire. C'est lui qui dit aux directeurs de journaux où il a un immense roman en train : " Prévenez-moi trois feuilletons à l'avance, si ça ennuie votre public, et en un feuilleton je finirai. " On vend des pruneaux avec plus de fierté. »

« Pauvre garçon », Ponson du Terrail ? Il allait démontrer rapidement qu'il savait avec astuce manier sa barque.

En 1829, il naquit à Montmaur, près de Grenoble. En 1845, il prépara Navale et signe George Bruck sa première œuvre, *Un amour à seize ans.* Il gagna Paris vers la fin de 1847. Enrôlé dans la garde mobile en février 1848, il est élu capitaine par ses pairs, combattit les émeutes de juin,

« car il était déjà un homme d'ordre et d'énergie », note Armand Praviel (*Le Correspondant,* n° 1603, 1929). A vingt-trois ans il publia *La Baronne trépassée,* et commence d'empiler les volumes : en moins de vingt ans, il publiera cent un ouvrages totalisant quatre cent vingt et un tomes.

Au bout de quinze années de succès constant, du Terrail vit surgir la guerre de 1870 ; il organisa un corps de francs-tireurs en forêt d'Orléans et mourut à Bordeaux en 1871... Paul Dalloz fit son éloge funéraire, au nom du *Moniteur,* dont l'auteur de *Rocambole* fut un des fournisseurs en récits : « Le grand public, celui qui se compte par centaines de mille, a, lui aussi, montré avec quelle faveur il accueillait les œuvres de ce conteur inépuisable...

« Il avait un empire sans limites, celui de l'imagination [...]. Les succès pareils à ceux qu'il obtint ne s'acquièrent jamais sans raison. N'a pas un public qui veut. Son style entrecoupé, dont chaque mot était souvent une phrase, fut une grande habileté de sa part [...]. C'est pour ainsi dire goutte à goutte qu'il faisait tomber l'idée dans ces cerveaux encore naissants, et c'est par les faits racontés avec la rapidité la plus saisissante qu'il les incitait à haïr le mal et à aimer le bien.

« Son but principal était d'intéresser, d'émouvoir, de captiver ses lecteurs. C'est par le cœur, par les passions qu'il était sûr de les tenir... »

Léon Gozlan dressa une tout autre oraison funéraire, comme le rappelle Hippolyte Babou dans *Les Sensations d'un juré* (Lemerre, 1875) : « J'ai lu *Rocambole,* je puis mourir. Mais avant de rendre mon âme à Dieu, j'ai fait le testament de Ponson du Terrail :

« Moi, vicomte Ponson, roi du feuilleton et providence des journaux illustrés,

« Considérant que j'ai obtenu par mes écrits le plus grand succès du XIXᵉ siècle [...]

« Attendu que les plus malveillants de mes amis n'ont encore pu me prendre en flagrant délit de génie ou d'esprit [...] mais que, nonobstant, je suis devenu l'écrivain le plus populaire et le plus heureux de France ;

« [...] Je fonde à perpétuité une bibliothèque des meilleurs auteurs français, à l'usage des invalides [...] que ma littérature a privés de leur santé intellectuelle... »

Du Terrail fut jugé diversement par ses contemporains : Théophile Gautier appréciait *Le Chambrion.* Mérimée écrivait à Stendhal en 1865 : « Il n'y a plus qu'un homme de génie à présent, c'est M. Ponson du Terrail. Avez-vous lu quelques-uns de ses feuilletons ? Personne ne manie comme lui le crime et l'assassinat. J'en fais mes délices. » Monselet fut un des rares, parmi les lettrés, à faire la grimace : « Ah! oui, un joli talent! » *(La Lorgnette littéraire.)* Même le rigide Alfred Nettement lui trouve du talent et note que le gros public goûtait des romans que les lettrés refusaient, un public « dont les nerfs sont des câbles » (*Le Roman contemporain,* Lecoffre, 1864). En revanche, Émile Chevalet ne cacha pas son irritation, reprochant à du Terrail de piller sans vergogne Dumas, Féval ou Sue : « Avec ces rognures, prises de droite et de gauche, il arrondit son avoir. » Chevalet taxe une telle œuvre de « bimbeloterie dont s'accommode tant bien que mal le gros public qui n'y regarde pas de si près » *(Les 365).*

L'homme de main du régime?

Ponson fut-il sciemment un instrument de propagande mis au service du régime impérial? Il semble que oui. On s'explique ainsi la bizarre faveur qu'eurent pour cet « imitateur blafard de Dumas », comme le dira René Lehmann en 1911, des lettrés comme Mérimée[1].

Selon Armand Praviel (« Le vicomte Ponson du Terrail », *Le Correspondant,* n° 1603, 1929), Ponson, auteur patenté des journaux officieux et officiels, « utiliserait ses histoires pour concierges afin de moraliser le peuple ».

Toujours selon Praviel, l'Empire se piquait d'avoir une cour intellectuelle lui permettant de mépriser les foudres des *Châtiments* de Hugo, « mais il prétendait aussi agir sur les masses populaires toujours travaillées contre lui ». Ponson fut ainsi zélé à défendre de toutes les manières la cause de l'Ordre, et parut l'homme désigné pour endoctriner les gens que Gautier laissait indifférents. Ce calcul de Napoléon III explique les rapides succès de Ponson, sa collaboration recherchée par toute la presse, le battage autour de ses romans, sa « situation privilégiée et imméritée ».

Remplit-il la mission dont il aurait été chargé? Praviel semble avoir raison en faisant de Ponson l'homme de l'Empire. L'outrecuidance de du Terrail, son habitude à trancher de tout et de tous, s'explique ainsi : toutes les portes lui sont ouvertes. Ainsi, lors de l'affaire Troppmann, il écrivit en 1869 au *Petit Moniteur :* « Depuis cinq jours tout le monde, excepté la justice, a dit son mot [...] sur le crime de Pantin, et depuis cinq jours j'ai été plus d'une fois salué par cette phrase : Vous n'auriez pas inventé cela, vous, l'auteur de *Rocambole?* — Puisque je suis jeté dans le

---

1. René Lehmann, « Le roman populaire », *Renaissance contemporaine,* n° 10, 1911.

débat par la fenêtre de la personnalité, je dirai mon opinion aussi. — Mais auparavant permettez-moi d'en finir une fois pour toutes avec cette croyance niaise de beaucoup de gens qui s'imaginent que les criminels puisent dans les romans quelques-unes de leurs sinistres inspirations.

« Le romancier s'inspire des mœurs, il ne les crée pas.

« Il touche au crime parce que le crime lui appartient comme l'histoire appartient à l'historien.

« [...] Les armes dont nous nous servons n'existent plus, les poisons foudroyants qui tuent nos héros n'ont jamais existé. » Et, concluant cette lettre, avec arrogance, du Terrail moralise le docile public du *Petit Moniteur,* public dont il est devenu l'oracle : « Mais enfin si, par aventure, j'ai deviné juste ou à peu près juste, si, des premiers, j'ai protesté contre cette supposition épouvantable qu'un père pouvait égorger ses enfants... on n'accusera plus, j'imagine, les romanciers de favoriser, d'encourager et de servir le crime; alors que, au contraire, ils se sont donné pour mission de le flétrir. »

On croit bien distinguer, selon Praviel, l'intention de l'auteur d'inspirer à ses lecteurs la crainte des châtiments célestes et terrestres, la peur de l'enfer et du gendarme, « une sorte de grosse morale de mélodrame où le bon ouvrier, le fils respectueux, le brave homme, la brave femme finissent toujours par être récompensés »... Et Praviel reproche à Ponson d'abaisser l'intelligence du peuple. D'après Praviel, les successeurs de Ponson : Mary, Richebourg et Decourcelle surent autrement émouvoir les fibres populaires, et Rocambole, à côté de Lupin, n'est qu'un pauvre homme[1]. Je me garderai d'endosser un tel jugement[2].

Ses prodigieux succès, Ponson les dut à la renaissance du roman-feuilleton : moribond dans la presse d'opinion, lors de la loi Riancey, le feuilleton se réfugia dans les petits journaux : ainsi, Ponson publia-t-il en 1852 *Les Coulisses du monde* dans *Le Journal des faits.* La vogue extraordinaire de *Rocambole* est inséparable de sa publication en feuilleton. Du Terrail fut le feuilletoniste le plus fêté car il sut le mieux accommoder les recettes du genre : par la pression d'innombrables lecteurs frustes et passionnés, le feuilletoniste doit substituer chaque jour davantage aux études de caractères et de mœurs une succession de coups de théâtre

1. Lupin, de Maurice Leblanc, est un « gentleman-cambrioleur », bandit redresseur de torts dans la lignée de Rocambole. Comme Rocambole, il ne tue pas.

2. La descendance de Ponson sera stigmatisée en 1897 par Chantavoine (« Le roman-feuilleton », *art. cit.*) : « La basse curiosité... a exercé chez nous ses ravages. Ç'a été un bon moment pour des âmes de concierges : elles ont eu de la pâture et de la joie pour leur argent... »

qui tiendront désormais les lecteurs en haleine. C'est la pression des lecteurs, non seulement pour *Rocambole,* mais pour d'autres séries, qui explique les développements imprévus de ces énormes récits, l'effacement soudain de certains personnages semblant devenir importants, et l'habillage de héros médiocres en surhommes. Les comparses occupent brusquement le devant de la scène, remarque Régis Messac[1].

Du Terrail fut bien le feuilletoniste à l'état pur, écrivant strictement au jour le jour, « percevant les réactions journalières du lecteur », note Jean Galtier-Boissière dans sa préface au *Trompette de la Bérésina*[2].

Obligé de se multiplier, de fournir simultanément en feuilletons plusieurs journaux, Ponson eut sans doute des nègres : il écrivait le matin et passait l'après-midi à la salle d'armes ou en promenades. Une aussi prodigieuse accumulation de pages n'a pu être l'œuvre d'un seul homme. Du Terrail emprunte partout où il peut, use et épuise les ficelles du feuilleton, qui, après lui, sera exsangue, définitivement stéréotypé, ou peu s'en faut[3].

Première naissance de Rocambole

« Ponson du Terrail mieux que personne est de mesure à traiter les sujets à la mode, ceux qui nous montrent à nu les bas-fonds de la société, les misères physiques et morales, le crime naissant des passions, l'exploitation sociale courant après le vice, de son pied boiteux... et finissant néanmoins par l'atteindre, pour le plus grand bonheur de cette providence humaine qu'on appelle la police, ou de cette providence divine qu'on appelle la Providence » (Vapereau, *L'Année littéraire,* Hachette, 1868).

Le lecteur doit deviner d'après les titres mêmes la nature des intrigues et des exploits qui nourrissent ces romans-fleuves, titres ouvrant à l'imagination de vastes perspectives et dont les sous-titres ne sont pas sans promesses. Ainsi, afin de donner à ses lecteurs frustes une explication

1. *Le Detective novel et l'Influence de la pensée scientifique,* Champion, 1929.
2. Gründ, 1946.
3. Georges Beaume révéla en 1929 dans *La Revue de France* que Ponson du Terrail employait des nègres. L'un d'eux, non payé par l'« auteur », se vengea en tuant en cours de feuilleton la plupart des personnages, n'en laissant en vie que quelques-uns, avec mission d'enterrer les autres.
L'histoire de la « main glacée comme celle d'un serpent », imputée à Ponson, est due à Robert Mitchell qui l'inventa. Gustave Aimard, voire Paul Féval ou Montépin, accumulèrent plus de perles que du Terrail.

des mécanismes sociaux, Ponson débuta-t-il par *Les Coulisses du monde* (1852), dont le titre est lui-même un éclairage, un appât et une énigme. Les sous-titres, ou plus précisément les titres des trois parties, sont suffisamment alléchants : *L'Héritage d'une centenaire, Gaston de Kerbrie, Le Prince indien.* Il s'agit, déjà, d'un énorme récit, découpé en tranches, selon les procédés du feuilleton[1].

La technique des *Coulisses du monde* est encore maladroite : autour d'une idée-force (captation d'héritage, lutte des bons et des mauvais pour se répartir l'argent) l'intrigue languit souvent, insuffisamment alimentée par des épisodes pas toujours cohérents, personnages peu dotés d'épaisseur, mais une certaine force traverse l'ensemble.

« Ce n'est pas toujours un métier commode et facile que celui de romancier, surtout quand on a eu le malheur de se fourvoyer dans un diable de récit où les personnages pullulent et demandent tour à tour qu'on veuille bien s'occuper d'eux », déclare l'auteur avec naïveté, avant de poursuivre :

« Depuis tantôt huit feuilletons, nous n'avons pas abandonné un seul instant notre étude. Osman-Bey... Vous suiviez, lectrices, avec un certain intérêt, nous n'en doutons pas [...] les agitations nouvelles de Mme de Maucroix [...] vous aviez presque oublié peut-être les autres habitants de cette histoire, et ce n'est pas sans quelque regret que vous nous suivrez à Paris où nous rappellent d'autres héros, d'autres événements. »

Souvent, l'auteur interrompt tel passage pour interpeller ses lectrices : « Il nous faut maintenant, avant d'aller plus loin, expliquer l'arrivée subite de Gaston... » Ou bien : « Il est temps de revenir aux convives... » De telles interventions, surgies en tête des chapitres, sont bien en place pour répondre à des questions des lectrices, sur le cours de l'histoire, l'évolution du caractère du héros sympathique, qui a le cœur des femmes : Gaston.

Autre procédé amusant, et maladroit : l'auteur s'interroge sur son œuvre : « Si nous vous analysions le roman en quelques lignes, il est inutile de l'écrire au long, et vous avez assez d'heures de loisir chaque jour pour que nous ne craignions pas de les occuper en continuant notre modeste rôle de conteur. » Il s'agit ici d'un public de bourgeoises assez riches.

Manifestement, la série sent l'effort, mais elle offre l'avantage de

---

1. Étirement de certaines situations, gonflement de certains personnages; juxtaposition de personnages étranges fourvoyés dans des décors étranges (prisons, égouts...).

présenter en réduction, pour ainsi dire, car elle est copieuse, tout l'univers de Ponson : êtres polymorphes, dans le Mal comme dans le Bien, dont l'emprise sur l'action garde un caractère hallucinatoire; interminables épisodes bâtis autour de la disparition, puis de la survie d'un personnage[1].

La conclusion est sommaire, sèche, car trop clairement connue depuis longtemps. Ceux que Ponson a voulu imiter, il les nomme dans le 3e volume, chapitre 38 : « Frédéric Soulié, Eugène Sue, Alexandre Dumas et Méry[2]. »

Tous les schémas de l'œuvre future apparaissent, comme en filigrane : la conspiration criminelle; les mots de passe *(Remember)*, les changements d'identité, l'action du passé sur le présent (un testament, pivot de l'action, qui doit être « à vingt ans de distance, une source féconde de drames et d'intrigues mystérieuses dont nous allons nous faire l'historien »). Surgissent aussi les grosses questions destinées à frapper les lecteurs d'épouvante ou d'angoisse, afin de réveiller l'intérêt, suspendu et endormi :

« Bernard était donc mort? Va-t-on nous demander.

« Allons donc!

« Vouloir qu'un homme qui avait bravé le trépas sur vingt champs de bataille... pérît honteusement dans le canal Saint-Martin, à la barbe d'un caporal, de cinq hommes, d'un commissaire, de deux sergents de ville et d'une centaine de badauds, serait de la folie quintessenciée?

« ... Dans sa chute terrible et rapide, Bernard avait tout vu, tout compris : les badauds des quais, le danger qu'il y avait à reparaître... » Autre type de question pour relancer l'action : « Qu'est-ce que cette masse noire? A quelle tête hideuse ou fatale appartenaient ces deux yeux étincelants dans l'ombre et jetant un fauve reflet aux ténèbres environnantes? » Surgissent aussi des orthographes imprévues, des perquisitions dramatiques, des femmes voilées.

Le héros du Bien est l'éternelle victime, révoltée ou résignée, mais toujours touchante, de la société bourgeoise, un réfractaire au pacte social ou un paria. Cet univers manichéen est dominé par la lutte du Bien, Gaston de Kerbrie, et du Mal, Laurence de Rumfort. Surtout, Gaston annonce déjà *Rocambole,* et Laurence, dans son ambiguïté, méchante puis amoureuse et presque bonne, préfigure la Baccarat des

---

1. Le héros, Gaston de Kerbrie, ne cesse de « mourir » pour revivre sous une nouvelle identité : la traversée ténébreuse de Gaston le justicier annonce déjà celle de Rocambole.
2. Surtout le Méry de *Salons et Souterrains,* particulièrement hallucinant dans ses descriptions d'univers souterrains, a dû inspirer Ponson.

Drames de Paris, la courtisane touchée par la grâce, quoique de façon incomplète. Exclu par la société, dépossédé de son héritage par Laurence, à la recherche d'une identité, d'un père, Gaston doit se transmuer pour mieux opérer sa mission de justicier : totalement bon, faible même, épris de Laurence, son ennemie mortelle, il n'obtient une certaine réalité qu'auprès de son adversaire.

L'évolution de Laurence, la femme fatale, annonce donc celle de Baccarat : elle est concrétisée par le caractère de la lutte de haine-amour qui l'oppose à Gaston. Comme elle l'avoue : « Cela est bien étrange qu'on en vienne à aimer l'homme qu'on haïssait, l'homme qu'on a poignardé sans trembler... Eh bien! je l'ai aimé, adoré ce mort chéri; j'ai passé sept années à le pleurer dans le silence et dans l'ombre de mon cœur... »

Dès 1852, apparaissent donc dans l'œuvre de Ponson les constantes de ses archétypes : le justicier épris de son ennemie mortelle qui, à son tour, l'aime et se trouve par là rachetée en partie; la femme fatale ou la femme sans cœur [1]. L'auxiliaire du Bien (ou du Mal) est doté de la même toute-puissance et invulnérabilité que son maître.

Le langage, assez correct dans l'ensemble, n'épouse pas forcément les outrances de l'action et frise parfois le ridicule : un général meurt d'une balle française : « Frappé par-derrière... c'est dur! – Ce mot était sublime, et il ne pouvait venir que sur la lèvre d'un officier français! »

Il restait pour Ponson à compléter le portrait du héros tout-puissant, immortel et toujours beau, avec Rocambole.

Rocambole ou Rocambolle?

Un héros de Paul de Kock s'appelle Rocambolle, comme pour mieux marquer le caractère grotesque et comique du personnage, doté par de Kock d'une envergure bouffonne qui était en puissance dans l'œuvre monumentale de Ponson. Rocambole reste *le* personnage le plus vivant de Ponson. Selon Praviel, Rocambole est un nom sonore *(op. cit.).* Il fut bien une sorte de procédé qui servit à grouper une série de vies et d'aventures disparates étirées sur plusieurs parties : *Les Drames de Paris* (en volumes : 1857-1863); *Le Dernier Mot de Rocambole* (1866-1868); *Les*

---

1. Ce type de héros sans cœur peut être mâle ou femelle : les deux adversaires des *Gandins,* Sarah et Paul, sont incapables d'aimer, et tirent leur essence fantastique de cette incapacité.

Misères de Londres (1868); *La Résurrection de Rocambole* (1866); *Rocambole en prison* (1869); *La Corde du pendu* (1870)[1].

Rocambole est le type même du héros et du roman sans fin, parce qu'il consacre une étonnante formule, la collaboration constante de l'auteur et de son public, à travers la publication en feuilleton. Rocambole reste une création journalistique, due à la pression extérieure des lecteurs, partant des directeurs de journaux, désireux de voir la suite des aventures du héros. Pour les journaux, il s'agissait d'une mine d'or à exploiter. Cette pression des lecteurs sur l'auteur explique les développements imprévus de la série, l'effacement de certains personnages destinés à être importants et l'essor d'autres, au départ des comparses. Ainsi, Armand de Kergaz, réplique falote du Rodolphe des *Mystères de Paris,* n'acquit de relief que face à Rocambole son nouvel adversaire, né de la nécessité de trouver pour Armand un nouvel obstacle, né des besoins du public : un voyou sympathique, surgi dans *L'Héritage mystérieux.* Rocambole, petit truand, Joseph Fipart de son vrai nom, issu d'une brave ménagère de Belleville, devient voleur de profession, associé au club des « Valets-de-cœur » de son patron, l'infernal sir Williams; chaque évolution du héros, son importance grandissante dans les intrigues entrecroisées, viennent du fonds commun des besoins des lecteurs et des directeurs de journaux. Rocambole, mort dans *Les Chevaliers du clair de lune,* renaît sur l'ordre d'un directeur de *La Patrie :* « Nous avons augmenté nos abonnés et nos ventes dans la rue, il nous faut du Rocambole... » Le même directeur avait lancé la grande machine : « La politique est au calme absolu, la cour d'assises chôme; nous n'avons ni une petite guerre ni un procès criminel à mettre sous la dent de *La Patrie* et voici le renouvellement d'octobre qui approche : faites-moi donc une de ces grandes machines que l'on met à cheval sur deux trimestres et qui retienne l'abonné inconstant, en amusant sa femme et ses filles[2]. »

Ainsi naquit Rocambole, « adroit mélange du surhomme à la Byron

1. *Les Drames de Paris* parus en feuilleton en 1857-1862 dans *La Patrie* eurent encore plusieurs suites : *Le Retour de Rocambole* (*La Petite Presse,* 1875-1876), *Les Nouveaux Exploits de Rocambole* (1876) par Guéroult.
2. Le personnage de Timoléon représente l'intervention, la volonté du lecteur. Du Terrail s'est trouvé débordé par un héros obscur qu'il n'avait pas créé et qui s'est imposé à lui au point de devenir un type, celui du gentilhomme bandit, gouailleur et titi. Rocambole fait presque figure de symbole du Second Empire : à la suite de la grande bourgeoisie vint s'intégrer tout un groupe d'aventuriers avec l'Empereur et ses fidèles, « si bien qu'on assiste à la consécration de l'ascension d'affairistes et d'industriels de toutes origines, des Rothschild aux saint-simoniens » (Pierre Brochon, *La Littérature populaire et son public*).

et du gamin de Paris » (Jean Galtier-Boissière). Rocambole consacre l'apogée mais aussi les défauts du feuilleton : prolixité, immenses développements fastidieux. Ponson, parce qu'il fut en contact permanent et direct avec ses lecteurs, enterrant sur leurs conseils le personnage qui déplaît ou ressuscitant le héros pleuré et redemandé, méritait donc de voir ici reconnue l'importance de son apport dans notre histoire. Rocambole, parti de l'inconscient des foules, de leurs rêves et de leurs désirs, garda de ce fait la fascination qu'il exerce encore[1].

Création journalistique, Rocambole fit la fortune des directeurs de journaux : *La Petite Presse* acheta, à livrer, toute la prose de Ponson : *Le Dernier Mot de Rocambole* la fit monter du premier jour à plus de 100 000 exemplaires, en 1867. *La Résurrection de Rocambole,* paru en 1865 dans *Le Petit Journal,* en éleva le tirage à 282 060 exemplaires. Le feuilleton fut annoncé par d'énormes affiches promenées par les voitures du *Petit Journal* pendant quinze jours. Durant sept mois, les nouvelles aventures de Rocambole émurent les lecteurs, on se passionna pour Rocambole devenu vertueux; on s'intéressa aux malheurs d'Antoinette à Saint-Lazare. Le courrier des lecteurs entretient le rythme de l'action. Ponson conte, dans *Le Dernier Mot de Rocambole,* que lors de la parution de *L'Héritage mystérieux* dans *La Patrie* une rentière lui écrivit, se plaignant de l'immoralité du roman : « Jamais on ne me persuadera qu'une créature comme la Baccarat puisse avoir des sentiments humains.

« Malheureusement, j'ai une fille de vingt-deux ans dont l'imagination est très exaltée, et la lecture des *Drames de Paris* lui est pernicieuse.

« D'un autre côté, je voudrais cependant savoir la fin, et je ne trouve aucune bonne raison à donner à ma fille pour supprimer mon abonnement à *La Patrie.*

« Ne pourriez-vous faire deux éditions : une pour moi, avec feuilleton, l'autre, sans feuilleton, pour ma fille? »

L'évolution de Baccarat et de Rocambole, du Mal vers le Bien, fut conçue de telle sorte qu'elle exerça sur les lecteurs une impression durable : Rocambole, pâle voyou dressé à l'école du crime par sir

---

1. De nombreuses « suites » furent données à Rocambole : *Le Filleul de Rocambole* de Fr. Rochat; *Le Petit-Fils de Rocambole* de Frédéric Valade (1922). Il y eut même une *Mlle Rocambole,* de Roger Dombre. Née de la Belle Époque anarchiste avec Lupin, toute une postérité de Rocambole (le Saint, le Baron, l'Aristo) se muera de Rocambole en prince Rodolphe tout en restant Rocambole, et, ne s'attaquant qu'aux riches et aux puissants, prendra volontiers un ton vengeur. Le gentleman-cambrioleur en retraite, devenu auxiliaire du policier, marque probablement la transition, les révoltés deviennent des instruments de l'ordre tout en gardant leur caractère asocial (*cf.* Pierre Brochon, *La Littérature populaire et son public, op. cit.*).

Williams, apporta une nouveauté : « C'est l'alliage de la gouaille parisienne et de la révolte byronienne, la désinvolture du gamin jointe à
la fière allure du bandit romantique » (Régis Messac, *Le Detective novel...,
op. cit.*). Héros du Mal, il ne sera régénéré que lors de son passage au
bagne, véritable purification-mutation, de la traversée ténébreuse qui
fera de lui un redresseur de torts.

Parallèlement, Baccarat, petite courtisane située dans l'orbite de sir
Williams, devient l'antagoniste de Rocambole et une sorte de justicière-
détective, toujours en fonction de la pression des lecteurs, lui trouvant
un rôle trop immoral en tant que femme entretenue. Baccarat est née elle
aussi d'un besoin du public, d'une volonté d'identification à un type de
femme impure rachetée par une noble mission, la défense des opprimés,
des victimes de sir Williams, puis surtout de Rocambole : cela explique
l'importance grandissante de Baccarat. Jusqu'où ira l'auteur ? demande
Vapereau en 1868 (*L'Année littéraire,* Hachette, 1868). « C'est au public
qu'il appartient d'arrêter le cours de ces inépuisables épopées de la
lecture courante, et tant qu'il ne dira pas : Assez, M. Ponson du Terrail
trouvera toujours... des épisodes émouvants, des hommes que l'on assas-
sine, des enfants que l'on enlève, des femmes que l'on séduit, des maisons que l'on brûle... »

L'évolution de Baccarat suit donc très exactement l'évolution de la
demande des lecteurs : « la vierge folle repentie », devient dame de
charité, épouse le comte Artoff, puis condamne Rocambole au bagne,
non sans l'avoir fait défigurer. L'ambiguïté de la haine et de l'amour
qu'elle porte à Rocambole en acquiert un caractère hallucinant. Fait
important, Baccarat est la sœur de l'ouvrière Cerise. Baccarat, femme
du peuple rachetée par une conversion brusque de ses vices, ressemble
à la Fleur-de-Marie de Sue, et plus encore aux courtisanes pures et
impures de l'ère romantique. Si Ponson, avec Rocambole, continue, en
l'exagérant, l'homme du monde-brigand de Sue, Baccarat, mélange de
la Milady des *Trois Mousquetaires* et de la Mary Trevor des *Mystères de
Londres* de Féval, à la fois femme-objet, ou femme-enfant, femme fatale
et prototype des mères saintes, toutes d'héroïsme et de devoir, réalisa,
pour le public des lectrices, la double figure de la femme, d'après la
conception de l'homme, « fille » et femme pure ou épouse sacralisée par
sa mission ou par son mariage. Baccarat engendrera une nombreuse
descendance, que l'on trouvera, notamment à la fin du XIXe siècle, chez
Alexis Bouvier ou Xavier de Montépin.

Aux côtés des brigands de salon qui peuplent l'univers de Rocambole,
et formant des figures contrastées, se dressent des membres des classes

populaires. Ce qui fit en partie l'énorme vogue de la série, c'est que le peuple a toutes les vertus; les ouvrières sont adorables : ainsi, la vertueuse Cerise; l'ébéniste Léon, dont l'ami Guignon est le modèle des peintres en bâtiment, restent des personnages sympathiques[1].

Dernier volet important de l'œuvre de Ponson, *Les Gandins* (1861) nous apporte un éclairage encore plus net sur un de ses archétypes favoris : la dualité amour-haine qui oppose les héros du Bien et du Mal. Sarah et le pervers Paul poursuivent la même lutte commencée avec *Les Coulisses du monde,* et forment le même couple indissociable, où tourbillonnent les héros du Bien et du Mal.

Les Gandins offre une juxtaposition d'épisodes, chacun apportant de nouveaux personnages, destinés en principe à mieux éclairer la lutte du Bien et du Mal, en fait à des fins commerciales d'étirement du récit. Le type de Sarah reste complexe, et son importance grandit en fonction des impératifs établis par les lecteurs du feuilleton : réduite à l'état de spectre dans la première partie, elle n'acquiert de relief que dans la seconde, autour de complications liées à l'actualité (une secte de patriotes irlandais). L'évolution du caractère de Sarah est intéressante : la femme fatale devient justicière, fait enlever Paul, agit en homme, condamne Paul à « demeurer sous la peau jaune de sir George Trenck à perpétuité ». Ressort aussi l'archétype du mort-vivant, puis cet archétype final : Sarah devient cause de rédemption pour Paul, celle qui « avait essayé, elle aussi, de racheter la vie de l'homme sans cœur ». Et c'est le propre père de Paul qui le punit en l'empoisonnant, mué en justicier, puisque Sarah, de justicière, est devenue amoureuse.

Une épopée de la lecture courante

Ponson avait-il du mépris pour ses lecteurs ? En leur servant sans désemparer un « indigeste fatras d'âneries », selon l'expression de Praviel ? Et Praviel, comme l'ensemble de la critique moderne, de relever les outrances et les invraisemblances grouillant dans l'œuvre de Ponson. « Rappelez-vous ces personnages, auxquels arrivent d'effroyables catastrophes, et qui ne meurent jamais. » Ponson est-il coupable d'avoir ahuri ses lecteurs de contes à dormir debout : les forçats sortent du bagne comme ils veulent, les morts ressuscitent ? Ses person-

---

1. Mais il s'agit de « bons » ouvriers, nullement contestataires, parfaitement intégrés à la société bourgeoise. On est loin des bêtes fauves de Sue.

nages sont-ils des « grouillements de larves, auxquels on ne peut comparer que nos plus médiocres ciné-romans » ? En fait, Praviel semble méconnaître le caractère même de l'œuvre d'un auteur aussi prolifique que celui des *Drames de Paris* : les outrances et les invraisemblances de construction sont dues à un labeur fiévreux, Ponson écrivant presque sous la dictée de son public, réalisant ainsi un type merveilleux d'écrivain public.

Surtout, l'œuvre de Ponson constitue une épopée de la lecture courante : plusieurs générations de petites gens, d'ouvriers, apprirent à lire avec la série des aventures de Rocambole. Certes, on peut reprocher à l'auteur d'avoir usé d'une certaine mystification, en présentant les archétypes les plus gros, les ficelles déjà les plus éculées du roman-feuilleton.

Mais Ponson reste le seul auteur populaire, avec Sue, qui ait pu réaliser une sorte de symbiose avec son public populaire, en exprimer fidèlement les pulsions, les réactions, les fantasmes. Sorti en grande partie d'une méprise et d'un caprice du public, et d'une négligence de l'auteur, Rocambole représente à merveille le héros populaire, qui n'est jamais menacé vraiment de mort que lorsque les lecteurs cessent de s'intéresser à lui. Et ce justicier implacable, et cette Baccarat impure puis vengeresse, d'innombrables consommateurs de feuilletons rêvèrent de l'être [1].

Ouvrages pédagogiques s'il en fut, les volumes de Ponson, si décriés par les lettrés, instruisirent en moralisant, avec l'emploi d'une morale certes très grosse, faite de la peur du gendarme et du respect sacro-saint de l'autorité, de l'ordre établi, dont Ponson fut un des champions les plus incontestables. Le respect de cet ordre, baptisé abusivement par Ponson « Dieu » ou « Providence », est le signe indéniable des opinions conservatrices — et mercantiles — de l'auteur des *Gandins*. Et il est permis de voir dans le rétablissement de la norme, en conclusion de tel ou tel récit, une consécration de la permanence et de la toute-puissance de l'État-Providence. Mais, essentiellement, Ponson fut, avec Sue, l'auteur

---

1. Moins connue reste l'œuvre fantastique de Ponson. Avec une réelle maestria, l'auteur imposa des archétypes troublants et vertigineux, ceux de *La Femme immortelle, (La Petite Presse,* 1868*)* histoire d'une vampire sous la Régence. Ou bien, avec *La Rue des Enfants-Rouges,* théâtre des forfaits d'un vampire centenaire, sosie du fameux Saint-Germain. Dans *La Baronne trépassée,* Ponson pastiche le fantastique à trémolos et fournit une conclusion ambiguë (*cf.* Jean-Baptiste Baronian, *Panorama de la littérature fantastique de langue française,* Stock, Paris, 1978).

le plus lu par le peuple. Et on ne saurait mépriser un auteur qui sut, si longtemps, aujourd'hui encore, mobiliser les foules, captiver les esprits et les cœurs, leur fournir la nourriture mentale indispensable pour vivre.

BIBLIOGRAPHIE

BETHLEEM (Louis), *Romans à lire et Romans à proscrire,* éditions de la Revue des lectures, Paris, 1928.

CHEVALET (Émile), *Les 365,* Havard, Paris, 1857.

GALTIER-BOISSIÈRE (Jean), Préface au *Trompette de la Bérésina,* Gründ, Paris, 1946.

GEORLETTE (René), *Le Roman-Feuilleton français,* chez l'auteur, Bruxelles, 1955.

Guide littéraire de la France, Hachette, Paris, 1964.

MESSAC (Régis), *Le Detective novel et l'Influence de la pensée scientifique,* Honoré Champion, Paris, 1929.

MONSELET (Charles), *La Lorgnette littéraire,* Poulet-Malassis, Paris, 1857.

NETTEMENT (Alfred), *Le Roman contemporain,* Lecoffre, Paris, 1864.

OLIVIER-MARTIN (Yves), « Une étude au royaume du feuilleton », *Mercury,* n° 12, Clermont-Ferrand, 1966.

PRAVIEL (Armand), « Le vicomte Ponson du Terrail », *Le Correspondant,* n° 1603, Paris, 1929.

TALMEYR (Maurice), « Le roman-feuilleton et l'esprit populaire », *Revue des deux mondes,* n° 17, Paris, 1903.

THOORENS (Léon), Préface à *Rocambole,* Gérard, Verviers, 1963.

TREICH (Léon), « Un buste à Ponson du Terrail », *L'Ordre,* n° 45, Paris, 1936.

VAPEREAU (G.), *L'Année littéraire et dramatique,* Hachette, Paris, 1869.

CHAPITRE VIII

Paul Féval

APRÈS la vigoureuse attaque menée en 1850 par la loi Riancey contre le roman-feuilleton, le genre se vit à nouveau menacé en 1860. *La Gazette de France* annonce, au début d'août 1860, qu'en exécution d'une circulaire ministérielle, une commission sera créée près du ministère de l'Intérieur à l'effet de suivre dans les quotidiens la publication des romans en feuilleton et d'appeler au besoin l'attention de l'autorité compétente sur ceux de ces ouvrages qui paraîtraient immoraux. L'annonce de telles mesures fit dire à Arthur Ponroy dans le *Nouvel Organe* du 9 août 1860 : « A quoi bon chicaner un misérable feuilleton-roman, le gourmander, l'irriter à coups d'épingle, lui donner une importance qu'il n'a pas, quand on ne peut pas le tuer d'un coup ? » Et Ponroy de poursuivre : « Là ils verront un entassement informe d'événements grossiers, ridicules, insensés ; une absence radicale de toute étude, de tout sentiment artistique, de toute observation judicieuse. Plus loin, ils se verront face à face avec de détestables rêveries, une glorification incessante du fantasque et du désordonné... Mais le corps de délit que la loi réprime ?... Ils ne le trouveront jamais.

« Dans ces sortes de romans faits pour plaire au goût de tout le monde, vous aurez à noter des tendances perfides, des insinuations malveillantes présentées en vue de plaire au souverain qu'il importe de caresser. Là, tout homme vêtu d'une blouse est nécessairement un héros, un ange de vertu, un génie ; toute femme du monde une coquine... » Ponroy fustige « cette sorte de littérature [...] qu'on verse à rasades au pauvre peuple qui s'endort en rêvant barricades ». Ponroy conclut en estimant que la commission ministérielle « serait absolument impuissante contre la littérature idiote, qui rend le peuple envieux et tend à le rendre féroce en le rendant fou et stupide ».

En 1860, un sénateur, le baron de Chapuys-Malaville, attaque si violemment le roman-feuilleton que Paul Féval jugera utile de partir à la défense du genre, au nom de tous ses confrères. Il le fera d'une façon éloquente, raillant au passage les procédés du pouvoir, qui s'inquiète de ce que peuvent lire les « honnêtes gens », le public populaire.

Sous le Second Empire, les plus grands succès de Ponson du Terrail et d'Émile Gaboriau font monter le tirage du *Petit Journal* à 250 000 ou 300 000 exemplaires, mais à partir d'un niveau initial de plus de 200 000 exemplaires. « L'incidence du feuilleton dans la vente des journaux tend donc à diminuer au profit de l'article et surtout du fait divers, ce qui entraîne d'abord un phénomène de contamination... et aboutira au xxᵉ siècle à la disparition du feuilleton » (Jacques Goimard, « Quelques structures formelles du roman populaire », *Europe,* nᵒ 542, juin 1974)[1].

En 1914, les « quatre grands », de la presse parisienne : *Le Petit Journal, Le Petit Parisien, Le Matin* et *Le Journal,* tireront ensemble à quatre millions d'exemplaires : à cette date, la totalité de la population est touchée par la littérature populaire, mais le public du xixᵉ siècle a été plus large que les chiffres ne l'indiquent : les feuilletons sont souvent réédités (notamment dans la presse de province et les journaux du dimanche, les publications par livraisons). En outre, les abonnements collectifs (les cabinets de lecture, par exemple, qui seront souvent établis, à partir de la fin du xixᵉ siècle, dans des bureaux de tabac) touchent beaucoup d'ouvriers alphabétisés et même des analphabètes, par le moyen de la lecture collective. Ainsi, le roman populaire a eu un public populaire à toutes les époques.

Paul Féval naquit à Rennes, en 1816, dans l'hôtel de Blossac, édifié par un membre du Parlement de Bretagne, au xviiiᵉ siècle. Le père de Paul Féval était juge, il mourut en 1827, et ce fut la mère du futur romancier qui se chargea de son éducation. Tout jeune, Paul Féval se nourrit de livres au romantisme échevelé : il fit ces premières lectures vers 1825, en commençant par les volumes de Ducray-Duminil et de Pigault-Lebrun. Il fit des études, obtint la licence de droit, décida de se faire avocat, mais la première affaire qu'il plaida, le cas d'un voleur de poules, Planchon, le couvrit de ridicule, Planchon, devant les bégaiements de Féval, se chargeant de sa propre défense. Féval quitta Rennes

---

1. Bien des feuilletons de Xavier de Montépin ou de Jules Mary se présentent comme des faits divers fictifs, ce sont les faits divers qui constituent la substance romanesque des feuilletonistes de la fin du xixᵉ siècle.

pour Paris, en 1837. Il y connut la misère pendant six ans, fut d'abord correcteur d'épreuves au *Nouvelliste,* secrétaire des Duverdieux, de vagues parents ; employé de banque, employé d'une compagnie d'affichage ; commis d'un spéculateur immobilier véreux, qu'il dépeindra dans *Madame Gil Blas.* C'est aussi un auteur anonyme d'articles encyclopédiques, qui rédigea de la « prose à la toise » dans des *Dictionnaires de conversation.* Il compose, pour cent sous l'acte, des couplets destinés au théâtre du Panthéon. La gloire de Sue le met en rage, il détestera toute sa vie « cet aristocrate qui gagna tant de renommée et tant d'argent avec la démocratie », comme il le qualifie dans une lettre à Jules Claretie.

Au début des années 1840, Paul Féval plaça quelques nouvelles dans *La Législature, Le Parisien, La Quotidienne, La Lecture. Le Club des phoques,* paru en 1844 dans *La Revue de Paris,* le fit mieux connaître. Vers 1843, il entra en relation avec Anténor Joly, curieux type de patron de presse, directeur de *L'Époque,* placier en littérature, homme plein d'idées, un peu brouillon, qui vit dans Féval une jeune gloire susceptible de dorer son entreprise de presse et d'augmenter ses tirages. Anténor Joly lui remit un roman inachevé écrit par un auteur anglais, le pria de le remanier et de le terminer. Féval travailla, comme le faisait Sue, sans plan d'ensemble, sous le feu de l'inspiration, rédigea une quinzaine de chapitres « à tâtons et à tout hasard, sans avoir passé la Manche ». Il gagna Londres pour se documenter sur son roman, se fit escorter de détectives. Le voyage fit du bruit. Féval observa les énormes inégalités sociales qui attendent leur Dickens. Féval, sous la signature de sir Francis Trolopp, avait transformé les notes lourdes et insipides composant la trame des *Aventures d'un émigré* en un ouvrage qui ne manque ni de pittoresque, ni d'éclat, ni de prolongements fantastiques : *Les Mystères de Londres,* machine destinée à concurrencer *Les Mystères de Paris.* La lutte du marquis de Rio-Santo contre le despotisme anglais est du même type que celle de Rodolphe contre la misère sévissant à Paris. Rio-Santo est un révolutionnaire qui cherche l'émeute pour abolir un système d'oppression économique écrasant et odieux. *Les Mystères de Londres* (1844) établit la gloire de Féval.

Sous le coup de ce gros succès, Joly commande à l'auteur un roman-feuilleton destiné à aller plus loin que *Le Juif errant* de Sue, mais, en 1846, Féval refusa ce travail de « mauvais aloi ». Devenu riche, il a une écurie, des chevaux anglais. Il se lie avec Frédéric Soulié vers 1845. *Le Fils du Diable* parut en 1846 dans *L'Époque,* mais cette grosse machine située en Allemagne ne connut pas le succès des *Mystères de Londres.* Après février 48, Féval se lança dans le journalisme politique ; il fonda *Le Bon*

Sens du peuple, puis *L'Avenir national,* où travailla Alfred Assollant, l'auteur du *Capitaine Corcoran.*

Un travail trop intensif (outre les romans, Féval fit des mélos, au médiocre succès) lui occasionna une névrose. Soigné par le Dr Pénoyée, il en épouse la fille, en 1854. Paul Féval fils naîtra en 1860, il sera surtout connu par des suites du *Bossu* et de bons romans d'anticipation, en collaboration : *La Lumière jaune, Les Mystères de demain.*

Sous l'Empire, Féval est l'auteur à la mode, éclipsant presque Ponson du Terrail, restant l'égal des About et des Feuillet, au point de vue des tirages. Ses romans bretons sont souvent construits autour de légendes et de traditions folkloriques, légendes qu'il entendit durant son séjour dans le château de Montmuran, en 1830, lorsqu'il fut renvoyé du collège pour avoir arboré une cocarde blanche : *La Forêt de Rennes* (1851), *Le Loup blanc* (1856). *Le Bossu* (1857), roman de cape et d'épée allègrement mené, connut un succès énorme : Lagardère, Aurore de Nevers devinrent des personnages immortels.

Féval ne dédaigne pas le fantastique, mais cultive de préférence, comme Soulié, un fantastique teinté d'ironie : *La Sœur des fantômes* (1853, devenu *Les Revenants*); *La Vampire, La Ville vampire* (1874) comptent parmi les meilleures de ses œuvres [1].

Auteur de récits criminels, Féval publia le curieux *Jean-Diable* en 1863; le détective, Gregory Temple, qui produit ses déductions sur un tableau noir, est un personnage étonnant. Durant ces années 1860, Féval emploie Émile Gaboriau, comme secrétaire dans un périodique, *Jean-Diable.* Ce périodique dura de 1862 à 1863. Vers la fin de l'Empire, Féval entreprit la monumentale série des *Habits noirs,* destinée à concurrencer les exploits de Rocambole : *Les Habits noirs* (1863), *Cœur d'acier* (1866), *La Rue de Jérusalem* (1868), *L'Arme invisible* (1869), *Maman Léo* (1870), *La Bande Cadet.* Dans cette série, les intrigues s'enchevêtrent, les personnages sont légion, mais le nœud de l'action reste le génie du mal, le surhomme, criminel-vampire qu'est le colonel Bozzo, plus que centenaire. Bozzo est « l'éternel assassin, le parricide immortel qui, depuis deux siècles, s'est appelé le Maître du Silence, Bel Demonio. Frère-Diable, le colonel Bozzo vivant de sa propre mort, régénéré par elle ».

1. Jacques van Herp (« Paul Féval, auteur fantastique », *Désiré,* n° 30, 1970) estime que Féval pratique des techniques de « distanciation », opère un « massacre concerté du mythe » en faisant appel à la multiplicité des narrateurs. Dans ses œuvres fantastiques, les personnages seuls « prennent la responsabilité de ce qu'ils avancent, l'auteur s'effaçant et se bornant à enregistrer leurs propos ». Enfin, s'effectue, selon van Herp, une « dégradation du mythe » : vampire-putain et vampire-maquereau, dans *La Vampire.*

On retrouve ce type de criminel-vampire dans d'autres romans de Féval :
c'est Johann Spurzheim, l'ancien carbonaro devenu chef de la police du
royaume de Naples, dans *Les Compagnons du silence;* c'est le roi de Paris,
roi de la nuit, qu'est le roi Truffe, viveur de taille surhumaine, personnage onirique (*Le Paradis des femmes,* 1854-1855). Mais de tous ses émules,
Bozzo garde un relief hallucinant, qui groupe autour de lui tout un
monde de coquines, de faux prétendants bourboniens, d'astucieux criminels. Le succès qu'obtint récemment une adaptation télévisée des
Habits noirs atteste la permanence de la force d'impact d'une œuvre aussi
pleine de vie et de fureur, peut-être la meilleure de Féval. Le surhomme
est un attribut de la toute-puissance « paternelle » (Jacques Goimard).
Rarement, agit la super-femme, comme *Maman Léo,* monstrueuse chef
de bande, aussi laide que perverse. Il y a dans Bozzo du Camparini de
Capendu, et aussi du Rocambole : Bozzo est un brigand gentilhomme.

Pendant la Commune, Féval se terra à Rennes, pêchant à la ligne ou
bien visitant le directeur de la prison du Mont-Saint-Michel. De retour à
Paris, il publie encore, mais sans avoir le même succès qu'avant la guerre
de 1870 : *L'Homme du gaz* (1872), *Les Cinq* (1875) n'ont pas le même éclat
que *Les Habits noirs.* Victime de deux crises financières, ruiné par l'affaire
du fonds turc, Féval se convertit au catholicisme en 1876. Ses dernières
œuvres ne sont plus que des brochures de propagande religieuse, des
productions de commande (*Jésuites! Pas de divorce!*). Féval n'aborde que
rarement les fictions : *La Dernière Aventure de Corentin Quimper* est une
assez falote histoire sur une donnée curieuse, les rêves nourris par deux
gamins cachés à bord d'un navire à quai. *La Belle Étoile,* féerie médiévale
où l'on voit saint Yves guerroyer contre les bandits de la forêt de Paim-
pont, garde un certain reflet de la verve ancienne de l'auteur. Atteint de
crises d'hémiplégie, Féval se retira chez les frères de Saint-Jean-de-Dieu.
Il mourut dans leur établissement en 1887.

Féval, de son temps même, suscita maintes critiques. Monselet l'accusa,
dans *La Lorgnette littéraire,* de « tirer le cœur à la ligne ». Les Goncourt
font la petite bouche quand ils évoquent Féval dans leur *Journal.* Très
souvent, les contemporains du romancier font de lui l'auteur d'un seul
livre, *Le Bossu.* Après sa conversion, Féval entreprit de corriger toutes
ses œuvres, et ses biographes, son ami Charles Buet comme Delaigue,
ne voient en lui qu'un auteur édifiant. Rosny aîné, en 1921, estima que
Féval avait « parfois une manière de génie. [...] J'avais, je crois, neuf ans,
lorsque je dénichai [...] *Le Roi des gueux* de Paul Féval. Ce fut un sortilège.
Aucune impression de grandeur héroïque ne sera jamais comparable à
celle qui me souleva lorsque je vis le duc de Médina Celi, tout nu, dans

la cour de l'abattoir, devant une troupe de spadassins, soudoyés pour l'occire...

« Ce Féval avait du trait, le sens du mystère, une ironie très person-nelle et ses héros de second plan sont parfois des types très curieux, très savoureux. »

Un univers héroïque

Féval renoue avec la grande tradition romantique de Sue et de Soulié, que Ponson du Terrail avait quelque peu édulcorée : il fut vivement influencé lors de ses débuts par le roman noir anglais. Le héros type est beau d'une beauté fatale, élégant, sa naissance est mystérieuse, il est doté d'une sorte d'éternelle jeunesse, comme Fulvio Coriolani, dans *Bel Demonio* (1850). Le pur héros reste souvent une victime, ou bien se débat dans des difficultés apparemment inextricables. Ce thème inspira assez souvent Féval, qu'il s'agisse de Rémy d'Arx *(Les Habits noirs)*, de Lagardère ou de Franz Gunther de Bluthaupt *(Le Fils du diable)* le héros, entraîné par des forces obscures, ligoté par un destin mystérieux, oscille comme un somnambule au travers des embarras les plus inouïs. Maurice, le jeune premier des *Habits noirs*, voyait « le drame en quelque sorte sur-naturel qui l'avait enveloppé comme un suaire de plomb et contre lequel il n'y avait point de résistance possible ».

Le héros reste le personnage isolé et asocial du temps de Sue, il combat, généralement seul, une association puissante, ou la société tout entière : c'est le cas de Rio-Santo, de Bel Demonio, de Lagardère. Poli-tiquement, il conspire contre l'ordre établi, qu'il s'agisse du capitalisme anglais, comme dans *Les Mystères de Londres,* ou de la monarchie napoli-taine, comme dans *Les Compagnons du silence.* Parfois, le héros se fait aider par des êtres fantastiques ou énigmatiques : les « quatre hommes rouges » dans *Le Fils du diable.* Comme chez Dumas, le héros est assisté par des laquais du répertoire comique, qui jouent auprès de lui le rôle de confidents. Parfois, le héros est assisté par une société secrète *(Les Compagnons du silence).* Cette constante du héros courbé sous la Fatalité mais finalement maître de son destin domine toute l'œuvre de Féval, des *Mystères de Londres* à *La Belle Étoile.* Le héros-justicier sait, comme Rodolphe, châtier quand il le faut le représentant du Mal. C'est le cas avec *Le Bossu, Le Fils du diable, Les Habits noirs.*

Socialement, le héros est d'une condition obscure, c'est un enfant trouvé, à la recherche de son identité, un bâtard, un exclu, aussi bien vis-à-vis de sa propre famille que vis-à-vis de la société qui le méprise. Il ne retrouvera son identité que tout à la fin. Agissant dans un cadre social et économique limité, comme le monde rural, il combattra les représentants du pouvoir établi dans les campagnes : notaires, députés, maires. Avec Féval, le héros n'est plus essentiellement citadin, lié au seul Paris : on le voit bien dans *La Tache noire, Le Loup blanc, Le Paradis des femmes, Madame Gil Blas, La Fabrique de mariages, Le Poisson d'or, Les Parvenus.*

Héros-Providence, sa religion, comme celle de Rodolphe, est une religion floue, une sorte de religion de la nature, socialisante, quelque peu utopique.

Un jeu à plusieurs

L'œuvre de Féval, dans sa presque totalité parue d'abord en feuilleton, constitue encore une fois ce jeu complexe, ce jeu à plusieurs noué entre l'auteur, ses personnages, ses lecteurs. Cette relation qui unit une œuvre à son public est moins souvent l'expression du public par l'œuvre que l'effet de l'intervention active du public dans l'élaboration même du récit.

Paul Féval, le plus souvent, est un improvisateur, comme Sue et Ponson du Terrail. Il travaille sans plan, à l'aveuglette. Il se vanta une fois d'avoir écrit un important roman en trois jours. L'œuvre févalienne est donc très ouverte, très sensible à la volonté du public, aux pressions de la mode, de l'actualité, des changements de goûts et de mentalités. Auteur couvert de gloire, sous le Second Empire, Féval évoqua avec une sorte de fierté émue les nombreuses « lettres parfumées » de ses lectrices. Féval est contemporain de ses personnages, il ignore fréquemment leur destin.

Ce sont les lettres de ses admiratrices qui persuadèrent l'auteur du *Bossu* d'insérer un long passage contre la peine de mort et les exécutions publiques, dans *Les Habits noirs.* La volonté du lecteur s'exprima par l'importance soudaine donnée à des personnages jusqu'alors médiocres, dans l'œuvre en cours d'élaboration : ce fut le cas de Bishop le « burker[1] », dans *Les Mystères de Londres.* L'intervention de ce nouveau personnage était le reflet d'un fait divers célèbre à l'époque, l'affaire des Résurrectionnistes d'Édimbourg. Autre exemple de l'influence du public dans l'œuvre en cours d'élaboration : l'importance donnée à la question

---

1. Déterreur de cadavres.

irlandaise, dans *Les Mystères de Londres.* Cette pression de l'actualité se manifesta aussi dans la composition de *La Quittance de minuit* et de *Les Libérateurs de l'Irlande* (1846) où l'auteur prend brusquement le ton morali-lisateur et véhément du Sue des *Mystères de Paris,* joue les réformateurs, dit avoir vu O'Connell, le célèbre patriote irlandais. Toute la matière de *La Quittance de minuit* (les sociétés secrètes irlandaises, la misère en Irlande, l'oppression des petits fermiers irlandais par les landlords anglais, la poursuite sexuelle d'une jeune Irlandaise par un noble bri-tannique débauché) est empruntée à des faits divers que connaissait bien le public de Féval.

Autres exemples de l'intervention des lecteurs dans le remodelage des personnages : l'importance soudaine donnée à Marguerite de Bour-gogne, l'héroïne des *Habits noirs,* en feuilleton dans *Le National,* vers la fin du Second Empire. Marguerite, jusqu'alors comparse, devient une ingénue rouée, la favorite du chef des Habits noirs. Le roi Truffe, dans *Le Paradis des femmes,* éclipse brusquement l'essor de l'héroïne et accapare à lui seul la seconde moitié du récit. Marguerite de Bourgogne, le roi Truffe, héros obscurs, se sont imposés à l'auteur au point de devenir des types, ceux de la lionne et du viveur, à travers lesquels le public iden-tifiait facilement des gens en vue, comme Hortense Schneider et le duc de Morny. Le faux Louis XVII, humble comparse dans la geste des *Habits noirs,* simple instrument du colonel Bozzo, assume un rôle capital lors des intrigues nouées après la mort de Bozzo [1].

Par contre, des personnages en cours d'ascension voient leur essor brusquement enrayé, ils disparaissent pour ainsi dire : on en a un exemple avec le jeune détective Lecoq, que Gaboriau reprendra pour en faire un type d'enquêteur habile. Le gamin détective des *Habits noirs,* tombé dans la trappe, devient un homme d'âge mûr avec Gaboriau.

D'autres personnages oscillent entre une situation de comparse et l'emploi avantageux du deus ex machina : le banquier Schwartz, dans *Les Habits noirs* [2].

Les héroïnes de Féval ont, selon Charles Buet, « l'âme haute et fière, aimant chastement, quoique ardemment ». Elles ont le goût du sacrifice, du devoir rempli : *Valentine de Rohan,* maudite par son père, abandonnée par son époux, séparée de son enfant, parvient à reconquérir l'amour de son mari.

---

1. La descendance des *Habits noirs* fut assez copieuse : citons *Patte de Fer ou le Drame du Puits de Châtillon,* de Paul Mahalin et Maurice Vernier (*Le Petit Caporal,* 1877); *Les Habits noirs,* de Félix Duquesnel (1907).

2. *Cf.* A. Legendre, « Le roman-feuilleton », *Le Figaro,* 21 août 1862.

L'aventurière reste la représentation du Mal, côté féminin : la marquise de Sainte-Croix, dans *La Fabrique de mariages;* la comtesse de Clare, dans *Les Habits noirs;* l'étonnante Marguerite Sadoulas, dite Marguerite de Bourgogne, dirigeant le conseil de régence institué après la mort du chef des Habits noirs. Cette coquine entreprend en Normandie, avec succès, une affaire de captation d'héritage, avec la bénédiction d'un faux Louis XVII et d'un curé défroqué. Ou bien maman Léo, dompteuse de lions, qui fut tour à tour « la Maillotte, la reine des échappées de Saint-Lazare..., bedeau, cocher, directeur de commandites, maçon, marbrier, limonadier et membre du bureau de bienfaisance » *(Maman Léo)*.

Féval, sous les différents pseudonymes qu'il utilisa : Daniel Sol, El Grunidor, John Devil, Jean-Diable, sir Francis Trolopp, n'ignora pas les nombreuses inégalités sociales dont il fut le contemporain. Il décrivit minutieusement l'évolution des mœurs entre 1846 et 1876 : l'usurier solitaire du *Fils du diable* (1846) devient le riche banquier anonyme, l'industriel véreux de *Madame Gil Blas* (1857) ou de *Les Cinq* (1875). C'est que l'on est passé de la commandite, florissante sous Louis-Philippe, à la société anonyme qui se développe sous Napoléon III. Surgissent aussi les boursicoteurs de *L'Homme du gaz* (1872); les fortunes malodorantes acquises dans les fournitures militaires (*Le Dernier Vivant,* 1873). La spéculation immobilière est dénoncée dans *La Tache rouge* (1870) sans aucune indulgence : « On a beau parler de progrès, le bon marché reste aux grosses bourses comme un indestructible privilège; l'air du pauvre, malsain et parcimonieusement mesuré, coûte un prix fou. »

Les types sociaux sont variés. C'est d'abord la noblesse, légitimiste, terrée dans ses châteaux ou composée de viveurs *(Les Cinq)*. La haute bourgeoisie, l'aristocratie d'affaires : le banquier Schwartz de *La Rue de Jérusalem,* le consortium de *Madame Gil Blas.* L'échelon immédiatement inférieur est celui des aventuriers qui se sont imposés, à force d'énergie, un état social brillant, tels le Rio-Santo des *Mystères de Londres,* le don Juan de *Le Tueur de tigres,* le nabab indien de *Les Belles de nuit.* La bourgeoisie moyenne; négociants, artisans, aubergistes, hommes de loi souvent indélicats, nourrit toute l'œuvre de Féval, depuis *Le Bourgeois de Vitré* (1841) jusqu'à *La Tache rouge.* Le peuple : ouvriers, grisettes, marchands d'occasion, forains, paysans, est le héros des récits bretons, de *Les Ouvriers de Londres et de Paris,* écrit avec Pierre Zaccone (1850). A côté des favoris de la fortune (viveurs, joueurs, coquines, capitalistes indélicats), surgit le monde obscur, grouillant, des laborieux, des désarmés, armée innombrable et anonyme qui se cache dans des trous sordides :

mendiants *(Le Mendiant noir, Les Mystères de Londres),* prostituées, chanteuses des rues, chemineaux, braconniers.

Féval est fidèle aux archétypes légués par Sue : l'erreur judiciaire constitue le pivot de maintes intrigues, à commencer par l'histoire d'André Maynotte, dans *L'Arme invisible,* qui perd sa femme pour la voir épouser un de ses persécuteurs, le banquier Schwartz. Pas plus que *Mathilde* de Sue, les héroïnes de Féval n'ont la libre disposition de leurs biens. La condition féminine est le sujet de beaucoup d'œuvres de Féval : condition de la servante, de la gouvernante séduite par le fils de famille *(Annette Laïs),* de la femme mariée, rivée à son intérieur, sévèrement jugée quand il lui arrive de commettre l'adultère *(La Femme du banquier)* ou de s'émanciper selon des voies irrégulières *(Le Paradis des femmes).* Tout travail est interdit aux bourgeoises.

Écrivant souvent à la diable, Féval a l'écriture relâchée. Ses intrigues ont fréquemment un caractère incohérent, dû aux interventions du public mais aussi au système d'improvisation permanente qui était celui des feuilletonistes. Les intrigues bifurquent ou connaissent des entre-croisements mal, ou péniblement, dénoués, les personnages ne sont pas toujours nettement tracés, les conclusions sont parfois hâtives ou forcées, mais une vie particulière anime l'œuvre de Féval, dont certains types demeurent encore : Lagardère, Rio-Santo, Bozzo, Johann Spurzheim, maman Léo.

La composition pèche par sa trop grande rapidité d'exécution. L'intrigue s'encombre trop souvent d'une foule d'intrigues secondaires. Fréquemment, le rythme du récit manque de vivacité : dans *Cœur d'acier,* il ne se passe strictement rien dans près des deux tiers du livre. La donnée de *Le Paradis des femmes* se résume à très peu de chose : la lente montée sociale d'une aventurière cupide, mais le fil de l'histoire est surchargé de personnages accessoires, de chapitres dans lesquels il ne se passe rien. Pour *La Rue de Jérusalem, La Pécheresse, Les Errants de nuit,* mêmes longueurs, même intrigue peu vigoureuse. Trop souvent, l'auteur ne parvient pas à serrer sa composition, à la comprimer dans un cadre plus rigoureux. Les procédés romanesques restent ceux de Soulié : Féval est fidèle à ce type de récit picaresque.

Les éléments dramatiques restent ceux qu'employaient les feuilletonistes romantiques : mots de passe sibyllins suffisant à suggérer une association ténébreuse. C'est le « Gentlemen of the night » des *Mystères de Londres,* le « Il fait jour » des *Habits noirs.* Les personnages énigmatiques ne sont pas toujours explicités, c'est le cas du tueur des *Habits noirs,* le sinistre Marchef; du moine d'Orval, dans *Les Compagnons du trésor.* Les spectres sont assez fréquents : on les trouve tout au long de *Les Revenants,* de *La Belle Étoile.* Féval aime à baigner ses œuvres d'une atmosphère fantastique, à multiplier les rêves, les visions : Rio-Santo alias Fergus O'Brien, est un étonnant cas de personnage double, homme d'action, mais aussi individualité torturée. Le charme qui imprègne les œuvres de Féval tient à ces entités entourées d'un halo de mystère, perpétuellement floues [1].

BIBLIOGRAPHIE

BAUDRY (Jules), *La Jeunesse de Paul Féval à Rennes,* Plihon, Rennes, 1938.
BUET (Charles), *Médaillons et Camées,* Giraud, Paris, 1885.
CHINCHOLLE (Charles), *Femmes et Rois,* Marpon et Flammarion, Paris, 1886.
CRESSARD (Pierre), *Les Maisons inspirées,* Plihon, Rennes, 1957.
DELAIGUE (A.), *Paul Féval,* Plon, Paris, 1890.
DESCAVES (Lucien), « Un aïeul du roman-feuilleton », *Nouvelles littéraires,* 12 mai 1934.
GLAESENER (Henri), *Le Génie de Paul Féval,* Demarteau, Liège, 1905.
LE MONTREER (Tony), *Paul Féval est-il trahi?,* P.A.B., 1978.
MIRECOURT (Eugène de), *Paul Féval,* Havard, Paris, 1857.
OLIVIER-MARTIN (Yves), *Paul Féval ou Lagardère au champ des lettres,* Simon, Rennes, 1969. « Tel qu'en lui-même », *Désiré,* n° 30, décembre 1970.
TOPIN (Marius), *Romanciers contemporains,* Didier, Paris, 1881.
VAN HERP (Jacques), « Les compagnons du trésor », *Désiré,* n° 30, décembre 1970.

---

1. Maître du fantastique parodique, où la multiplicité des narrations fait chorus avec la variété des tons et des conteurs, Féval l'est avec une saveur particulière dans *Le Chevalier Ténèbre,* histoire de deux vampires hongrois et brigands, et plus encore dans *La Fille du Juif errant* (1860) ébouriffant apologue basé sur des échanges d'âmes et des réincarnations incongrues. Par là, Féval annonce Gaston Leroux, celui de *Théophraste Longuet.*

CHAPITRE IX

Essor du roman féminin

L E milieu des années 1860 a, en même temps que l'essor du régime
impérial, consacré une série d'auteurs attachés à défendre les
mérites et les gloires de l'ordre établi ; comme, depuis 1848, la rue se tait,
que le roman populaire et social, depuis la mort d'Eugène Sue, en 1857,
se réfugie dans les hebdomadaires bon marché, autour d'écrivains de
médiocre envergure, comme Jules Boulabert, le roman populaire, dans
son ensemble, s'assagit, oublie décidément les outrances romantiques.
Les grands auteurs en vogue : Paul Féval, Ponson du Terrail, publient
aussi bien au rez-de-chaussée des quotidiens que dans les colonnes des
hebdomadaires populaires. Ils adoptent en général un ton conservateur,
conformiste, aussi bien au point de vue politique et social qu'au regard
de la moralité publique [1].

Le roman-feuilleton, dont le succès fut inouï sous Louis-Philippe,
poursuit sous l'Empire sa vogue, mais il faut attendre 1863, date de la
fondation du *Petit Journal* par Moïse Millaud, pour avoir un quotidien
à cinq centimes. Le tirage en est de 259 000 exemplaires à la fin de 1865.
Le succès de cette formule inquiéta certains hommes influents : en 1868,
à la tribune du corps législatif, Pouyer-Quertier déclara, lors de la
discussion de la loi sur la presse : « On dit que cette presse est exempte
de timbres parce qu'elle est utile, parce qu'elle moralise l'ouvrier dans
les villes, le paysan dans sa chaumière. Je répondrai, moi, que de
pareilles productions devraient être bannies de la chaumière du paysan
et de l'atelier [2]. »

---

1. En 1855, le procès intenté à Xavier de Montépin pour ses *Filles de plâtre* fut une
exception ; à la fin de l'Empire, ce sera le scandale de *Mlle Giraud, ma femme* d'Adolphe
Belot.

2. D'autres attaques du pouvoir seront si vives et si menaçantes pour le roman popu-

Plus encore que le feuilleton, c'est l'essor des périodiques populaires qui marquera une nouvelle étape vers l'alphabétisation du public et la naissance de collections réellement « populaires », c'est-à-dire pour tous, pour le « gros public », au meilleur marché possible. Lécrivain et Toubon lancèrent, entre 1850 et 1860, la « Bibliothèque pour tous » (« Dix mille lettres d'impression pour un centime », précisa un placard de cette maison, en 1860). Cette collection, publiée par l'auteur populaire Jules Lemer, en est à son numéro 106 vers le début de l'année 1860. Elle publia Maximilien Perrin, Montépin... Autre collection bon marché, la « Bibliothèque des bons romans illustrés » d'Alexandre Cadot, faite d'in-8° à cinquante centimes, et qui publia notamment Mme Ancelot; citons aussi la « Bibliothèque littéraire » de Boisgard, éditeur de *L'Omnibus,* en 1853, composée d'in-18 à quarante centimes, et qui publia Mme Ancelot, Gozlan, Zaccone, Henry de Kock, la comtesse Dash ou Méry. Les in-12 des éditions Fleury, de Rouen, sont débités vers 1853-1858, à 1,50 franc le volume (Romans sentimentaux d'A. Archier).

Durant les années 1850-1860, un nouveau phénomène caractérisa la littérature populaire : la réapparition en force des femmes auteurs. Prépondérantes au début du xixe siècle, écrivant pour un public cultivé, comme ce fut le cas de Mme Cottin, les romancières ne se manifestèrent plus guère après les années 1830. Le milieu du siècle se traduisit par la montée de toute une génération s'inspirant des thèmes féministes, voire socialistes, ou versant dans une sorte d'intimisme, comme Mme Ancelot : Virginie Ancelot, ou la modestie dans le roman[1].

laire que Féval prendra dès 1860 la défense du genre, en réponse au discours feuilletonicide d'un sénateur de l'Empire.

Signalons une autre forme de réaction contre le feuilleton « laïque », avec l'essor des publications chrétiennes (Mame, Barbou, Ardant) à partir des années 1820. Géry Legrand (« La Bibliothèque catholique de Lille », *Revue du mois,* Bruxelles, janvier 1862, pp. 97-109) passa au crible les productions de l'éditeur Lefort, qui, de 1857 à octobre 1860, se composèrent de 632 volumes. « La Bibliothèque catholique » avait comme principaux destinataires les « personnes pieuses », les « militaires », les « malades », les « jeunes gens » (collection à 0,50 franc), les « enfants », les « ouvriers, les domestiques et les gens de la campagne », les « personnes qui veulent se convertir », les « hommes sans éducation ». En outre, le catalogue du libraire Goemaere centralisait au xixe siècle tous les bons livres.

1. Les auteurs les plus en vogue, Marie-Louise Gagneur et Olympe Audouard, surent allier astucieusement les revendications féministes aux espoirs d'une révolution socialiste. Olympe Audouard se convertira au spiritisme, tandis que Mme Gagneur dépeindra sous les plus sombres couleurs la condition féminine, notamment dans *Le Calvaire des femmes.*

Mme Ancelot

« Le feuilleton digne de ce nom se doit d'éviter d'être littéraire, et rechercher par-dessus tout le pathétique violent, propre à fournir le sujet d'une affiche aux tons crus. Voilà ce qui saisit, frappe, remue, attache des ouvrières romanesques et des concierges inoffensives. » Ainsi en tranche L. Petit de Julleville, dont le jugement sévère ne saurait s'appliquer totalement à Mme Ancelot [1].

Virginie Chardon, fille d'académicien, naquit à Dijon en 1792. Elle vint fort jeune à Paris et cultiva d'abord la peinture. Elle épousa le dramaturge Ancelot et collabora à ses pièces. Un moment féministe, elle rejoignit Clémence Robert à la *Gazette des femmes,* en 1844 ; elle écrivit au *Conseiller des dames,* vers 1849. Virginie Ancelot tint longtemps un salon réputé, un des plus cotés de Paris, où passèrent Chateaubriand, Vigny, Victor Hugo, Stendhal et Gambetta. Elle mourut à Paris en 1875.

« Au moral comme au physique, Virginie Ancelot n'a pas un mérite visible pour tout le monde, et il en faut beaucoup avoir pour sentir tout ce qu'elle en a. Cela vient d'un certain abandon répandu dans toute sa personne ; elle a l'air si désintéressé sur elle-même qu'elle n'appelle pas tout de suite l'intérêt, et, jugée par la distraction, elle ne recueille que l'indulgence. Je doute qu'on l'ait jamais trouvée ni très jolie ni très spirituelle au premier abord ; une sorte de mystère enveloppe tout son être » (Monselet, *La Lorgnette littéraire*). De son côté, Henri Allorge lui trouve « de grands yeux, un peu gros, des traits réguliers, une épaisse chevelure noire, bouclée aux tempes, une voix de fausset [2] ».

Mme Ancelot, discrète, effacée, dans sa vie comme dans ses romans (où elle se dépeint fort peu, tassée dans l'ombre portée de ses personnages) suscita donc divers jugements. D'après Arsène Houssaye, elle avait « beaucoup de charme ». Elle était bonne, indulgente, aimable, dotée de toutes les qualités de l'excellente maîtresse de maison. Elle recevait encore, à quatre-vingt-deux ans, le dimanche après-midi, 35 rue Grenelle-Saint-Germain, « tout en blanc, rondelette et ridée comme une pomme », selon Alphonse Daudet [3].

Rares furent ceux qui rejetèrent Mme Ancelot dans les enfers de la

---

1. *Histoire de la langue et de la littérature française,* Armand Colin, 1899.
2. *Dictionnaire de biographie française,* sous la direction de J. Balteau, Letouzey et Ané, 1936.
3. *Souvenirs d'un homme de lettres,* Marpon et Flammarion, 1888.

non-littérature : on peut citer Émile Chevalet : « Depuis Mme Cottin, on n'avait rien imaginé de plus romanesque, de plus invraisemblable, de plus faux, de plus ennuyeux » *(Les 365)*.

Virginie Ancelot fut un de ces rares auteurs qui parurent d'abord en volumes, puis en feuilleton : ce fut le cas de *Gabrielle* (1840) feuilleton du *Siècle* en 1857, un des plus gros succès de l'auteur. Elle fut surtout la Providence des périodiques, comme *Le Conteur, Le Passe-Temps* ou *La Ruche parisienne*. Coincée entre Ponson et Chavette, c'est-à-dire d'une part entre l'apothéose du genre sombre et tintamarresque, et le roman conçu comme une enquête humoristique, Mme Ancelot annonce Jules Mary, et même déjà les Delly : *Georgine* est le prototype de la jeune fille bien sous tous rapports.

Un auteur sage

Moins socialiste que Clémence Robert, moins conservatrice que Ponson du Terrail, plus grave que Chavette, Virginie Ancelot s'attache à nous camper un univers en demi-teintes qui dénonce les ravages causés par l'argent, les unions disproportionnées. Une sorte de gravité sereine, de sagesse profonde, imprègne toutes ses œuvres. Mme Ancelot est un auteur qu'on lit à voix basse, presque chuchotante, au coin du feu, un auteur pour veillées et rêveries solitaires[1].

Elle ne tisse pas comme Ponson d'immenses fresques à la large trame, elle ne conduit pas ses intrigues avec l'extraordinaire métier de l'auteur de Rocambole. Mais, tout comme lui, elle sait ménager un « suspense » avant la fin de chaque chapitre, diversifier les thèmes les plus goûtés des lecteurs sans que l'action s'en trouve un instant ralentie. Son originalité consiste à présenter ces thèmes : ravages et bienfaits de l'amour, méfaits de l'argent, descente dans les milieux troubles de la capitale, à l'attention d'un public cultivé, plus proche de la littérature générale que de la littérature populaire : par là, Mme Ancelot fait le pont, pour ses bourgeois lettrés, entre deux types de narration : une narration savante et une narration échevelée. Son grand mérite est d'emprunter aux deux fonds tout en gardant une remarquable précision de ton, un trait vif, cette

---

1. Mme Ancelot fut influencée par plusieurs générations d'auteurs féminins : comme Mme de Carlowitz, qui réclama le divorce dans *Le Pair de France* (1835). Sophie Pannier ou Eugénie Foa cultivèrent le roman de mœurs. Mme Ancelot était « fort applaudie des femmes qu'elle montrait sacrifiées comme filles, épouses et mères », (Jean Larnac. *Histoire de la littérature féminine en France*, Kra, Paris, 1929, p. 216).

allure cursive et flottante qu'ont souvent les femmes auteurs. Elle rompt avec la phrase prolixe et fiévreuse de Ponson, avec ses périodes incantatoires, pour la ramener à une petite phrase, limpide, coupée et brève comme la ligne d'un feuilleton[1].

D'un côté, Virginie Ancelot sait multiplier les coups de théâtre, épicer son récit d'ingrédients divers et rituels : apparitions ou disparitions inopinées, naissances clandestines ou mystérieuses, substitutions d'enfants, reconnaissances, déguisements, rapts et vengeances; personnages tout d'un seul bloc, bons ou mauvais : le jeune premier chevaleresque, grand redresseur de torts, le traître démoniaque et affreux, l'exquise amoureuse, fidèle et pure. Mais, par ailleurs, elle rejette tout un héritage de Ponson : le forçat innocent, la fille publique, « enfant du malheur et authentique idéal de virginale pureté », selon l'expression de Jean Galtier-Boissière. Héritage que l'on retrouvera par la suite, plus ou moins dégénéré. D'un autre côté, Mme Ancelot, de par sa sobriété même, répugne aux immenses développements, mais cultive de préférence une sorte de récit miniature, finement ciselé, à l'intérieur duquel le gros romanesque n'est utilisé — discrètement, le plus souvent — que pour souligner quand il le faut les temps forts de l'action ou différer la solution du mystère.

Auteur dramatique — elle aborda le vaudeville avec succès, puis le mélo —, Mme Ancelot emprunte souvent ses procédés au théâtre. Ses romans sont construits en général autour de deux intrigues entrecroisées, de deux idées-forces dont l'une s'efface au profit de l'autre et lui sert de dénouement. Un tel procédé prit naissance avec *Médérine* (1843) dont la donnée reste fort simple : deux énormes lettres postées le même jour se croisent, l'une sert de dénouement au récit que renferme l'autre[2].

L'affrontement de deux intrigues emboîtées l'une dans l'autre commande notamment l'action de *Georgine* et de *Les Deux Sœurs* (1856); ou de *La Nièce du banquier* (1853) où deux mystères d'identité se recoupent et s'interpénètrent. On retrouve ce procédé original, d'une façon plus floue et plus molle, dans *Une famille parisienne au XIXe siècle,* (1857), traitant de la haine de l'épouse contre son époux. Placée ainsi sous ce signe binaire, la technique de Mme Ancelot est beaucoup plus simple que celle

1. On trouve toutefois ce type de petite phrase dans certains récits courts de Ponson : *Le Chambrion, La Veuve de Sologne.*
2. Une telle technique de composition déconcertante, sorte d'édifice renversé, où la conclusion devient un prologue, où tout s'explique par une suite de récits très variés, qui s'enferment les uns dans les autres, sans digressions explicatives, en allant roidement au but, se retrouve rarement dans son ensemble, comme chez Mme Ancelot. On en verra toutefois certains prolongements avec Mérouvel, ou Pierre Benoit.

de Ponson, et elle annonce par certains traits, par sa sorte de classicisme, sa sobriété d'expression, les procédés favoris de Chavette.

Outre qu'elle cultive les intrigues simples, au canevas rigoureux, en dépit des complications ultérieures (notamment, dans *Georgine*), à l'inverse de la geste de Rocambole, dont Lambert Thiboust disait que c'était un roman écrit avec une cuillère à pot, tant il était bizarre, sans cesse renouvelé, sur l'ensemble, elle projette beaucoup de couleurs. Elle fait vivre les paysages, les décors, point fantastiques ou trop irréels, comme chez Ponson, plus réalistes que les actions qu'ils encadrent : ils ont le mérite de frapper l'œil, et de susciter émotion et plaisir.

Il en est de même des personnages. Ils ne sont plus violemment dessinés et schématisés, selon les procédés chers à Ponson, mais de préférence intériorisés : on a parfois du mal à les reconnaître, tant ils empruntent souvent aux personnages de la vie contemporaine de l'auteur. On a même parfois tendance à les confondre. Ayant créé en 1843 le type romantique de *Médérine* (femme forte, épouse traîtresse à ses serments de fidélité, et punie pour son amour hors mariage), Mme Ancelot lui emprunte de nombreux traits pour peindre Georgine, Irène de Belleval, Eudora et Adine sa sœur de lait, Sylvanie de Plenoël, le peintre Métella ou Sophie Gauthier. L'amoureux de Médérine s'incarnera sous les traits de Lionnel, l'orphelin pauvre de *La Fille d'un joueur;* de Sylvère, d'Émilien, d'Albéric de Revel ou de Henri de Meillan. Face à la femme énergique, farouche, parfois fatale, assumant totalement son destin, il faudra l'amoureux faible, désarmé, esclave [1].

A côté des héroïnes hors nature, se dressent les héroïnes du silence et de la résignation : Médérine, puis Adda, dans *Georgine*. On remarquera, entre parenthèses, l'importance des titres féminins : *Médérine, Georgine, Les Deux Sœurs,* etc. [2].

Beaucoup d'aventures amoureuses. Les femmes sont presque toujours flattées, presque partout elles dominent; toutes, elles sont belles, fières, désintéressées, capricieuses parfois jusqu'à la folie. La femme règne face à l'homme faible. Pour plaire davantage à ses lectrices bourgeoises, Mme Ancelot a appliqué à la présentation de ses récits les procédés que les femmes préfèrent : les récits brefs, intimistes, tenant davantage de la nouvelle que du roman, du récit à la première personne, confidentiel et doux, que des soliloques dont Ponson gargarisait Rocambole. De l'art

1. Par là, Mme Ancelot rejoint ses consœurs féministes, Clémence Robert ou Marie-Louise Gagneur.
2. Ces héroïnes du silence sont un reflet attardé des romans du début du XIXe siècle, ceux de Mmes Riccoboni et Cottin.

du récit bref, Mme Ancelot a gardé l'habitude des tableaux amusants, des surprises, des reconnaissances, des événements jetés en masse; des dialogues incisifs, de la prose ténue.

Ses récits ne sont pas de simples jeux de l'imagination, combinant à plaisir des événements impossibles. « Elle ne craint pas, nota Vapereau, d'ouvrir des échappées de vue sur l'histoire de la société française et des révolutions qui la transforment sous nos yeux. Elle nous montre toutes les classes sollicitées par un besoin inouï de fortune et de bien-être... A la ferme et au château on fait des rêves de millionnaire; mais ils n'aboutissent qu'à une triste réalité. Dans la carrière des spéculations à outrance, on perd peu à peu la droiture et la délicatesse naturelles : l'esprit s'altère, le cœur se corrompt... et le vrai bonheur, celui que donnent l'amour et la vertu dans la famille, disparaît pour jamais[1]. » Auteur social, Mme Ancelot témoigna impartialement sur la décadence des mœurs vers 1850-1870.

On notera également la haute moralité de ses œuvres, qui tient à la conception même qu'elle se fit du roman populaire et qui se retrouve dans tous les grands traits de l'exécution. Les combinaisons mettant l'idée morale en action : infortunes de l'amour et de la vertu, quête de l'identité, sont assez puissantes. Les scènes touchantes surabondent : ainsi, dans *Le Baron de Frémoutier* (1861), deux femmes de cœur, la mère et sa fille, tentent de se tromper réciproquement sur l'étendue du malheur de leur famille, et se préparent mutuellement à supporter la commune catastrophe. Ou bien, brodant sur le thème de l'identité : dans *Georgine,* l'héroïne sacrifie son amour pour Albéric en lui offrant d'épouser Adda; et dans *Les Deux Sœurs,* Georgine, accusée innocente, est une jeune fille pauvre qui n'a rien au monde que son travail de fleuriste. « Sans abri et sans appui », elle échoue chez le père d'Angélique; Georgine est « sans le savoir, installée dans la maison de son père, secourue par sa sœur ». L'archétype de la lutte du Bien et du Mal, issus tous deux d'une même famille, est ici modifié par le fait que les deux sœurs, les deux rivales, sont bonnes toutes deux, mais comme Adda ne veut pas du sacrifice de Georgine, car elle n'aime pas Albéric, Albéric pourra épouser Georgine, et Adda, contrepoids désormais inutile, mourra.

Abondent aussi les drames : comme la séquence du tombeau des ancêtres, dans *Le Baron de Frémoutier,* où le baron veut échapper par le suicide à une vie déshonorée, et est sauvé par le dévouement de sa

1. *L'Année littéraire et dramatique, op. cit.*

fille. Mme Ancelot excelle ici dans l'art des coups de théâtre et obtient, par les combinaisons du roman, les effets du mélo. Ces effets dominent dans *La Nièce du banquier,* où une intrigue (l'amour du banquier, Desronest, père de Gustave, pour le peintre Métella) s'efface devant une autre intrigue, tout en étant reliée à cette dernière, qui lui sert de contrepoint : l'amour de Métella pour Émilien, « sans nom de famille, sans parents connus ». En outre, l'action est basée sur deux mystères d'identité, celui concernant Métella, en fait, la nièce du banquier; celui d'Émilien, en fait, un marquis. On retrouve ici un autre archétype, constant dans le roman populaire : l'ascension des bons est corrélative de la chute des mauvais et de leur punition. L'intention morale est nettement exprimée. Comme le souligne Vapereau à juste titre, « la trahison trouve son châtiment dans son succès même; l'amour pur y est heureux et reflète la félicité sur tous les êtres dignes de sympathie ».

Le but constant de moraliser constitue un autre changement par rapport aux romans « laïques » de Ponson — où Dieu, la Providence, sont réduits à des accessoires, des artifices de mélo devant préparer le rétablissement de la norme — car il s'agit ici d'un auteur catholique dont le souci d'édification embrasse l'ensemble de l'univers narratif.

La donnée de base reste la même : une jeune fille séparée de ses parents, ou de l'objet de son amour; un héros obscur affrontant les douloureuses épreuves qui l'amèneront vers sa belle et vers ses parents; une faute de jeunesse traduite par l'abandon de l'enfant adultérin; une erreur judiciaire, toutes situations archétypiques qui ne sont pas toujours explicites.

En effet, la langue manque parfois de simplicité et de force, le style est précieux, ou bien gâté par une rapidité d'improvisation, quand il ne pèche pas par imprécision. C'est tout de même dans l'ensemble un langage élégiaque, délicat. Avec tous ces procédés, Mme Ancelot retint pendant un peu plus de trente ans la faveur d'un public spécial, celui des cabinets de lecture[1].

« Ce qu'on s'attend à trouver chez Mme Ancelot, note Vapereau, c'est une certaine grâce féminine, une fleur de sensibilité délicate, un soin du détail, une élégance soutenue, en un mot, ces qualités plutôt aimables que fortes qui semblent devoir distinguer à double titre l'écrivain de salon et la femme. »

Le roman type de Mme Ancelot, celui qui contient tous ses archétypes,

---

1. La littérature pour cabinets de lecture se survit à elle-même jusqu'à la fin du XIXe siècle, pour se réfugier ensuite dans les débits de tabac, où elle reste, mais sous une forme dévaluée, un type de lecture collective.

et en annonce d'autres, exploités ultérieurement, est *Une famille pari-sienne au XIXe siècle* (1857), dont le titre balzacien précise les intentions. Sophie, fille de garde-chasse, est en fait fille de noble ; Henri de Meillan, le mari de Marthe, aime Sophie. Marthe en vient à haïr son époux et à vouloir le divorce, « un divorce éclatant, car la loi maintenant va le permettre [1] ».

A la manufacture du banquier Kinserlay, les ouvriers sont « de braves gens qui travaillaient avec tant de courage et pendant de si longues heures ». Sur l'intervention de Léa, la protégée de Sophie, le dur contremaître de la manufacture s'humanise, et prend avec les travail-leurs « le ton d'un père qui parle à des fils bien-aimés ». Mais un tel paternalisme ne va pas bien loin. Sophie épousera Henri après la mort de Marthe, qui eut « une fin religieuse et résignée ».

Mme Ancelot se distingue nettement de Ponson en ce qu'elle répugne aux longues machines. La force d'analyse et la finesse d'observation par-semant ses œuvres s'expliquent par le fait qu'elle dresse des situations ramassées, restreintes à un nombre modeste de pages. Elle ne sollicite pas de ses lecteurs l'obsession hallucinatoire, l'angoisse morbide, le goût pour les thèmes presque paranoïaques, mais elle cultiva à sa manière l'inconscient de ce public qui lui resta fidèle, si longtemps.

Avec Virginie Ancelot, sonne en quelque sorte l'apothéose du « roman de mœurs », léché, soigné, discret, nuancé. Ses études de mœurs, courtes et achevées, le disputent avec bonheur aux romans de longue haleine, aux complications d'événements et de personnages dont Ponson se fit une spécialité. Avec un souci très net des constructions simples, du brio dans les expositions et les chutes, elle annonce Chavette.

BIBLIOGRAPHIE

BOURQUELOT (Félix) et MAURY (Alfred), *La Littérature française contemporaine,* Daguin frères, Paris, 1840.
BUFFENOIR (Hippolyte), *Hommes et Demeures célèbres,* Ambert, Paris, 1914.
CHEVALET (Émile), *Les 365,* Havard, Paris, 1857.
DAUDET (Alphonse), *Souvenirs d'un homme de lettres,* Marpon et Flammarion, Paris, 1888.

---

1. Le divorce reste absent de chez Ponson ou Féval ; il ne commencera de surgir que vers 1875, dans le « roman de gauche ».

MARTINEAU (Henri), *Stendhal et le Salon de Mme Ancelot,* Le Divan, Paris, 1932.

MONSELET (Charles), *La Lorgnette littéraire,* Poulet-Malassis, Paris, 1857.

NEUSCHÄFER (Hans-Jörg), *Populärromane im 19 Jahrhundert. Von Dumas bis Zola,* Fink, München, 1976.

PONTMARTIN (Armand de), *Nouvelles Causeries du samedi,* Michel Lévy, Paris, 1859.

SAINTE-BEUVE, *Causeries du lundi,* Garnier frères, Paris, 1854.

—, *Nouveaux lundis,* Michel Lévy, Paris, 1865.

STENDHAL, *Correspondance,* Le Divan, Paris, 1933-1934.

VAPEREAU (G.), *L'Année littéraire et dramatique,* Hachette, Paris, 1862.

CHAPITRE X

Du rire au crime

L E roman populaire, vers le milieu du XIXᵉ siècle, s'épanouit dans diverses directions, tout en conservant encore son étiquette générale de roman de mœurs. Il est sombre et délirant, avec Ponson du Terrail; grave et psychologique, avec Mᵐᵉ Ancelot. Il reste un dernier volet, la permanence du récit gaulois et comique, dans la lignée de Kock, genre que cultivent de préférence la moyenne et la petite bourgeoisie.

On ne peut s'expliquer l'énorme succès des continuateurs de Pigault-Lebrun : Edmond About, Chavette, sans faire référence à l'environnement politique et social du temps : About florit entre le milieu du Second Empire et le début des années 1870; tout en étant républicain, il adopte dans ses récits un ton conformiste et apolitique. Le régime impérial se satisfait fort bien de toute une série d'auteurs qui ne mettent pas en cause les bases du césarisme, à supposer que la littérature puisse le faire.

Politiquement, les années 1860 sont bouillonnantes d'agitation, d'attentats, l'opposition républicaine s'affirme de plus en plus nettement, de plus en plus résolument. La condition ouvrière, malgré le vote du droit de grève en 1863, n'est guère plus brillante que sous Louis-Philippe. La condition des femmes est encore plus médiocre : le sort de la femme mariée, à qui tout divorce est interdit, ployée sous l'absolue prépotence du mari, reste à peine plus enviable que celui de la courtisane tarifée ou de la fille-mère, abandonnée par son amant, allant de déchéance en déchéance, pour mourir misérablement sur un grabat d'hôpital. La recherche de la maternité, comme de la paternité, naturelles, restent prohibées. Le sort des enfants du peuple, abandonnés, mis aux Enfants-trouvés, est-il meilleur que celui des enfants de bourgeois, enlevés ou substitués, pour des raisons sordides d'intérêt? Il ne le semble pas. Tous ces drames, toutes ces douloureuses questions, n'affleurent pour ainsi dire jamais dans l'univers de Chavette : on peut s'en étonner, mais le fait est là [1].

Eugène Chavette

Mais qui était Chavette?

« Eugène Chavette a la spécialité du genre gai : c'est le Monnier des concierges » (Louis Bethléem, *Romans à lire et Romans à proscrire*, éditions de la Revue des lectures, 1928). Par ailleurs, le digne abbé Bethléem estime que les romans de Chavette, « d'ailleurs fortement charpentés, mêlent souvent l'indécence à la raillerie ».

Né à Paris en 1827, il était le fils de Vachette, le célèbre restaurateur du boulevard Montmartre, chez qui défilèrent tous les gens de lettres en renom : c'est à leur contact qu'Eugène prit le goût d'écrire. Il se fit une réputation au Quartier latin, sous le surnom de Charlemagne, et commença d'écrire très jeune au *Tintamarre* de Commerson. Il débuta aussi dans les colonnes du *Figaro,* vers 1862, donnant toute sa verve à des nouvelles à la main, de menues chroniques boulevardières, lestement troussées, qui le firent bientôt connaître. On le vit aussi au *Nouvel Illustré,* avec son ami Monselet, en 1866; et à *La Liberté.* Il écrira au *Voltaire* vers 1879; à *L'Événement,* en 1872; à *L'Écho de la semaine,* en 1889.

Chavette fut l'inventeur du genre excentrique et abracadabrant, des plaisanteries folles à peine comprises hors de Paris : il illustra le mieux la gaieté parisienne et gauloise en son épanouissement. Comme Monselet, il adorait formuler des maximes, du genre : « Le repentir est la moutarde après dîner de la conscience. » Il convia Monselet à un festin inouï, pour lui déclarer que le potage de nids d'hirondelles était une vulgaire purée Crécy, les rognons d'ours étaient des rognons de veau. Une autre fois, autant par hygiène que par goût, il fit un usage fréquent de tous les instruments utiles à l'exercice de la profession de menuisier. Il se rendit chez un grand fabricant de meubles du faubourg Saint-Antoine, vêtu d'une longue blouse, coiffé d'une casquette, et demanda à être embauché comme ouvrier. A la fin de la journée, le patron,

---

1. Toute une classe, la moyenne bourgeoisie, très conservatrice, sous Louis-Philippe comme sous l'Empire, recherche avant tout dans les romans populaires un délassement, et surtout pas une remise en cause de sa morale, de son genre de vie. Par ailleurs, le concierge, politiquement, est le soutien résolu du pouvoir.

mécontent sans doute de ses services, le fit venir, et, lui donnant une pièce de cinq francs, le pria poliment de ne pas se représenter le lendemain. Chavette emporta fièrement les cent sous, qu'il plaça sous verre sur sa cheminée avec l'inscription suivante : « Argent gagné à la sueur de mon front. »

Pour éviter des procès — il en eut avec des lecteurs dénommés Tartempion et Brindavoine —, il fit insérer en guise de préface de *L'Oreille du Cocher* : « Pour me mettre à l'avenir à l'abri d'ennuis de ce genre, je déclare solennellement que je n'ai employé dans le présent ouvrage que des noms appartenant à des assassins dûment guillotinés », et tous les personnages de ce roman s'appelaient Troppmann, Avinain, Collignon.

Chavette découvrit Gaboriau. Il employa des maçons à l'année : il adorait la bâtisse. Avec le revenu de ses livres, il acquit une propriété à Montfermeil, et y mourut en 1902. « Eugène Chavette a fait des mots d'esprit, jugea Auguste Lepage. Depuis qu'il est devenu châtelain à Montfermeil, M. Eugène Chavette publie moins de romans... Malgré la fortune que possédait son père... le romancier a longtemps vécu seul, ne demandant de ressources qu'à son travail. Il faut dire qu'il possède une imagination brillante, du talent, de l'esprit, et un caractère très gai [1]. »

Le Monnier des concierges

Doté d'une fécondité prodigieuse, tout comme son ami Kock, dont il fut le disciple, Chavette fut également le continuateur de Gaboriau. Son œuvre se partage donc en deux courants : un genre désopilant et grivois, un genre policier. Je ne traiterai pas de ce dernier aspect de l'œuvre de Chavette, notant seulement qu'il fit des chefs-d'œuvre, comme *La Chambre du crime,* une merveille d'énigme en chambre close, fait divers inspiré de l'évasion d'un préfet sous la Restauration. Il y a aussi *Le Roi des limiers,* cet extraordinaire *Pourquoi?...;* ou *Le Saucisson à pattes,* histoire d'un détective dégourdi. Aussi inventif que Gaboriau, mais narquois, Chavette raille là où Gaboriau condamne et frappe. « Tout cela, note Marius Topin, est raconté avec assez de gravité pour émouvoir le vulgaire, avec assez d'ironie pour retenir les plus délicats [2]. »

1. *Les Boutiques d'esprit,* Olmer, 1879.
2. *Romanciers contemporains,* Didier, 1881. Topin demanda un jour à Chavette pourquoi il était si dur pour les duchesses dans ses romans, qu'il chargeait des crimes les plus noirs : « C'est malgré moi. J'ai du plaisir à faire d'une duchesse une empoisonneuse. » Auteur républicain, il préférait sans doute les cuisinières, comme héroïnes sympathiques.

Toutefois, la veine comique et la veine policière ne sont pas rigoureusement étanches, car, tout comme Kock, dont il améliora les procédés, Chavette aime insérer une scène horrible entre deux scènes légères. Comme le souligna Topin, « rien n'égale la désinvolture de ses récits, le ton dégagé du narrateur : on voit bien vite qu'il ne croit à ce qu'il raconte ».

Chavette ne fit pas fortune avec ses feuilletons. Le cas de *Nous marions Virginie,* qui passa dans *Le Petit Journal,* reste exemplaire. Les lecteurs voulaient marier l'héroïne; la cuisinière du romancier lut le roman, et ne le trouva pas gai. Après l'avoir entendue, Chavette décida de marier tout de suite Virginie. Cet ouvrage excita l'indignation des portiers parce qu'un des héros tirait le cordon dans une maison quelconque et que l'auteur en avait fait un type grotesque.

L'originalité de Chavette réside d'abord dans son joyeux irrespect, sa façon désopilante de dépeindre les petites passions et les ridicules de ses héros-lecteurs favoris : la petite bourgeoisie dont il reproduit fidèlement les coutumes, le langage, selon l'exemple laissé par Kock.

S'il perfectionna les procédés de Gaboriau, il le fit aussi pour Kock, en juxtaposant les scènes tragiques et comiques. Son originalité consiste aussi dans son génie des expositions. Jusqu'à Chavette, les auteurs de romans d'aventures étaient réduits à cette alternative : ou bien, renoncer à d'abord captiver vivement l'attention, en abandonnant le procédé des récits rétrospectifs, ou être contraints de ralentir l'action, donc l'intérêt. La difficulté d'une exposition n'étant pas d'imaginer, puis d'exposer tout d'abord une situation émouvante, mais bien de l'expliquer, en usant de l'art de disposer, outre une série d'aventures extravagantes, les événements de telle façon qu'ils s'enchaînent les uns dans les autres. Seul, peut-être, Chavette put réunir les avantages des deux systèmes : le choix entre une progression constante ou une diminution, même momentanée, de l'intrigue, c'est-à-dire le souci plus ou moins affirmé de ménager l'intérêt du lecteur. Par un effort prodigieux d'invention et un véritable tour de force dans l'habillage de combinaisons ingénieuses, Chavette est parvenu, après nous avoir mis, dès les premières scènes de ses livres, en face d'une situation intéressante au plus haut degré, à maintenir jusqu'au bout, et dans le même état enfiévré, notre curiosité haletante.

Comme Kock, il nous jette dès le début en pleine action et nous fait pénétrer dans le cœur même du sujet, mais il l'emporte aussi sur ses confrères (comme Ponson), en évitant en général les retours en arrière (pas toujours, comme dans *Aimé de son concierge*), en mêlant à l'action les récits rétrospectifs, en les confondant avec le drame, pour rendre aussi vive l'attention. Lui seul a dans tous ses récits l'art d'attacher le lecteur tout d'une haleine, trois volumes durant, comme dans *L'Héritage d'un pique-assiette,* voire quatre, comme dans *La Conquête d'une cuisinière.* Par quelle technique Chavette obtient-il ce résultat, aussi bien dans ses romans comiques que dans ses récits policiers? Ses procédés lui appartiennent pour la plupart. « Le plus souvent, selon Topin, ses solutions sont vraisemblables et logiques, ce qui le distingue grandement de ses devanciers. » (Ainsi, Ponson se tirait d'affaire en manquant de mémoire, ou en supposant que le lecteur en manquerait.) Chavette n'a pas recours au « démon pour dénouer les situations compliquées, et il apporte assez de soin à ce qu'il fait pour n'avoir pas à redouter la mémoire même du lecteur le plus attentif », note encore Topin[1].

Auteur le plus moderne et sans doute le plus original de son temps, tout pétri d'humour et de fantaisie, il emprunta au feuilleton ses procédés les plus classiques, tout en les perfectionnant : débuts sensationnels, fins de chapitres éprouvantes, surchargées d'émotion, intrigue éparse. Héritier lointain du romantisme, il en garde le pittoresque du décor, des costumes et des attitudes. Sa technique habituelle est, autour d'un personnage étrange, l'intervention d'un événement violent, bizarre; puis un récit rétrospectif, compromis entre les esthétiques contradictoires de la nouvelle et du feuilleton.

Un procédé repris à Sue et à Ponson : le long récit, assez incolore ou insignifiant, mais indispensable à l'intelligence de l'action[2].

Dans le labyrinthe ou l'entrecroisement des intrigues, le lecteur perd le souvenir de ses préoccupations, joies et douleurs pour s'intéresser seulement aux obstacles — extraordinaires, dans ses récits criminels, baroques et cocasses en leur vulgarité quotidienne, dans la série satirique et comique — que l'auteur accumule devant lui, car l'intérêt n'est que là : Chavette ne s'intéresse pas à ses bandits ou à ses individualités médiocres. La seule et vraie satisfaction qu'il a eue, « il l'a trouvée dans l'amoncellement des difficultés qu'il s'est donné à résoudre. C'est là aussi le plaisir du lecteur » (Topin).

1. Comme constructeur d'intrigues criminelles, Chavette apporte une technique plus élaborée, plus dense et plus précise que celle de Gaboriau. En cela, il est à rapprocher du remarquable *Drame de la rue de la Paix* d'Adolphe Belot (1866), dossier d'une enquête.
2. Alors que chez Ancelot, ce type de récit explicatif est le plus souvent fractionné en fonction des motivations des personnages, ou présenté sous forme de bref exposé des intentions d'un des protagonistes : le récit du père de Georgine, dans *Les Deux Sœurs,* n'est nullement gratuit. Ancelot se contente ici d'une phrase clé : l'enfant abandonné « vivait sans chercher à se venger ».

Dans ses romans criminels comme dans ses romans comiques, l'on trouve le même génie de composition, le même talent d'observation minutieuse : ses narrations, écrites d'une plume facile, intéressent et émeuvent. On suit avec amusement la donnée de *Réveillez Sophie!*, histoire de mœurs légères, ou bien celle de *Les Souliers du mort,* dont la trame policière se double d'une désopilante étude de caractères prise sur le vif[1].

« Tout cela, selon Topin, est raconté avec assez de gravité pour émouvoir le vulgaire, avec assez d'ironie pour retenir les plus délicats.

« Rien n'égale la désinvolture de ses récits, le ton dégagé du narrateur : on voit bien vite qu'il ne croit à ce qu'il raconte. »

En fait, il convient de nuancer le jugement de Topin : si Chavette s'amuse beaucoup à écrire, à ficeler ses études de mœurs, il y croit dans la mesure même de son réalisme minutieux, du pittoresque de ses aperçus sur les petites gens qui forment son univers favori.

Chavette met beaucoup de temps pour imaginer et disposer les événements et placer sous les pas de ses personnages tant d'obstacles imprévus qui ont fait la joie de leur inventeur comme son tourment, car il lui faut sans cesse doser le grave et le comique, ou le leste.

C'est dans le détail, dans le choix naturel des mots qui l'enchantaient — sans chercher d'effet que dans le menu, et parfois tout à la fin du récit, souvent du petit récit, car il restait peu à l'aise dans les grandes machines, du moins en principe[2].

La verve narquoise qu'il porta aussi dans le journalisme de fantaisie, les nouvelles à la main, imprègne également ses romans apparemment les plus sombres : Chavette voit tout en railleur.

A côté du railleur, intervient le dialecticien qui enchaîne avec précision et humour les effets à leurs causes. Comme auteur de romans criminels, il fut moins créateur que Gaboriau mais il a perfectionné utilement la construction du roman populaire.

1. Dans ses récits criminels ou comiques, Chavette a le même souci d'en référer à l'actualité, tout comme du reste Ancelot. On trouve chez tous deux le même souci de calquer leurs intrigues sur une matière première composée de faits divers. Les affaires Troppmann ou Avinain inspirèrent Chavette auteur criminel, mais aussi le satirique, puisque ses principaux personnages sont des sortes de limiers remontant vers la source des événements bizarres ou incongrus.

2. Feuilletoniste, Chavette a en horreur les grandes machines à la Ponson ou les afféteries psychologiques à la Ancelot : ses feuilletons furent pour la plupart brefs et percutants. Toutefois, *Les Souliers du mot* tint quatre mois à *L'Éclair* en 1872, et *Le Comte Omnibus* sévit à *La Presse* durant un an, en 1875-1876. Le prototype de ses récits gais. *L'Oncle du Monsieur de Madame,* tint deux mois et demi au *Voltaire* en 1880. Chavette réalisa donc une sorte de compromis entre le récit court et le feuilleton de longueur moyenne.

Son style est marqué par la vivacité du trait, la cocasserie, c'est celui du nouvelliste à la main, du vaudevilliste. On devrait plutôt parler de trois styles : le simple, le tempéré, et le sublime, revêtant une fonction non seulement stylistique, mais sociale.

L'incongru, l'art des quiproquos, des coups de théâtre tragi-comiques, en cours comme en fin d'intrigue, font de son œuvre une sorte de montagne russe où le burlesque le dispute au dramatique[1].

Dans ses romans, on trouve toujours un ou plusieurs personnages d'une sottise telle, que le lecteur le plus morose se livre malgré lui à des accès de folle hilarité... Ainsi, le Rocamir d'*Aimé de son concierge* (1877). Ou bien, le policier Caduchet, dans *L'Héritage d'un pique-assiette*.

Chavette est le spectateur favori des petites gens, de toute une humanité moyenne qui a gravité entre les dix dernières années du Second Empire et les dix premières de la Troisième République : petits bourgeois, propriétaires, grisettes, cuisinières, modistes...; son originalité est de supprimer la lutte des classes en faisant vivre ensemble le propriétaire avec ses locataires, comme dans *Aimé de son concierge*.

Ses archétypes habituels sont l'erreur judiciaire, le chef de bande épris de sa victime, le fils de la victime amoureux de la fille du coupable, le mari cocu servant à la fois de moteur secondaire de l'intrigue et de faire-valoir pour les personnages principaux.

Ainsi, dans *La Bande de la belle Alliette,* à côté du personnage authentique du bandit Soufflard de 1838, l'auteur rend avec précision les complications diverses de l'affaire, met en lumière le type curieux d'Alliette, jeune fille séduite et délaissée, tombée jusqu'à l'amour d'un forçat évadé, puis devenue chef de bande et rachetée par un honnête homme. Elle épouse celui qui l'avait réhabilitée à ses propres yeux : archétype bien romantique[2].

Un autre archétype favori est celui du sosie, générateur de drames et de comédies : il est largement employé dans *Si j'étais riche!* Deux frères dont la ressemblance est si parfaite qu'on les confond l'un avec l'autre. Un crime, la nuit, sur le bord du canal Saint-Martin, puis presque aussitôt surgit le myope Stauber, qui joue dans ce drame le rôle d'un éclat de rire continu, victime de sa myopie et du guignon... Ou bien, avec

---

1. Le vil Gravoiseau, dans *Aimé de son concierge,* démasqué, se laisse mourir, mais tout aussitôt son décès est salué par des quolibets.
2. L'art du « suspense », comme le relief des situations et des personnages, réside dans ce caractère commun aux séries criminelles et comiques qui est l'intervention, dans les premières, de personnages plats et vulgaires, dans les secondes, d'un détective dépositaire de la norme sociale.

Défunt Brichet, où la disparition du fils d'un procureur du Châtelet, un mot de passe servant de secret entre le père et le fils, produisent un retournement de situation, avec la résurrection de Brichet, selon la tradition de Ponson, et un faux testament, écrit par le sosie de Brichet.

L'univers de prédilection de Chavette : petites gens, noceurs, cocus, femmes pour rendez-vous qui jouent la menue comédie humaine dont la vie de Paris est le décor, confinés parfois dans le même cercle fermé (un immeuble), élargi à sa guise par l'humanité, marque principalement *Aimé de son concierge.* Dans le cadre d'un immeuble du quartier de l'Opéra s'agitent les fantoches les plus excentriques. Il s'agit d'un ouvrage presque entièrement comique : pour avoir la paix dans une maison trop bruyante, le concierge Gringoire veut que le graveur Clovis épouse la jolie propriétaire Célestine Durieux. On a donc un mystère; le trio habituel : victime, persécuteur, sauveur [1].

A partir d'une donnée très simple : un amour contrarié, un bonheur troublé, donnée type des romans populaires, le traitement de l'intrigue est fourni avec un minimum d'éléments dramatiques (l'enfant du mystère, le mystère entourant le père de Clovis et le comportement du vil Gravoiseau), et Chavette obtient une sorte de réalisme dans la fantaisie, car c'est dans le farfelu des situations que réside l'intérêt pour le lecteur, à l'inverse de la série criminelle, où les situations restent très enchevêtrées. C'est dans la peinture de mœurs que réside l'intérêt pour le lecteur, celle d'un monde banalisé à l'extrême (la coquette, l'amant naïf, l'odieux gêneur), où le mystère du héros tout-puissant, encore traité par Kock, n'existe plus, ce héros étant disparu.

Une série d'incidents délibérément vulgaires et comiques (comme le vol de la lettre par le domestique ivre de Gravoiseau) remplace les grosses ficelles mélodramatiques de Ponson, toujours en fonction d'un réalisme tempéré par la fantaisie des situations. L'élément dramatique ne surgit qu'à la fin, nettement sombre, alors que l'ensemble a une allure de vaudeville : la reconnaissance, le châtiment du coupable, l'astuce de l'auteur étant de présenter un élément antérieur de vaudeville comme un ingrédient du mélo final.

Autre type de récit en local clos : *La Conquête d'une cuisinière* (1883). L'univers décrit est celui des petites contrariétés d'un monde de petits bourgeois. Le nerf moteur de l'intrigue est très simple et très insignifiant : le propriétaire Fraimoulu veut une cuisinière, car il est garçon, et pour ce faire, veut séparer son neveu Gontran de sa maîtresse.

---

1. Ce roman vient d'être réédité par Garnier.

Autour de ce thème central se brodent des quipropos, des situations comiques : « le triple veuf », une sorte de parodie du roman criminel à effets; (le brigand-gentilhomme, Walhofer, et le juge d'instruction sont des types repris à ce mode de romans.) Cet ouvrage offre un parfait exemple de cohabitation d'une enquête policière et d'un imbroglio de situations comiques. L'unité de lieu est celle *d'Aimé de son concierge :* tout se passe dans un immeuble où sont regroupés les personnages. On notera l'habileté de l'auteur à ficeler en un ensemble cohérent l'élément comique et l'élément tragique, à ménager le « suspense » avant la fin de chaque chapitre, en interrompant une séquence de mystère par son milieu, ou en employant les vieilles ficelles du mélo : l'homme à identités multiples (Walhofer, type de héros « sombre »), les recherches, le « pacte criminel », les retours sur le passé, le héros tout-puissant du Mal[1].

Le côté social n'est pas oublié : il est question, dans ce roman écrit juste avant le vote de la loi Naquet, de « la nécessité de rétablir le divorce ».

Le style est tantôt comique, sautillant; tantôt tragique, en fonction du constant balancement entre les deux pôles, sombre et leste, de l'action : « Pourquoi Cydalise ne cherchait-elle pas à se soustraire par la fuite aux ordres de son maître? Il fallait qu'un terrible secret la mît sous la puissance du juge... »

Dans tous les cadres observés et rendus à merveille par l'auteur qui les connaît bien et a su en dégager le pittoresque, éclate le caractère de Chavette : gentiment gai, gentiment parisien, prodigieusement courageux, laborieux à l'extrême.

BIBLIOGRAPHIE

Bellet (Roger), *Presse et Journalisme sous le Second Empire,* Armand Colin, Paris, 1967.

Bethléem (Louis), *Romans à lire et Romans à proscrire,* éditions de la Revue des lectures, Paris, 1928.

Dutourd (Jean), « Un train de plaisir », *Le Point,* n° 287, Paris, 1978. « L'évolution du roman social au xixe siècle », *Revue de l'action populaire,* octobre 1908.

---

1. Walhofer est une sorte de rejeton de Rocambole, qui passe son temps à déjouer les recherches judiciaires. Il est une machine à tuer, commettant des meurtres horribles. Seul alibi pour lui : il est l'amant de la servante du juge d'instruction.

GEORLETTE (René), *Le Roman-Feuilleton français,* chez l'auteur, Bruxelles, 1955.

LEPAGE (Auguste), *Les Boutiques d'esprit,* Olmer, Paris, 1879.

LORIOT (Noëlle), « La grande fête populaire », *L'Express,* n° 1394, Paris, 1978.

MAGNUS, « Échos », *La Famille,* n° 1185, Paris, 1902.

MESSAC (Régis), *Le Detective novel et l'Influence de la pensée scientifique,* Champion, Paris, 1929.

TOPIN (Marius), *Romanciers contemporains,* Didier, Paris, 1881.

II

Maturité. 1870-1920

CHAPITRE PREMIER

Entre l'alcôve et le taudis

L ES années 1870-1880 sont celles qui influeront peut-être le plus nettement les orientations du roman populaire : la guerre avec la Prusse,
la défaite suivie du bref orage sanglant de la Commune, laisseront longtemps des traces dans le subconscient des auteurs, pour qui l'évocation
des malheurs de la patrie restera toujours sous-jacente. Toutefois, le
contexte politique et social sera plus ou moins généralement estompé
dans l'ensemble du genre : la Commune ne fut silhouettée que fort
mincement, et sous forme de jugements lapidaires, hormis chez les rares
romanciers communards, comme Jules Boulabert. L'antisémitisme, correspondant à la vague de kracks financiers, à certaines attaques contre
Rothschild, comme à certains procès tapageurs (l'affaire Cornélius Herz,
par exemple), surgira par moments : les bons banquiers sont des Français de souche, les mauvais sont des Juifs, des Allemands ou des rastas;
de même en est-il parfois pour les femmes fatales (la Sarah de *Chaste
et Flétrie* de Mérouvel, l'intrigante de *La Dompteuse rouge* de Michel
Morphy). Enfin commencent de poindre des types de récits plus étroitement encore liés à l'actualité quotidienne : ainsi, toute une littérature
antimaçonnique [1].

La condition des ouvriers, plus misérable que sous l'Empire, attendra
en vain des chantres à la Sue, dont la parole magique soulèverait les
foules. Il faudra attendre les années 1890 pour voir surgir, de façon
certes relative, un certain type de récits syndicalistes ou syndicalisants,
avec le marxiste Jean Maubourg ou le naturaliste Maurice Montégut.

---

1. Michel Masson, dès 1835, avec *Vierge et Martyre,* apparaît comme un précurseur des
Chaste et Flétrie ou *Séduite et Vengée,* qui, de Mérouvel en Clavigny et en Priollet, suscitèrent l'émoi de plusieurs générations de lectrices.

Le roman populaire tend de plus en plus à abandonner son aspect primitif de roman de mœurs ou plutôt à le tirer vers les couleurs mièvres du roman rose : toute la littérature à succès qui marqua les débuts de la Troisième République tournera complaisamment autour de drames d'alcôve, d'histoires de filles-mères, de marquises jetées dans des taudis ou des maisons douteuses, même si les mots clés de divorce, d'avortement, de reconnaissance de la maternité ou de la paternité naturelle, ne sont pas toujours prononcés (notamment, dans l'ensemble des feuilletons conformistes et conformants du *Petit Journal* et du *Petit Parisien,* surtout destinés à une clientèle féminine[1]).

En même temps que le roman populaire devient roman sentimental (on l'appellera plus ou moins justement roman bourgeois ou roman mondain, car, dépeignant de préférence les classes moyennes, il serait le reflet de l'idéologie bourgeoise du temps), il se veut psychologique et reste peu ou prou dans la lignée de Balzac, avant d'épouser les plats stéréotypes de Bourget ou d'Ohnet, que l'on a du mal aujourd'hui à distinguer l'un de l'autre; de son côté, le « roman de gauche » calque plus ou moins les grosses recettes du naturalisme et adopte notamment un certain ton d'analyse scientifique[2].

Qu'ils soient de droite ou de gauche, les romans populaires sont écrits par des gens ayant une connaissance plus ou moins aiguë de l'ensemble du corps social, du moins en ce qui concerne les auteurs les plus lus : Montépin, Mary, Richebourg, puis Decourcelle (et dans une moindre mesure, des écrivains féministes, comme Camille Bias, Marie-Louise Gagneur) furent d'abord journalistes avant d'aborder la littérature, et purent ainsi pénétrer les diverses couches de la société[3].

Si la bourgeoisie inspira de préférence les auteurs populaires, car elle

1. Il restera toutefois une frange d'auteurs attirés vers les zones troubles où baignent l'horrible, le sadique, avec des auteurs de seconde zone comme Turpin de Sansay et dans une certaine mesure Zaccone et même Montépin : ce seront justement Montépin et Zaccone que Lissagaray traitera d'auteurs de bagnes, particulièrement représentatifs de l'abêtissement des couches populaires. Henri Conti (*Vierge et Mère,* 1887) n'évite pas le scabreux : un vieux lubrique époux d'un ange, recourt à la fécondation artificielle pour s'assurer un héritier.
2. Ce type de récit clinique fut illustré surtout par Dubut de Laforest, durant le dernier quart du XIXe siècle. Ses gros succès restèrent des études pathologiques : *Le Gaga,* histoire d'un homme atteint d'une étrange affection; *Le Faiseur d'hommes,* avec Yvelaing Rambaud, traite de la fécondation artificielle.
3. C'est leur activité journalistique qui déclencha chez certains auteurs, comme Michel Morphy ou Michel Zévaco, l'éveil de la vocation littéraire. Marcel Allain me disait un jour que le journalisme est une excellente école de technique romanesque, il enseigne la concision — pas toujours observée —, la visualisation des scènes et la dramatisation de la vie.

est la grande victorieuse de la fin du xixᵉ siècle, elle favorisa le développement de l'instruction publique, l'essor industriel, la mainmise sur des colonies, en compensation des provinces perdues après 1870, la noblesse n'est pas absente : depuis les années 1840, elle a commencé à s'embourgeoiser et, ralliée au régime républicain issu du 4 septembre, elle finira par s'y intégrer avec bonheur et y retrouver une place notable [1].

Le noble des romans populaires est un propriétaire pourvu d'un vaste domaine en province, d'un très bel hôtel à Paris. Il sert de préférence dans l'armée ou la diplomatie, mais aussi dans les grandes affaires. S'il est assez sympathique chez Montépin — flatté chez Mary ou Richebourg, moqué ou vilipendé chez les auteurs « républicains » comme Pierre Ninous — il reste souvent un désœuvré, un « viveur », plus préoccupé de trousser les filles du peuple que de gérer ses domaines (c'est le cas du marquis de Chazey dans *Chaste et Flétrie* de Mérouvel, ou du hobereau des *Crimes de l'amour,* du même auteur) [2].

La haute bourgeoisie, dans ce dernier quart du xixᵉ siècle, occupe réellement le terrain politique et économique. Les auteurs observent en général une grande prudence pour parler des choses politiques : ils doivent plaire à tous les publics, ne pas oublier les susceptibilités de leurs lecteurs bourgeois. Si les politiciens ne sont qu'esquissés (le ministre Joramie, dans *La Petite Mionne* d'Émile Richebourg), il faut noter d'autre part l'essor d'un type de roman antiparlementaire et nationaliste, en attendant d'être boulangiste et antidreyfusard, avec notamment Jean Drault et Albert Monniot.

D'une façon générale, tout ce qui peut être « de la politique » est blâmé, et c'est très sensible dans les feuilletons du *Petit Journal*. L'ouvrier Moulins, dans *Le Fiacre nᵒ 13* de Montépin (1880) dit : « J'ai l'horreur du désordre, des émeutes qui ne servent qu'à fermer les ateliers. Il faut être toqué, quand on est ouvrier, pour se lancer dans la politique, au lieu de s'occuper de son état. » Un concierge, dans *La Petite Mionne* : « Je ne lis pas de politique, c'est toujours pareil, je préfère lire les feuilletons, vols,

---

1. Le roman populaire refléta une foi naïve et sans complexes dans le scientisme du xixᵉ siècle, les chefs de fabrique (ceux de Mary, comme *Le Maître de forges* d'Ohnet) sont vus comme des sortes de phares du Progrès.

2. *Cf.* sur Mérouvel : Maurice Dubourg, « Charles Mérouvel », *Le Mois à Caen,* décembre 1973.

L'archétype de la femme-objet reste inchangé : Lizzie, sœur d'un planteur boër, « attend avec patience et... confiance, le mari que je lui amènerai », déclare son frère au héros (Mᵐᵉ Gustave Demoulin, *Une épave parisienne, Journal des dames et des demoiselles,* 1890). Éternelle mineure! L'héroïne de *La Maison-grise* de Pierre Aubry (*Journal des dames,* 1890) ne peut être qu'une « charmante enfant ».

assassinats, accidents, plus il y en a, plus cela m'amuse. » Et dans le même roman, il est dit que « ceux qui font de la politique sont ceux qui n'aiment pas le travail ».

Les financiers sont plus nombreux que les politiciens (de Terrenoire dans *Roger-la-Honte* de Mary, l'affairiste du *Roi Milliard* de Mérouvel) mais on reste dans les généralités. Même à gauche, les auteurs attaquent plus volontiers les personnes que les institutions qu'elles incarnent, hormis une certaine frange libertaire illustrée notamment par Morphy et Malato. La bourgeoisie rassie de cette époque recherche un univers rassurant, qui projette dans le roman populaire sa part de rêve, tout en lui assurant qu'elle est née à un moment heureux de l'histoire.

La petite bourgeoisie est surtout faite de petits patrons ou de rentiers vivant de revenus imprécis, « sauf quand leur ruine ou leur déchéance appellent quelques explications » (Maurice Dubourg, « Image de la bourgeoisie et Idéologie bourgeoise », *Europe,* n° 542, 1974). En général, le rôle dirigeant, moteur social, de la bourgeoisie, n'est pas contesté.

L'armée est bien vue, le héros du jour est souvent un jeune et bel officier. La magistrature n'est pas critiquée, même quand elle provoque des erreurs judiciaires, comme dans les romans de Jules Mary, comme *Roger-la-Honte* ou *La Pocharde.* Mais cette surabondance d'erreurs judiciaires influa sans doute les lecteurs, et les porta à en voir assez aisément dans les procès d'assises.

L'anticléricalisme sévit dans le « roman de gauche », ainsi chez Morphy, Hector France ou Léo Taxil.

Dans le sillage de la bourgeoisie gravitent toutes sortes de domestiques : depuis la femme de chambre, confidente ou complice de sa maîtresse, comme *Femme de chambre* de Mérouvel, jusqu'à l'intendant plus ou moins honnête, en n'oubliant pas le garde-chasse, la cuisinière, la nourrice et la dame de compagnie. Dévoués à leurs maîtres ou méchants (comme Jacques Vernier, dans *La Petite Mionne,* amant d'une comtesse dont il est l'intendant et dont il tirera vengeance), ils restent surtout des comparses et leur condition n'est pas envisagée dans une perspective sociale.

L'argent joue un rôle immense, il peut apporter le bonheur et la réhabilitation des innocents : Cora, dans *Les Filles de bronze* de Montépin venge la mort de son père et son propre déshonneur. « Ici l'argent est rédempteur, note à juste titre Maurice Dubourg, il est vraiment le sang du pauvre. »

La femme surtout est prisonnière de l'argent, car elle ne travaille pas : pour la bourgeoise, le travail est une flétrissure ou l'occasion d'une rédemption après la « chute ». Souvent mariée sans amour, pour des considérations de situation ou de fortune, elle se vengera ou bien acceptera sa condition, en restant souvent obérée par le poids d'une faute ancienne. Si la femme quitte sa famille et le milieu bourgeois, elle est perdue, elle glisse souvent vers la prostitution et connaît plus souvent la misère que les personnages masculins. Le travail des ouvrières est si dur que souvent elles deviennent des femmes entretenues, victimes de l'ordre social. La femme est liée en tout : ainsi pérore un personnage masculin dans *La Fille de Marguerite* de Montépin : « L'homme doit être le protecteur, le directeur, le maître, celui qui pense, qui agit, qui assume les responsabilités. Quant à la femme, elle est l'amie, la consolation. » La place de la femme est dans la famille. Elle ne doit pas avoir une éducation trop poussée : lire est funeste [1].

Reflet plus ou moins fidèle des normes bourgeoises, le roman populaire montre les effets de l'injustice sociale mais n'en détermine pas les causes. On assiste, depuis 1870, à une floraison de « romans de la victime », concernant surtout les personnages féminins, allant de chute en chute vers la rédemption finale. Depuis 70, la toute-puissance étant entre les mains de l'ordre, et non plus du vengeur solitaire et asocial de l'ère romantique, l'innocent est devenu le héros; le rétablissement de la norme s'opérera donc en fonction de l'intervention d'un dépositaire de la norme, mandaté par la société à cet effet.

Si le feuilleton est encore en vogue, et est pour les grands auteurs populaires une source de gros profits, il a de nouveaux concurrents. On assiste surtout à un essor formidable de l'édition populaire à bon marché, et principalement sous forme de livraisons illustrées. A partir de 1879, la librairie illustrée atteignit une grande vogue, due à une diffusion extraordinaire favorisée par un lancement habile et d'intelligents procédés de publicité. En 1879, un romancier (sans doute Marc Mario) apporta à la librairie illustrée l'appoint d'un système de lancement nouveau et efficace : il eut l'idée de transformer les organisateurs de grands journaux de province en correspondants, de telle sorte que, se chargeant de la vente des livraisons dans leur région, ils la feraient pénétrer et se vendre jusque dans les plus petits hameaux où leur quotidien avait un dépositaire [2].

---

1. Cette conception se retrouve même à gauche : dans *Le Roman d'une modiste* de Julien Sermet, l'héroïne qui a fauté y a été incitée par la lecture de feuilletons passionnels. Rappelons que le premier lycée pour jeunes filles ne sera ouvert qu'en 1881, à Montpellier.
2. *La Pall Mall Gazette* inaugura en mai 1887 un nouveau genre de feuilleton, les his-

On prit l'habitude de faire distribuer gratis un demi-million d'exemplaires de la première livraison de chaque roman nouveau, en passant toujours par la presse. Les distributions gratuites de premières livraisons atteignirent le chiffre de trois millions d'exemplaires, qui, avec l'adjonction des affiches illustrées et des grandes annonces dans les journaux, constituèrent des lancements à des prix élevés (de 50 000 à 100 000 francs-or).

Ce sont ces lancements énormes — pris en relais principalement par l'éditeur Jules Rouff, et aussi par ses concurrents, Fayard, Ferenczi, la Librairie illustrée Montgrédien d'où sortira Tallandier — qui engendrèrent ces romans interminables, atteignant ou dépassant deux mille pages, car il était impossible, quels que soient la vente et le succès, de rattraper une dépense si importante sur un nombre restreint et même largement convenable de livraisons; il fallait, pour faire les frais et gagner la forte somme, des romans d'un nombre inouï de livraisons [1].

Xavier de Montépin, publié par Rouff, dut une grande partie de sa fortune à un tel procédé.

Xavier de Montépin

Coupons la tête à ce mauvais auteur! écrit en 1881 Émile Blémont. Elle sert « à précipiter dans les plus sombres profondeurs de l'abrutissement les lecteurs et les lectrices des feuilles monarchiques, cléricales et pornographiques ». De son côté, l'abbé Bethléem salua en lui l'auteur

toires vécues, mode dont devaient se nourrir plusieurs générations de périodiques féminins.

La loi de 1833 donna à l'instruction un certain essor. Pour combattre l'influence jugée pernicieuse du colportage, l'Église catholique fonda des bibliothèques populaires. Dès 1824, l'œuvre des Bons Livres se fixa à Bordeaux, Toulouse, puis Nantes et Paris. Le R. P. Félix fonda en 1875 l'Œuvre de Saint-Michel (le catalogue de cette maison d'édition contenait en 1875 plus de 5 000 volumes à bon marché choisis pour les bibliothèques populaires). En 1877, l'Œuvre Saint-Michel pouvait fournir des « bons livres à bon marché », in-12 ou in-18, des bibliothèques de 75 volumes, pour 75 francs-or au lieu de 123,35 francs. Les prix de ces volumes (R. de Navery, E. de Margerie) valaient de 1 franc à 2,50 francs. Fut lancé en 1877 un hebdo à 65 centimes.

1. Adolphe Brisson, dans *La Comédie littéraire* (Colin, 1895), déplora les longueurs de tels récits : « ... Je me précipitai chez le libraire. — Avez-vous le dernier roman de M. Émile Richebourg? — Il me remit un in-18 jaune, imprimé sur assez mauvais papier. Je dois dire que le roman comptait 536 pages, ce qui faisait excuser la faible épaisseur de chaque page. »

Les éditions Edinger lancent en 1886 la *Petite Bibliothèque universelle* à 25 centimes (romans d'E. Carrance, M. Morphy...) Ces petits in-32 furent rachetés par Fayard.

de deux cents volumes qui, malgré leur faible style et leurs péripéties extraordinaires font les délices des concierges et de mainte grande dame (*Romans à lire et Romans à proscrire,* Masson, 1908). Félix Duquesnel assurait, dès le début de ce siècle, que Montépin était oublié : « Qui donc se souvient encore de celui-là ?

« Il a eu pourtant son heure de célébrité, et jamais homme n'a noirci autant de rames de papier...

« Jusqu'à la dernière heure, il a griffonné, de sa petite écriture fine et serrée, quelques vagues aventures, au hasard de l'imagination. Car de plan préconçu, il ne se souciait guère. Ça venait comme ça venait. La folle du logis dictait. Il n'avait que la peine d'écrire[1]. »

Et Duquesnel de rappeler que Marinoni, le directeur du *Petit Journal,* déclara à Montépin : « Ne vous arrêterez-vous donc jamais ? — Jamais. Jamais... à moins que la goutte ne paralyse ma main droite[2] ! »

Neveu d'un pair de France, Montépin naquit à Apremont, sur la ligne bleue des Vosges, en 1823. Dès 1847, il publia son premier roman, *Les Chevaliers du Lansquenet,* avec le marquis de Foudras, un fabricant de romans à clé, qui firent les beaux jours des cabinets de lecture. On s'arrachait les volumes, puisqu'il y était question d'aventures présumées des femmes du grand monde.

En 1848, année qui vit éclore une quantité de feuilles éphémères, le jeune Montépin décida de faire du journalisme politique, et publia un journal satirique et conservateur, *Le Lampion,* qui portait comme épigraphe le fameux refrain d'alors : « Des lampions ! Des lampions ! » Ce périodique fit une guerre sans merci aux membres du gouvernement provisoire, suspendu le 27 juin, il reparut le 4 août suivant, pour être définitivement supprimé le 24 du même mois.

Après de nouvelles et précaires tentatives de journalisme politique, Montépin aborda décidément la littérature, sans grand succès jusqu'en 1855. Cette année-là, il dut une certaine célébrité en publiant *Les Filles de plâtre,* ouvrage jugé contraire aux bonnes mœurs. Le roman fut saisi, et l'auteur condamné en cour d'assises à trois mois de prison. Devenu à la mode, Montépin conquit le rez-de-chaussée des journaux. Pendant quelques années, il fut presque seul fournisseur des journaux, mais Rocambole l'emporta, ce qui fit dire en 1860 à Ernest Salenne : « *Les*

1. *Souvenirs littéraires,* Plon, 1922.
2. Précisons, pour la petite histoire, que Montépin s'adjoignit parfois des collaborateurs : Ernest Capendu, sous l'Empire, Marc Mario, vers 1880. Il semble avoir écrit à lui seul ses monumentales machines : *Les Drames de l'adultère.*

Drames de Paris sont signés Ponson du Terrail; moi, je les crois de Rocambole [1].

« Montépin met ses romans *en pièce* : l'auteur n'y perdra rien; le public y gagnera-t-il quelque chose? On n'a jamais pu le savoir. »

Ponson, à l'encontre souvent de Montépin, avait des qualités d'entrain et d'intensité étonnantes, le don de faire naître l'intérêt et d'accommoder les situations. « Je tomberai Montépin, se plaisait à dire Ponson. Il est trop " littéraire "; ça déplaît à nos lecteurs! »

A la mort de Ponson, Montépin reprit sa royauté absolue, jusqu'à ce que Fortuné du Boisgobey surgît. A la mort de Boisgobey, en 1891, Montépin redevint le « grand auteur », connut pendant vingt ans ses plus remarquables succès, avec *La Porteuse de pain, La Marchande de fleurs,* etc. Mais, dès 1880, pointèrent de nouveaux concurrents : Richebourg, Mary, Mérouvel, Ninous, Pierre Sales, dotés d'une psychologie plus étudiée, moins naïve et moins abrupte. Le public devint plus difficile, et Montépin connut un moindre succès.

Gourmet, d'accueil cordial et bon enfant; ami de Dumas père et fils, de Dennery, Scholl, Jules Simon, époux d'une descendante du peintre Le Sueur, il se partagea, à la fin de sa vie, entre sa maison de Passy et sa villa de Cabourg. Depuis 1897, devenu parfait chrétien, il lisait chaque jour plusieurs Évangiles. Ferme patriote, il organisa la résistance de Vesoul en 70 et se vanta d'avoir été ensuite déporté par les Prussiens à Brême, car il fut un temps maire de Vesoul. Il mourut en 1902 à Paris.

Les soucis de la forme, d'une construction rigoureuse, d'une trame savante et subtile, n'ont jamais préoccupé Montépin, hormis peut-être pour certains chefs-d'œuvre, comme *L'Homme aux figures de cire,* remarquable étude pathologique d'un criminel, ou *La Gitane,* récit archétypique de la dominatrice. Mieux que tout autre, il justifie la sévérité de ce jugement de Dick May : « Négligence et célérité? L'écriture popularisée (hélas!) par les fabricants de feuilletons. Plus de tenue artistique, et en général plus de tenue? Plus de style [2]? »

La poétique de Montépin n'était ni très compliquée ni très variée. Il avait un procédé dont il se servait fréquemment : le tic « Il est certain que le lecteur a déjà deviné », et surtout la brusque rupture du récit, ordonné d'abord autour de deux ou trois personnages, puis d'autres

---

1. Montépin fut condamné en correctionnelle à trois mois de prison, le 14 juillet 1856, pour les passages suivants des *Filles de plâtre* : « Une jolie femme vue de dos, quelle occasion pour la claquer... » (p. 38); « J'en porte le capital dans mon corset » (p. 53); « Je te promets la nu-propriété et la jouissance de ma personne » (p. 53).

2. Avant-propos aux *Forces,* Renaissance du livre, 1920.

héros, avant de revenir aux premiers. Tous ses romans ont un air de famille[1].

La forme — comme chez Soulié et Ponson — était facile jusqu'à la négligence, car Montépin avait une grande aisance de composition, un « cerveau puissamment organisé », selon Duquesnel, et il resta un travailleur infatigable, ayant entassé plus de volumes que Dumas père. Un jour, à dîner chez lui, car on dînait volontiers chez Montépin, et fort bien, il fut un des derniers qui aient eu une « cave », s'éleva une discussion sur l'écriture. Albert Wolff était du repas. La littérature vint sur le tapis. « Ne parlons pas de ces choses-là! fit Wolff narquois. — Pourquoi? répliqua Montépin. — Parce qu'ici c'est le fruit défendu... — Alors, dites tout de suite que je ne sais pas écrire. — Je n'ai pas dit ça! — Mon cher, je n'ai pas de prétentions académiques, mais enfin, je sais écrire... J'écris comme on parle. — C'est que voilà, fit Wolff, la difficulté, c'est d'écrire comme on ne parle pas! »

Le romancier avait donc quelque prétention littéraire, et se piquait volontiers de psychologie, remarqua René Lehmann en 1911[2].

Son écriture très simple, sans trouvaille, son style un peu plat, à la grammaire correcte, évitant les outrances fiévreuses de Ponson, comme les rythmes syncopés de Chavette, fit les délices de générations de bourgeois et de petites gens. C'est un style passe-partout, enrobant un type de récit que l'on aime à se chuchoter pour se décanter d'une réalité trop précise. Si la syntaxe ne prend pas d'emballements oniriques, elle garde une certaine puissance, un certain sortilège, puisqu'on lit encore aujourd'hui du Montépin, avec plaisir.

L'originalité principale de l'auteur est de trousser une intrigue basée sur des sentiments simples, à la portée du gros public : l'amour, la violence, la haine, la vengeance, l'ambition, et de l'enrober de complications dramatiques destinées à étoffer davantage le fil conducteur, synthétisées par des personnages dotés de relief, des situations piquantes (la condition des Noirs dans les Antilles espagnoles, avec *Les Filles de bronze,* où l'érotisme sauvage des planteurs se déchaîne)[3].

Au bout de la course dans ce type de « romans de la victime », c'est la

---

1. Ainsi, lit-on dans *Les Pirates de la Seine* : « Est-ce ainsi que devait finir ce terrible Roland de Lascars?... C'est ce que nos lecteurs sauront en lisant la dernière partie de cet ouvrage : *La Maison maudite.* C'est aussi dans ce livre que nous retrouverons le marquis, etc. »

2. « Le roman populaire » *Renaissance contemporaine*, n° 10, 1911.

3. Dans *Les Chevaliers du Lansquenet,* c'est l'opposition du frère et de la sœur, donnée simple mais compliquée par le travers d'incidentes destinées à allonger la sauce.

rédemption finale de la victime du Mal, le châtiment grandiose ou sordide du criminel, et l'intervention parfois trop évidente d'une « Providence » taillée à la mesure d'un public bourgeois rationaliste : le conservateur et mercantile Montépin connaît les recettes qui plaisent, il a su à merveille dépeindre pour une société figée dans le réalisme quotidien les grands élans du cœur, l'éternel conflit de la passion et du devoir, de la haine et de l'amour, de l'innocence et de la perversité.

L'art du « suspense » est donné par une série de petites touches, une écriture ample et sinueuse, qui ne manque pas de force ni de couleur, la rupture brusque du récit à des moments-charnières, même si cette rupture n'est pas toujours expliquée par les nécessités du récit. N'oublions pas que Montépin écrivit pour les journaux la plupart de ses ouvrages : il ménage donc l'intérêt en fin de chaque chapitre par une chute sensationnelle, le passage d'une scène à une autre, d'un univers à un autre, un échange de répliques mystérieuses ou saugrenues, l'art des retours en arrière, et des digressions bien menées : récits, découverte de papiers sur un des personnages clés, etc. La sensation de peur, de plaisir, d'attente, chez le lecteur, doit être épaisse, immédiate.

Si Montépin n'a pas créé de « types » comme Rocambole ou Rodolphe, certains de ses héros s'imprègnent longtemps dans la cire du souvenir : la Gitane, empoisonneuse, chef de bande; Rodille, criminel heureux, à la fin exécuté par un chien atteint de rage; Jeanne Fortier, qui à force d'avoir sué tous les malheurs imaginables dans *La Porteuse de pain,* en atteint une sorte de grandeur. Et il m'arrive de songer à elle en voyant les porteurs de pain d'aujourd'hui. Du reste, une récente bande dessinée, parue dans *Spirou,* en fit la *Porteuse de foin.* (Il y eut aussi *Blanche Épiphanie,* la porteuse de chèques[1].)

La Porteuse de pain est justement le roman de Montépin qui a connu la plus grande fortune, notamment sous forme de feuilletons télévisés. Il date de 1885.

Dans l'édition Geffroy de 1903, le placard d'annonce dégouline de bons sentiments : « Drame poignant dont les péripéties douloureuses touchent jusqu'aux larmes.

« Il a conté avec une exactitude admirable la vie pénible des travailleurs. Il expose leurs soucis, leurs peines, leurs souffrances; il décrit longuement l'esclavage douloureux qui les courbe parfois si durement sous la domination des plus forts.

1. Bande dessinée de Lob et G. Pichard lancée par Georges H. Gallet dans *V-Magazine* et reprise depuis dans plusieurs albums.

« *La Porteuse de pain* — c'est une honnête mère de famille, qui, devenue veuve, reste pendant vingt ans sous le coup d'une affreuse accusation! Pendant vingt ans, elle attendra que la justice frappe le misérable qui l'accuse parce qu'elle n'a pas voulu l'écouter!...

« Injustement chargée du mépris public, elle ploie de douleur et de honte; mais elle lutte quand même jusqu'au bout, pour sauver l'honneur de son enfant [...] qui tenait, sans qu'on le sût [...] le secret sauveur, l'éclatante preuve de l'innocence. »

Jeanne Fortier, « bonne ouvrière, experte aux travaux de couture », d'abord concierge de l'usine Labroue, éconduit le vil contremaître Jacques Garaud, qui tue l'ingénieur Labroue. Jeanne est condamnée, s'évade de prison, cherche sa fille Lucie, recherche la nourrice. Lucie se trouve être la rivale de la fille d'un riche usinier. L'auteur apporte tout un luxe de complications dramatiques destinées à corser l'intrigue principale : résumée en quelque mots c'est : l'innocence persécutée et réhabilitée. On rencontre souvent ce tic : « Nos lecteurs se souviennent... »

Le peuple intervient peu, si ce n'est quand il est disposé comme le chœur antique.

Les archétypes sont ceux que comprend très bien une classe bourgeoise enfoncée dans des préjugés : le mariage impossible avec la fille de la criminelle car ce serait « aux yeux du monde » un mariage immoral; le fils de la victime aimant la fille de l'assassin; le gredin polymorphe qui n'a pas la sombre grandeur des héros du Mal de Ponson ou de Capendu : Jacques Garaud est devenu Hermant, et père de Mary : le Mal enfante le Bien, Garaud est le père d'une angélique jeune fille.

L'action de *Le Médecin des folles* (1879), qui tint sept mois en feuilleton, est faite de violents soubresauts — la fausse mort, un crime —, sous forme d'un édifice à plusieurs étages, chaque étage restant plus ou moins rigoureusement séparé de l'autre. Le fil conducteur est souvent, et pas toujours heureusement, brutalisé par des césures amorcées par des interpellations du lecteur, comme « laissons X à Saint-Mandé, où nous ne tarderons pas à le rejoindre, et prions nos lecteurs de nous accompagner à Auteuil... ».

Montépin relance aussi le « suspense » en mettant du mystère dans les gestes de ses personnages, mais les trucs utilisés frappent assez bas. Choix d'un « suspense » ouvert avec l'emploi de séquences fiévreuses, l'intérêt du lecteur est réamorcé en début de chaque chapitre.

Les héros du Mal sont de cyniques gredins, des jouisseurs représentant fort bien ceux de la réalité du temps : banquiers avides de jouir, mais ici, nulle critique sociale, une simple constatation de ces attitudes, sans commentaires. Montépin comme plus tard Richebourg eurent une conscience aiguë de leur classe, ils pensent et parlent en bourgeois, ils se font les défenseurs résolus des valeurs bourgeoises, de la bourgeoisie qui les entretient et à qui ils présentent des types d'aventures à la mesure du mercantilisme des années 1870-1890 : il ne faut surtout pas enlever au lecteur bourgeois le sentiment qu'il appartient à une époque bénie où triomphent les classes moyennes.

Le mercantilisme de l'auteur surgit quand il fait de la publicité pour le « fer dialysé Bravais » et s'en explique en note : « Ceci est le payement d'une dette de reconnaissance. L'auteur du *Médecin des folles* voyait sa santé compromise par vingt années d'un travail sans relâche. Le fer dialysé Bravais lui a rendu une vitalité nouvelle. »

Les archétypes sont eux aussi au goût du jour : l'erreur judiciaire, l'internement abusif, comme folle, de l'héroïne dans la maison de santé du véreux Dr Rittner; en présentant des situations corsées, horribles, Montépin sait qu'il plaît. Vieux raccord romantique, hérité de Sue, et prolongé par Ponson : le héros du Mal aux identités différentes (Rittner).

La Demoiselle de compagnie (1884) offre un autre exemple des procédés de l'auteur; comme dans la plupart de ses romans, l'exposition s'ouvre par une description de nature, située dans le temps : « Le 27 juillet 1881, à quatre heures du soir, une chaleur de trente degrés métamorphosait Paris en une vaste fournaise[1]. »

Les frères ennemis; l'abandon d'un enfant adultérin, thème d'actualité particulièrement intéressant pour la sensibilité populaire (le récit fut publié juste avant le vote de la loi Naquet sur le divorce). Geneviève, l'héroïne, aime Raoul, innocent du crime dont on l'accuse. Ici encore, le docteur est le personnage sympathique. Dans ce type de « roman de l'héroïne », Geneviève allant de catastrophe en catastrophe jusqu'au bonheur final, sont employés les ingrédients du roman semi-policier à effet : le poison végétal (qui sert aussi dans *Le Médecin des folles*); le héros du Mal est médiocre : Maximilien de Vadans s'interroge sur le bien-fondé de ses crimes; soustraction de testament « pour anéantir les droits de l'héritière légitime » : on a ici toutes les recettes du roman populaire bourgeois. L'intrigue successorale est médiocre : la défense de la propriété n'est pas une norme exaltante, mais elle suffit à rassurer le public bourgeois, qui couvrit d'or Montépin; les personnages sont taillés au niveau du bourgeois moyen, de chétive ampleur, dans le bien

---

1. Ce procédé sera repris et perfectionné jusqu'à l'outrance par Ohnet. Il deviendra un des stéréotypes les plus creux du genre. On le retrouvera aussi chez Jean de La Hire.

comme dans le mal. Les trucs employés pour ménager le « suspense » doivent être à la portée d'un public peu exigeant : substitution de cercueil, tentatives d'empoisonnement, action héroïque et digne du représentant de la justice, dépositaire de la norme, l'inspecteur Jodelet; l'auteur a emprunté sans vergogne à Ponson, à Gaboriau ou Chavette. Si l'on invoque Dieu, ce ne peut être que le Dieu médiocre d'un public de concierges et de rentiers, un Dieu ne mettant pas en cause les mécanismes de la société capitaliste[1].

Le style est correct, peu coloré; quand il tombe dans le lyrisme, il tombe à plat en raison de la boursouflure et de la grandiloquence des attitudes « nobles » de ces héros de mélo bourgeois. Le tic répétitif de l'auteur est parfois lassant : « Nos lecteurs savent déjà... nous nous garderons donc de les faire assister à l'attente vaine du jardinier. »

Là où Montépin excelle, c'est dans les grandes machines vivement décrites, composées de scènes posées avec une netteté qui en double l'effet, comme dans *Les Drames de l'adultère*. Le jeune viveur ruiné, de Nancey, aimé de Lizely, séduite par violence, est aussi aimé par Marguerite Bouchard. Nancey trompe Bouchard avec sa femme : pour se venger, le mari fait tuer Marguerite par un autre, Nancey épouse une femme qui l'entraîne dans des aventures excentriques. Il devient fou, étrangle sa femme. Ce drame compliqué se termine par quelques polissonneries de mauvais goût[2].

Montépin fut un auteur heureux, aimant la vie – les chiens, les chevaux –, accueilli avec enthousiasme par l'ensemble des grands et petits journaux, largement traduit hors de France. Il représente, mieux que tout autre romancier de la fin du XIXe siècle, le caractère d'universalité du genre. Tel qu'il est, avec tous ses tics, ses procédés parfois portés à la caricature, il illustre brillamment la fortune d'un type de gros roman boursouflé, tapageur, criard, doté d'une psychologie épaisse, peuplé de personnages dépourvus d'ambiguïté, mais vivants et prenants. Ses continuateurs et adaptateurs : Mary, Richebourg, accommodèrent

1. A de rares exceptions près, valables pour le « roman de gauche » (Odysse Barot, par exemple), les dépositaires de la norme : juges, policiers, sont dotés d'un caractère immuablement bénéfique, leur mission est incontestable. Ils ont remplacé le justicier asocial de Sue.

2. La publication des *Drames de l'adultère* dans une feuille de gauche fut brusquement suspendue, vers 1880, les lecteurs s'étant plaints des trop constantes attaques de l'auteur contre la Commune.

avec moins de brio les sauces parfois indigestes du roman populaire sentimental et bourgeois.

BIBLIOGRAPHIE

ALMÉRAS (Henri d'), *Avant la gloire,* Société française d'imprimerie et de librairie, Paris, 1902.
AURIANT, « Xavier de Montépin romancier réaliste, moraliste et poète baudelairien », *Mercure de France,* n° 945, Paris, 1937.
BABOU (Hippolyte), *Les Sensations d'un juré,* Lemerre, Paris, 1875.
BETHLÉEM (Louis), *Romans à lire et Romans à proscrire,* Masson, Cambrai, 1908.
BIENVENU (Léon), *Prolonge tintamaresque au feuilleton de Montépin,* Ghio, Paris, 1875.
BIENVENU (Léon), *Le Trombinoscope,* n° 66, Paris, 1882.
CHATILLON-PLESSIS, *La Vie à table à la fin du XIXᵉ siècle,* Didot, Paris, 1894.
CLOUARD (Henri), *Histoire de la littérature française,* Albin Michel, Paris, 1959.
CREPET (Jacques), « Baudelaire et Montépin », *Mercure de France,* n° 955, Paris, 1938.
DUBOURG (Maurice), « Image de la bourgeoisie et Idéologie bourgeoise », *Europe,* n° 242, Paris, 1974.
DUQUESNEL (Félix), *Souvenirs littéraires,* Plon, Paris, 1922.
SALENNE (Ernest), « Arlequinades », *L'Arlequin,* n° 10, Paris, 1860.
ZÉVAÈS (Alexandre), *Les Procès littéraires au XIXᵉ siècle,* Perrin, Paris, 1924.

CHAPITRE II

Du naturalisme au mélo

L'AFFERMISSEMENT de la société en France, après les orages de la guerre de 1870 et de la Commune, suscita, comme on l'a vu avec Montépin, un certain type de littérature reproduisant les idéaux et les appétits des lecteurs bourgeois. Le « roman de mœurs » de l'époque romantique, affadi sous le Second Empire, ou violemment troussé par les auteurs de récits judiciaires à sensation, les Zaccone, les Beaujoint, s'affaiblit au profit du roman populaire sentimental, où la contestation sociale est esquissée à gros traits, où les grands échos de la sensibilité populaire se reflètent, plus ou moins intensément : procès d'assises, vote de la loi sur le divorce, qui sépare bien des familles, bien des consciences – le divorce est peu mentionné dans les feuilletons des quatre grands journaux parisiens : *Le Matin, Le Petit Parisien, Le Petit Journal, Le Journal* –, statut de la fille-mère, essor des campagnes coloniales, celle du Tonkin, notamment.

A un nouveau type de société, axée vers la consolidation des structures capitalistes, la revanche sur l'Allemagne, la défense des institutions républicaines, de l'État laïque, centralisateur et anticlérical, correspondit un nouveau type de littérature, et donc de lecture : le roman populaire « mondain », dont les linéaments occupèrent bien des récits de Montépin, et qui trouvera son apogée avec Ohnet. Les critiques ont beau jeu de déplorer les ravages causés par le roman populaire dans la sensibilité des couches laborieuses, il n'en reste pas moins le seul type de lecture publique, courante, de lecture de masse et de grosse consommation : du feuilleton que l'on se passe de main en main pour le commenter, en prolonger la force d'impact, à la publication en volumes – sous forme de livraisons ou de fascicules – en passant par les affiches violemment coloriées, couvertes de titres raccrocheurs ou bizarres, le roman populaire est lu par tous.

A un type de littérature, nécessitant une lecture rapide, presque hâtive – pour les ouvriers, avant ou après le travail –, la grande édition populaire apporta une réponse, un support, en multipliant les collections à bon marché : ce fut le cas avec Jules Rouff, qui se développera surtout à partir de 1890. La maison Rouff s'adapta merveilleusement aux nécessités de l'âge industriel, ce fut elle qui lança la formule des placards de romans accrochés sur l'arrière de voitures publicitaires; qui, tout en ressortant le vieux fonds des cabinets de lecture – Kock, notamment, et Pigault-Lebrun, publia les auteurs les plus goûtés du public. Cette littérature fut-elle une « sorte d'alcoolisme », comme l'écrira Henri Chantavoine en 1897, prodiguant des « intrigues niaises et compliquées, qui troublent... des cervelles élémentaires »? Eut-elle des conséquences déplorables, fut-elle un « produit dangereux » pour les esprits romanesques des ouvriers et ouvrières? Le feuilleton chassa-t-il en eux le sens du réel? Il est difficile de le mesurer avec précision, les rares critiques s'étant penchés sur le genre le firent avec une trop évidente partialité. Opium du peuple, peut-être, dans la mesure où il fit supporter par les masses un destin souvent précaire, sinon misérable. Ces lecteurs populaires s'identifièrent aisément au personnage sympathique, « dernier bâtard, selon Chantavoine, du romantisme et du naturalisme combinés, avec le socialisme pour parrain... c'est l'éternelle victime, révoltée ou résignée, mais toujours touchante, de la société bourgeoise; un réfractaire au pacte social ou un paria » : un échappé de prison, un évadé d'asile de fous. Chantavoine eut raison de voir dans les fictions souvent grossières, véhiculées par les journaux, un agent de décomposition social le plus efficace et le plus rapide, avec l'influence d'une certaine littérature sur les mœurs, « c'est la vie intellectuelle et morale du peuple qui n'en veut plus d'autre », mais il parle en conservateur, comme le fit Veuillot en 1863, pour condamner le genre dans son ensemble, sans appel[1].

De son côté, la critique catholique range les auteurs de la fin du siècle sous l'étiquette de romans « mondains » : l'abbé Bethléem accablera ces

1. Il ne faudrait pas oublier l'essor de la littérature populaire féminine, traduit par Claude Vignon ou George Maldague. Sur ces romancières, on consultera P. Bertrand, Les femmes auteurs », *Le Constitutionnel* (7/14-2-1887).

La Bibliothèque des mères de famille, composée d'in-12 à 2,50 francs, lancée en 1887 par Firmin-Didot, reste inaccessible au public populaire (romans de Berthe Neulliès, de Campfranc, de P. du Château).

« bâcleurs de copie », producteurs de « littérature marchande », qui veulent surtout atteindre la foule, détestent l'obscénité, mais « poussent très loin l'analyse de la passion, ils l'interfèrent d'une manière courante [...] au milieu de scènes [...] de prison, de duel, de trahison, et, brochant sur le tout, ils jettent une littérature quelconque, une psychologie de convention avec toujours une intrigue à effet où la fameuse " théorie des pêches à quinze sous " joue le principal rôle[1]. Tels sont Boisgobey, Decourcelle, Mary, Montépin, Richebourg... » Bethléem leur reproche aussi de démasquer le vice, « mais après en avoir tracé des descriptions qui engendrent dans l'esprit du lecteur une tentation toujours renaissante. Ils dépeignent l'amour-passion en traits fort vifs avec une complaisance qui se confond aux yeux du lecteur avec une demi-complicité; ou bien... ils développent avec chaleur une intrigue tourmentée destinée à préparer le mariage classique de la fin[2] ».

Jules Mary

Il naquit à Launois-sur-Vence, petit village des Ardennes, en 1850. Il était issu d'une famille de cultivateurs ardennais. Il fit ses études à l'école de son village, puis au petit séminaire de Charleville, moins par vocation que pour des raisons matérielles, sa famille ayant peu de moyens. Il fut au petit séminaire un condisciple de Rimbaud et projeta, en 1866, de partir avec lui explorer les sources du Nil. Le futur et étonnant romancier, qui devait donner une fête en son hôtel pour célébrer le « premier million » que lui acquit sa plume abondante, fit l'acquisition d'un dictionnaire portugais devant lui faciliter le voyage. Il fut renvoyé du séminaire pour avoir acheté et lu des ouvrages « défendus », notamment ce dictionnaire.

Le jeune Mary passa ensuite à l'institut Rosati, où il finit ses études, tout en lisant beaucoup de romans. Il s'engagea comme franc-tireur

---

1. C'est-à-dire des intrigues composées de faits divers, de petits événements collés les uns aux autres.

2. Le roman populaire érotique n'existe pour ainsi dire pas, hormis quelques individualités comme Dubut de Laforest. Félicien Champsaur donnera à l'érotisme ses lettres de gloire, en entourant ses fictions d'une sorte de socialisme dont les contours vagues prétendaient rappeler l'humanitarisme de Sue. En fait, à la fin du xixe siècle, le roman populaire naturaliste adopta rarement des données délibérément incongrues : on peut citer *Madame la Boule* d'Oscar Méténier (1890), condamné en justice pour immoralité publique. Quant à *Mlle Giraud, ma femme*, d'Adolphe Belot, ce ne fut qu'un hors-d'œuvre rendu surtout célèbre par le refus du *Figaro* de poursuivre la publication du roman (1870).

après Sedan, et prit part avec le 6ᵉ de ligne à la défense de Mézières. Vers la fin de 1871, il gagna la capitale, et y connut quatre ans de demi-bohème, de vache enragée. Il gagna huit francs par mois à collaborer à un petit journal, puis entra au *Siècle,* au *Paris-Journal.* Après ces moments difficiles, il alla diriger en province, en 1875-1876, *L'Indépendant de Châtillon-sur-Seine.* De retour à Paris, il devint rédacteur parlementaire au *Moniteur universel,* tout en passant ses nuits à écrire. Il débuta comme romancier par la publication de *Amour d'enfant, amour d'homme* dans *Le Siècle* (1875), et la même année, chez Fayard, *Le Roman d'un berger.* En 1876, ce sera *La Misère des riches* et *Un mariage de confiance,* ce dernier récit étant un feuilleton du *Siècle.*

L'histoire de sa vie est alors celle de ses ouvrages, il quitta *Le Moniteur* où il gagnait huit cents francs par mois, et *Le Temps,* auquel il donna une relation du siège de Mézières en 1870, et signa un traité avec Piégu, direc-teur du *Petit Parisien,* puis passa au *Petit Journal* qui lui paya chaque année la somme mirifique de 30 000 francs-or [1].

Devenu en peu d'années un auteur à succès, gagnant fort bien sa vie, Mary épousa Gabrielle Mesnier et en eut deux filles. Dans ses loisirs, il pratique la chasse, la pêche, le tennis, le canotage. Il s'offre un hôtel au 169 boulevard Malesherbes. Il donne des romans au *Courrier républi-cain,* au *Figaro,* à *L'Illustration,* au *Petit Paris,* en tout : plus de quatre-vingts titres. Il était loin, le temps qu'il était sergent en 1870, prisonnier après la reddition de Mézières, et qu'il avait débarqué à Paris avec trente-cinq francs et l'espoir de faire du théâtre. Feuilletoniste attitré du *Petit Journal* et du *Petit Parisien,* qui se disputent la clientèle des concierges et des midinettes, il soigna davantage la forme de ses livres : plan préalable dressé avec minutie, grand soin du cadre, l'action est souvent précédée d'un voyage sur les lieux mêmes que l'auteur pensait décrire. Devenu riche, il passe six mois de l'année en Touraine, au château de la Che-vrière, qui lui inspirera le cadre de *La Pocharde.* Mary figura au concours de célébrités de *L'Intransigeant* en 1907, avec Daniel Lesueur. Il fut nommé officier de la Légion d'honneur dans la promotion spéciale du 5 juil-let 1913. Le cinéaste Étievant réalisa en 1919 *La Fille sauvage,* et Volkoff, le film *La Maison du mystère.* L'auteur mourut à Paris en 1922.

Comme Montépin, Mary pouvait dire : « Le travail, c'est mon plaisir et c'est ma vie. » Écrivain et confrère aimable, il ne se fit jamais d'ennemis. Marcel Allain me confia : « J'ai le souvenir d'un très grand vieillard... Pas

---

1. A titre de comparaison, *La Petite République* paya en 1901 la somme de huit cents francs à Edmond Claris son feuilleton *Dépouilles sanglantes.* Mary était payé trois francs la ligne.

poseur du tout. Très simple, et qui donnait de bons avis au débutant que j'étais. » Quant à lui, F. Lhomme écrivait en 1898 : « Il y a des romanciers qui n'écrivent pas. Fortuné du Boisgobey, Jules Mary, Richebourg et cent autres amuseurs, qui peinent au service des journaux, sont de ceux-là. Ils inventent des aventures, ils machinent des scènes, ils ménagent des surprises, leur main court, et leur style va comme il peut. Quand ils sont compris du gros des lecteurs, on est content d'eux, car on ne leur demande pas plus... Ils ne font pas de bien; mais ils ne sont pas nuisibles; ils aident les oisifs à perdre leur temps [1]. »

Écrivain très consciencieux, Mary prit l'idée d'une classification à Balzac et à Zola : romans militaires, romans judiciaires et de police, romans d'aventures et de drame, et la série « Les Vaincus de la vie ». Son œuvre regroupe aussi des romans d'actualité (*Les Nuits rouges ou l'Irlande en feu,* 1881). Auteur patriotique (*Le Régiment,* 1890; *La Fiancée de Lorraine,* 1904), il dépeint avec une certaine justesse les conseils de guerre, dans *Le Régiment.*

Son œuvre est pleine d'invention, très solidement construite, mais les qualités spécifiques qui lui valurent son succès sont la capacité d'émouvoir et la force de faire pleurer : Féval fils, dans son éloge funéraire de Mary, saluera ces « œuvres émotionnantes, tendres et surtout patriotiques ». Mary sut plaire à toutes les classes du public auxquelles il s'adressa tour à tour. Il connaissait à fond le pouvoir communicatif de tous les sentiments humains et fit éprouver à ses lecteurs « le charme ou l'émotion qui émane de chacun d'eux ». Ainsi, dans *Les Pigeonnes,* « sans faire la part des concessions forcées que réclame le goût du public, il révéla des qualités de stricte observation et une science de l'étude des mœurs [2] ».

Il faut y joindre la verve captivante de tous ses récits, le multiple attrait de son imagination toujours en éveil qui passe, avec aisance, du roman d'aventure au drame patriotique, populaire ou mondain.

Tout en s'affirmant comme un disciple des grands auteurs populaires qui, particulièrement dans la seconde moitié du siècle dernier, s'attachèrent à combler une lacune littéraire, en écrivant des œuvres accessibles à tous les publics, Mary rénova un genre qui menaçait de tomber en désuétude. Reconnaissant que la venue de l'école naturaliste compromettait fortement la tâche des imitateurs de Sue et Dumas, l'originalité de Mary consista à accommoder le naturalisme en lui don-

1. *La Comédie d'aujourd'hui,* Perrin, 1898.
2. Album Mariani, Floury, 1899.

dant un ton convenable et mesuré, tout en conservant l'essentiel de l'héritage romantique : il navigua ainsi entre naturalisme et mélo, marquant d'une profonde empreinte l'évolution du roman populaire, dont il facilita l'extension et créa, pour ainsi dire, le type définitif. La puissance d'émotion, la modernisation du genre par les recettes naturalistes, confèrent à l'œuvre de Mary un cachet particulier. Tels sont les points forts de l'auteur du *Démon de l'amour,* c'est-à-dire les moyens qui lui permirent d'attirer d'innombrables lecteurs, dans toutes les classes de la société. Les points faibles sont ceux de la plupart des romanciers populaires et sont la contrepartie des lois du genre : exagération des sentiments et des situations, tirades creuses sur l'honneur (très usitées dans les œuvres de Mary), exagération fausse du droit moral des gens, aboutissant à une morale au rabais, encore et surtout, leitmotiv de l'honneur (honneur du soldat, honneur du mari, honneur de la femme). La contrepartie de cet honneur étant la « honte » qui mord les personnages en état de défaillance morale, « honte » marquant particulièrement l'univers romanesque de Mary. C'est ce naturalisme accommodé à la portée des lecteurs moyens du *Petit Journal* et aux techniques du roman populaire qui assigna une place à part à Mary. Comme le dit Maurice Talmeyr en 1903 : il fut « des esprits en partie libérés des vieilles redites anarchistes et des vieux poncifs antisociaux[1] ».

Une construction rigoureuse, un vif intérêt pour les études de caractères, voire pathologiques, un art minutieux et strict, une technique du « suspense » accordée à la sensibilité de la fin du siècle, des débuts parfois maladroits ou imprécis, des conclusions abruptes, bâclées mais aussi parfois bien venues, telle est la patte de Mary. Le style est très correct, conformiste, parfois lyrique.

L'art de l'auteur n'est pas en défaut dans *La Pocharde* (1898), on retrouve sa discrétion et sa précision, son souci constant du détail, de la vérité des personnages, des décors, surtout, rendus avec une sorte de minutie pointilliste. Tout est vu, senti, évoqué sans complaisance excessive, rendu d'une façon presque concrète. Le décor est recréé : la province quiète et assoupie dont la torpeur fait contraste avec le drame qui s'enroule dans son ombre, très vite, nous y sommes comme chez nous. Et les personnages ont également leur réalité, leur densité, leur vie intérieure à laquelle nous sommes sensibles. L'écriture est parfois trop recherchée. Le cas étrange de la victime de l'erreur judiciaire est présenté d'une

---

1. Encore qu'il faille nuancer le propos de Talmeyr, critique réactionnaire. Mary ne pouvait pencher plus à gauche qu'un Pierre Sales ou qu'un Decourcelle. En cela, il était bien de son temps.

manière assez attachante. Dans cette fresque romantico-romanesque, l'accent naturaliste est la dominante. C'est un bon roman : les tableaux s'épousent, ont quelque chose d'une fresque. La narration amuse, avec ses épisodes brillants, divers et mouvementés. Le langage donne profondément le frisson de la vie, l'auteur sait animer et décrire les scènes de la vie quotidienne.

Comme Jeanne Fortier, Charlotte connaît un calvaire qui semble sans fin : enceinte à la suite d'un « crime infâme », elle va de chute en chute, dans une atmosphère pessimiste, assombrie, qui se ressent de l'influence naturaliste. On retrouve le naturalisme dans l'étude de l'état pathologique de Charlotte, dû aux fumées des fours à plâtre; et dans l'utilisation de l'hypnotisme pour persuader une mère que son enfant est vivant : Mary se fait ici l'écho des expériences de Charcot à la Salpêtrière. Les nobles sont flattés : du Thiellay, « simple et bon », mari de Clotilde, qui le trompe avec Mathis, alors que Charlotte Lamarche est l'épouse d'un ingénieur expatrié en Amérique (l'Amérique est souvent présente dans ces romans de la fin du XIXe siècle).

Mary a pris sans doute à Zola cette conception du caractère fatal des institutions et des caractères, mais, à l'encontre de Zola, n'éprouve pas de préoccupations sociales : *La Pocharde* est un faux roman criminel, le juge d'instruction n'est pas coupable d'accuser Charlotte de crimes. La « faute » de la mère s'étend sur les enfants : les filles de la Pocharde sont des êtres ballottés par les intempéries de la vie. Ce livre bizarre, où l'auteur est parti d'une donnée curieuse et vraie (une femme suppliciée et innocente, rejetée par la société), présente un certain déséquilibre, car Mary se fourvoie dans un inextricable fourré d'invraisemblances. La forme très travaillée se ressent du caractère hybride de la donnée. Tantôt Mary abuse des couleurs brutales et des violences d'expression mises à la mode par le naturalisme, et son style est violent et clinique : « Toute la nuit, a brûlé, en son cerveau, la flamme sourde de la plâtrière et il a pensé aussi à cet autre asphyxié [...] qui, en se penchant au-dessus de la cheminée du four, avait rencontré là les gaz empoisonnés et était tombé sans mouvement. » Tantôt, le style est ampoulé, enflé de stéréotypes : « Se sentant mourir, elle voulait, avant de descendre dans la tombe, embrasser son neveu... » Les indécisions dans la forme et les romanesques invraisemblances du fonds montrent ce qu'il y a de pénible et de mal équilibré dans ce livre[1].

---

1. Peut-être aussi faut-il y voir l'effet d'une rédaction collective. Mary, comme on le sait, avait des secrétaires, plus volontiers chargés des gros ouvrages, alors qu'il se réservait des textes plus personnels, et plus courts, comme *Les Pigeonnes*.

Les archétypes sont fournis avec assez de rigueur pour les rendre acceptables : la fille de la fausse criminelle amoureuse, les frères ennemis.

Roger-la-Honte (1887-1889) a une exposition précise et rapide; le nœud du drame est exposé d'emblée : l'ingénieur mécanicien Roger Laroque a-t-il tué Larouette « pour éviter la ruine et la faillite »? Ici encore, le héros appartient aux classes moyennes, il est au goût du jour, c'est l'ingénieur lié au progrès de la science. On note une grande rigueur et beaucoup de logique dans le déroulement : comme chez Richebourg, le concurrent de Mary qui lui ressemble le plus. Roger, mari d'Henriette, pour ne pas compromettre sa maîtresse Julia, se tait : sur cette donnée de la vie réelle, l'auteur nous taille une trame serrée où les juges d'instruction ont toujours raison. L'exagération des sentiments situe et campe les personnages dans les attitudes classiques du mélo : la femme fatale, Julia; l'homme au grand cœur, Roger, digne pendant de la Pocharde, bon tout d'une pièce, « préférant la honte et une condamnation presque certaine plutôt que de déshonorer Lucien de Noirville, en révélant l'adultère de Julia »; le criminel pervers, Luversan. Ce drame se joue entre gens de même bord, presque de même famille : vieil archétype : Lucien, ami de Roger, est l'époux de Julia, qui le trompe avec Roger. La fille du faux criminel aime le fils de Julia. L' « honneur » oblige Roger à ne pas trahir une femme dont la déposition l'eût sauvé. Le forçat innocent. La justice reste intangible : « Ce ne sont plus des hommes [pense Lucien pendant le procès de Roger], ils représentent un principe, une chose sacrée, divine, la Justice!... quelque chose qui est au-dessus de tout, comme une sorte de dieu moderne, qui est la Loi! » Du reste, Roger ne conteste pas sa condamnation, à l'encontre des héros romantiques qui s'insurgent contre leur mauvais destin.

On notera l'abus des phrases sèches et courtes, du tirage à la ligne : c'est du style de feuilletoniste.

L'influence du naturalisme se retrouve dans *Le Boucher de Meudon* (1882) où l'on voit une mère jalouse de l'amour de son fils, le tuer plutôt que d'accepter l'idée de le voir vivre loin d'elle.

Un coup de revolver (1882) est caractéristique aussi de la patte de l'auteur. Comme dans la plupart de ses livres, car c'est un provincial qui conte, resté attaché à la vie de province, Mary ouvre le récit dans une quiète province. Le juge d'instruction Dampierre aime Suzanne, fille du général Hormais, et sœur de François. Les femmes épousent des hommes qu'elles n'aiment pas mais qu'elles estiment : Madeleine Gonssolin est aimée par le braconnier Lhoir, alors qu'elle est la maîtresse de François [1].

Pour mieux capter l'intérêt du lecteur, Mary procède par petites touches destinées à dégager l'événement capital qui amorce l'intrigue, mais il ne le fait qu'au tiers du récit : « La nuit où ce double rendez-vous fut donné est celle qui commence notre récit... Nous allons donc reprendre le roman à son premier chapitre... » On passe ainsi sans transition de l'intrigue amoureuse à l'enquête judiciaire, qui sont les deux pôles de l'action (meurtre de Gonssolin, sa femme devient folle). Puis c'est la partie judiciaire qui l'emporte, puis on revient à l'un des nœuds de l'action, que l'auteur semblait avoir négligé ou oublié en cours de route : l'amour de Dampierre pour Suzanne; la seconde partie fait référence au début du livre.

Mary est un maître de la littérature attendrissante. (On demanda à Richebourg quel prix il recevait pour faire pleurer Margot.) La douleur de Suzanne est peinte à faire frémir : « Elle ne pleurait pas. Ses yeux, ses joues étaient enfiévrés, mais pas une larme [...] cette douleur était effrayante. » L'émotion à gros effet joue ici encore autour de l'honneur (celui de l'assassin, de François, que Suzanne veut défendre en offrant sa main au juge). Ainsi dit-elle : « Je me défendais de vous aimer comme d'une faute. Je pleurais... Je vous aimais et je sentais que c'était une indignité. Vous m'aimiez, et je comprenais qu'en vous laissant confiant et heureux, c'était une lâcheté... »

La vérité psychologique est davantage respectée que chez Montépin : le bonheur de Suzanne et de Dampierre restera marqué par « quelque chose de grave et de triste ».

Mary utilisa avec un certain bonheur les qualités du roman naturaliste : l'observation serrée, la recherche scientifique, un certain pessimisme poignant, l'étude attentive de ce qui est humain, fût-ce du plus vilain côté de l'humanité, mais surtout il fut un virtuose de l'émotion. La réaliste critique rachète le manque de vraisemblance. Les caractères proprement dits sont peu variés, malgré la multiplication des personnages, tous fort expressifs à la surface : c'est presque invariablement la même jeune fille crucifiée ou la même dame plus ou moins viveuse (la Julia de *Roger-la-Honte,* les héroïnes d'*Amour défendu,* de *La Belle Ténébreuse*), ou la fille ou le fils d'une voleuse ou d'un assassin, le même amoureux large d'épaules, tantôt un peu stupide, tantôt paré de tous les dons.

---

1. Ce roman appartient au second genre de Mary, le premier tenant du feuilleton d'aventures et d'imagination. Ici, il s'agit de livres très faits, très étudiés — en y comprenant *Les Pigeonnes, La Bien-Aimée* —, où l'imagination ne joue pas le grand rôle. Ici surgit un Mary psychologue et styliste, épris de la forme.

Ses héroïnes, si franches, si spontanées, si séduisantes et souvent si malheureuses, sont toutes de chair et de nerfs, naïvement passionnées, indistinctement généreuses, toujours sincères, parfois corrompues (mais alors en proie au remords, comme Julia dans *Roger-la-Honte*) elles nous charment à la façon de chaudes et sympathiques créatures vivantes [1].

Mary a fait un adroit mélange de plusieurs éléments en vogue dans son temps : l'erreur judiciaire, d'abord. Sans doute lui accorda-t-il une grande importance dans son œuvre parce qu'il fut influencé par les nombreuses interviews de forçats présentés comme des victimes mystérieuses... « C'est un entraînement, un sport, dira Talmeyr, et les pouvoirs publics, dans une certaine mesure, se prêtent même à la poussée. Le roman-feuilleton, à la longue, a pénétré jusqu'à l'État. Nous avons un gouvernement de roman-feuilleton! »

Entrent aussi en jeu le magnétisme, les scandales de Paris, sous forme de roman sensationnel. Les conclusions sont vraiment trop arrangées à souhait, mais ainsi le veut la loi du genre.

Les défauts sont inhérents au roman populaire : l'action se perd dans des détails accumulés, trop de longueurs rendent ennuyeux certains gros livres; les récits sont parfois composés avec négligence et renferment plus d'une scène puérile et maladroite, mais là où éclatent les rares qualités du narrateur, c'est dans le sentiment de la nature, le mélange discret de poésie à fleur de terre et de réalisme intimiste : Mary ne se sent pas à l'aise dans la description des états d'âme collectifs — comme chez Ponson et même chez Montépin —, mais dans les tableaux de genre. On notera aussi la finesse des portraits : ces œuvres valent surtout par l'étude des caractères, aussi solides, d'un dessin aussi juste et aussi serré que si le récit où ils se meuvent n'était pas romanesque.

Un trait insignifiant en apparence, une remarque jetée incidemment, amène tout l'intérêt vers un développement rigoureux : une séduction, une erreur judiciaire, voilà certes des matériaux souvent employés, mais renouvelés par le jeu des passions.

En bon réaliste, Mary opère par petits traits, accumule les détails, mais les surcharges gênent souvent la perspective (hormis dans les récits courts, comme *Les Pigeonnes, Un coup de revolver*). La phrase est lourde et les développements compacts, l'expression y est souvent juste, mais sans imprévu, sans grand éclat. Si la profondeur d'analyse et la puissance d'évocation lui font souvent défaut, il a réussi à nous restituer une image presque authentique des milieux qu'il a traversés et des existences

---

1. Mais il s'agit d'un naturalisme rose bonbon. Mary fuit les études introspectives.

moyennes qu'il a vu se dérouler. Comme Montépin et Richebourg, Mary a la conscience de sa classe : il reste bourgeois quand il étudie de près la bourgeoisie, qu'il classe en bons et en mauvais éléments. Le peuple apparaît peu, hormis dans *Diane la Pâle,* deux vagabonds vivant de chantage et de mendicité mais ayant bon cœur. Comme il l'écrivit dans *Roger-la-Honte,* Mary destina son œuvre au « monde des honnêtes gens qui, fort heureusement, compose encore les neuf dixièmes de l'humanité civilisée ». Dans cet univers, pas ou peu de préoccupation sociale mais des personnages flambant neuf : officiers, nobles, servantes fidèles, belles comtesses. C'est ce genre de roman que la classe ouvrière recherchait [1].

Marie-Louise Gagneur

Née à Damblans en 1837, elle épousa un député radical. Elle écrivit à *L'Événement* en 1872. Élevée en partie dans un couvent, elle en garda des souvenirs âcres, qui expliquent son profond et tumultueux anticléricalisme dont « le parti pris tourne même... à la spécialité industrielle », selon Talmeyr. Pendant toute la durée du cabinet de Broglie, vers 1874, la vente de ses ouvrages fut interdite dans les gares. Elle mourut à Paris en 1902.

Elle se situe sur l'autre versant du naturalisme mesuré de Mary : son œuvre est pleine de bruit et de fureur, d'ardeur et de prosélytisme. Elle comprend essentiellement des romans anticléricaux *(La Croisade noire, Le Roman d'un prêtre, Un chevalier de sacristie, La Vengeance du beau vicaire)* et des récits d'inspiration féministe et sociale *(Les Forçats du mariage, Les Réprouvées, Les Crimes de l'amour).* L'auteur plaide pour la recherche de paternité dans *Les Crimes de l'amour.* Dans *Les Droits du mari* (1876), elle attaqua l'article du code autorisant le meurtre « légal » de la femme adultère par son mari. *Les Réprouvées* offre une intrigue attachante et présente des solutions à la condition ouvrière et féminine. Une des héroïnes veut combattre la dégradation de la femme par le vice, l'ignorance, l'excès de travail ou la misère en créant une sorte de ligue universelle pour l'amélioration du sort moral et matériel de l'ouvrière.

---

1. Jules Mary ne se servait de nègres que pour la seconde mouture, lorsque, ayant produit un feuilleton de 25 000 lignes, il devait pour la reproduction en province le porter à 60 000 lignes. Il payait bien et donnait jusqu'à trente centimes la ligne.
Il est par excellence le peintre de la classe qui fit sa gloire : fringants officiers, bourgeois enrichis. Le peuple n'entre que par la porte de service.

Victimes de la société : l'ouvrière Fossette, devenue courtisane ; Claudine, trahie et vendue par l'homme aimé, se tuera par désespoir. La lutte est du moins soutenue par la troisième héroïne, Madeleine, récompensée à la fin de son courage[1].

Les Forçats du mariage se dresse contre l'oppression de la loi consacrant le lien indissoluble et faisant trop souvent de la vie conjugale un martyre de chaque jour. *Le Calvaire des femmes* met à nu la plaie sociale de la situation malheureuse des femmes, l'oppression de l'ouvrier et surtout de l'ouvrière par le patron.

Une trentaine de chefs de sociétés coopératives parisiennes écrivirent au *Siècle* vers 1876, à l'occasion d'un nouveau feuilleton de Mme Gagneur : « Il est des ouvrages qui, sous la forme la plus attrayante, se proposent un but éminemment utile : tels sont *La Croisade noire* et *Le Calvaire des femmes*. Depuis les romans d'Eugène Sue, qui ont si puissamment contribué aux améliorations déjà obtenues dans la condition des travailleurs, aucun ouvrage de ce genre n'aura prêté, selon nous, un concours aussi efficace à la réalisation de celles qui restent à accomplir.

« [...] Voilà pourquoi nous vous prions, monsieur le Directeur, de faire parvenir à l'auteur de ces deux ouvrages, non seulement l'hommage de notre admiration pour son beau talent d'écrivain, mais encore et surtout l'expression de notre gratitude pour le notable service qu'elle rend à la cause du progrès. Nous avons la conviction d'être aussi les interprètes de tous les travailleurs. »

Si Marie-Louise Gagneur fut avec conviction un feuilletoniste de gauche, elle fut aussi pleine de cœur, le sentimentalisme de Sand en moins. Elle sut aller droit au plus intime des questions, sans perdre de temps.

BIBLIOGRAPHIE

ALBALAT (Antoine), *Souvenirs de la vie littéraire*, Ferenczi, Paris, 1920.
Album Mariani : *M. Jules Mary*, Floury, Paris, 1899.
DIEBOLT (Évelyne), *« Le Petit Journal » et ses feuilletons*, 1863-1914, thèse, Paris, 1975.

---

1. *Les Réprouvées* (1867) constitue un écho touchant et lointain des mouvements féministes de 48, des Vésuviennes. Si M.-L. Gagneur pécha par « ouvriérisme », ce fut par conviction, non par esprit mercantiliste. *Cf.* André Rigaud, « M$^{me·}$ Gagneur », *Le Voltaire*, 20-2-1902.

DUBOURG (Maurice), « Jules Mary », *Désiré,* n° 20, Paris, 1969.

FERNAND-HUÉ, « Jules Mary », *Courrier artistique et littéraire,* n° 1, Paris, 1893.

LHOMME (F.), *La Comédie d'aujourd'hui,* Perrin, Paris, 1898.

MAZE (Jules), *Jules Mary,* imprimerie Rey Robert, Paris, s. d.

MILLE (Pierre), « Un aspect du " cas Rimbaud ", *Age nouveau,* n° 1, Paris, 1938.

MONTFORT (Eugène), *Vingt-cinq ans de littérature française,* Librairie de France, Paris, 1927.

OLIVIER-MARTIN (Yves), « Une étude au royaume du feuilleton », *Mercury,* n° 11, Clermont-Ferrand, 1966.

SAMET (Jean-Pierre), « Il y a cent ans naissait Jules Mary », *Gazette des lettres,* n° 7, Paris, 1951.

TALMEYR (Maurice), « Le roman-feuilleton et l'esprit populaire », *Revue des deux mondes,* n° 534, Paris, 1903.

CHAPITRE III

Triomphe du larmoyant

MAINTES fois, les critiques — souvent, les plus hostiles au genre — ont voulu le compartimenter en plusieurs catégories, l'étiqueter, opposer telle tendance à telle autre : en fait, par-delà les sous-titres fournis par les éditeurs ou les auteurs, pour accrocher le public, une grande et remarquable unité caractérise l'ensemble de la littérature populaire. Cette unité constitue justement la complexité d'un travail de synthèse destiné à définir l'essence du genre, le caractère commun qui rassemble, comme étant d'une seule et même famille, le roman d'aventures pour la jeunesse, le roman populaire et mondain, le roman d'aventures policières, le « cape et épée », etc. Le roman populaire, c'est l'amour et la haine, ce sont les pulsions motrices de la vie : on les rencontre aussi bien dans les intrigues criminelles que dans les petites histoires pour midinettes[1].

Un vaste domaine sociologique constitue le fonds commun, la matrice de tous ces récits : conflits d'intérêt, d'opinion, de passions, de milieux ; sur cette base ou donnée élémentaire repose l'acte crucial (invasion du Mal, sous toutes ses formes, trouble apporté au bonheur) qui en contre-partie déclenchera le mécanisme justicier. Tous les archétypes du genre : vengeance à retardement, enfants perdus et retrouvés, bonheur persé-cuté, croix de ma mère, baignent dans ce fonds commun sociologique qui forme le point de départ des intrigues et, par un mouvement de

---

1. Armand de Pontmartin (*Souvenirs d'un vieux critique,* Calmann-Lévy, 1882) note avec justesse l'importance des faits divers dans l'élaboration des feuilletons. Le héros substitué à la Providence devient « l'unique ressort des événements qu'il tyrannise ». Pour Pontmartin, « le mur mitoyen entre le roman en fiction et le roman en action (vol ou crime) est miné ».

balancier que repéreront tout de suite les lecteurs, du moins d'une manière sommaire, après la défaite du Bien, consacrera celle, définitive et exemplaire, du Mal[1].

Parfois, certains auteurs concrétisent dans leurs œuvres tous les sous-genres de la littérature populaire, ou du moins, les composantes les plus caractéristiques : ainsi, Ernest Capendu fit-il intervenir l'occultisme, l'intrigue criminelle, les passions du cœur et des sens, voire un certain sadisme confinant au roman populaire érotique, qui font de ses récits des constructions étranges, hautes en couleurs, vertigineuses[2].

Le plus souvent, d'autres auteurs s'attachent à illustrer et à polir un seul sous-genre, avec une certaine opiniâtreté dans l'emploi des thèmes, des sous-thèmes : ceux-là ne présentent qu'une seule face, ils sont davantage datés que les autres, davantage liés aux tics et aux conventions d'une époque; parmi eux on peut citer Richebourg, comme le plus représentatif de cette tendance extrême du roman populaire que fut le roman larmoyant de la fin du siècle dernier, entre la guerre de 1870 et les premiers orages avant-coureurs de la guerre de 1914.

L'époque des années 1870-1890 était calme; les guerres se déroulaient à l'extérieur, la société paraissait adopter un rythme sage et uni, dépourvu de tout trouble; le règne de la bourgeoisie ne semblait pas contesté, du moins pas fondamentalement, les assises de la société offraient une apparence d'éternelle et d'enviable solidité. Le public composé par la moyenne et la haute bourgeoisie — et aussi, la clientèle particulière des ouvrières, des midinettes, des employés ou artisans, sans oublier, depuis 1880, l'apparition du public rural — entendait qu'on lui serve de bons récits plus ou moins savamment ficelés, comportant de gros passages suant d'une émotivité facile, assez longs, même filandreux, où les drames du cœur et de la conscience prendraient la plus large place : surtout pas d'allusions politiques, pas de forme révolutionnaire, mais un type de récit fluide, à l'écriture grise et molle, mais aussi à l'allure solide, fermement campée, entre la mièvrerie et la préciosité, emportant les lecteurs loin des plates contingences de la vie, dans un monde idéal où les tumultes sociaux seraient le plus possible amortis. Ce type de littérature calfeutrée, tiède, frileuse, quiète, dormitive,

---

1. Boussenard et Paul d'Ivoi, classés communément auteurs d'aventures pour la jeunesse, ont écrit plusieurs romans d'amour dans le genre larmoyant et attendrissant.
2. Ernest Capendu (1826-1868) reste un des maîtres les plus méconnus et les plus géniaux du récit semi-policier frénétique. Il imposa, cinquante ans avant *Fantômas,* un type de génie du Mal onirique, Camparini, au côté duquel Fantômas lui-même devient fade.

Richebourg en fut l'illustrateur le plus talentueux, le plus écouté, il présente l'aspect d'un boulevard sans ornières, sans surprises[1].

Émile Richebourg

« L'auteur par excellence des romans-feuilletons. On a voulu honorer en lui la littérature populaire; c'est la croix de ma mère que le ministre attache sur la poitrine de M. Richebourg. Signe particulier : est lieutenant de pompiers à Bougival. » Ainsi un écho paru dans *La Liberté* en 1894 salua-t-il la nouvelle décoration de l'auteur.

Richebourg, dit Éparvier, naquit à Meuvy, sur les marches de l'Est, comme ses confrères Montépin et Mary. Il était le fils d'un coutelier. Né en 1833, il partit à Paris à dix-sept ans et y fut successivement maître d'études, comptable de négociant et attaché durant dix ans à l'administration du *Figaro*. Pion, il dévore plusieurs fois tous les romans de Dumas, ce qui détermina peut-être sa vocation littéraire. Comptable dans une grande maison de vins, le soir, il écrit des poésies légères, chansons et romances, sous l'inspiration de Béranger. Il débuta en 1858 par de minces recueils, puis, de 1860 à 1876, par des contes et nouvelles pour enfants, et sans grand succès. Le succès de *Lucienne,* dans *La Revue française,* l'encouragea à publier du populaire. Il perce vers 1876, et devint alors un des trois ou quatre millionnaires du genre, avec Mary, Sales puis Decourcelle. Il gagna un beau chiffre : 1 500 000 francs-or. Son premier grand succès, *L'Enfant du faubourg,* en 1876, le détermina à suivre la même voie, la voie royale du récit larmoyant. Le petit peuple l'adopta très vite comme un de ses enchanteurs les plus bénéfiques : Fernand-Hue nota en 1892 qu'il vit deux lavandières discutant sur le dénouement probable d'un des feuilletons de Richebourg, et elles n'étaient pas d'accord. La publication d'un de ses romans au *Petit Journal* faisait augmenter du jour au lendemain le tirage du quotidien de 100 000 exemplaires. L'annonce des *Deux Berceaux* dans *La Petite République* sauva la fortune de Gambetta, dont la feuille se mourait faute de lecteurs. Dès l'apparition du roman, la vente remonta dans de telles

---

1. La censure exercée par les groupes de pression contre le genre ne faiblit pas. Ainsi, Mgr Besson (*Œuvres pastorales et oratoires,* Retaux-Bray, Paris, 1887, tome I) dénonce-t-il les artisans créateurs d'un « monde imaginaire... Ce sont des milliards à gagner... L'impossible et l'absurde sont toujours crus quand ils flattent les passions ». Mgr Besson fustige aussi la nouvelle école qui recherche les crimes des cours d'assises, sape l'autorité des parents, fait applaudir le divorce, provoque la dilution de la société.

proportions que le journal fut renfloué. Pour ces raisons, Jules Claretie appela Richebourg le saint-bernard des publications populaires (ou plutôt, le terre-neuve).

Le gouvernement allemand avait interdit l'entrée du *Petit Journal* en Alsace-Lorraine pendant la publication d'*Andréa la Charmeuse,* aussi les lecteurs et surtout les lectrices réclamèrent avec tant d'insistance et en si grand nombre « que l'on se décida à couper chaque jour le feuilleton pour l'envoyer aux réclamants », selon Victor Tissot. Richebourg ne connut que des succès, et fit, « par ses feuilletons émouvants et assez honnêtes, la clientèle du *Petit Journal*[1] ».

Une si constante fortune devait susciter des jalousies : Jean Drault caricature assez méchamment l'auteur de *Les Deux Berceaux,* dans *L'Odyssée de Claude Tapart,* sous le nom de Rifaubourg. « Rifaubourg est une marque de fabrique littéraire réputée. » « C'était un petit homme maigre, aux moustaches de chat, à la barbe en pointe. » Drault lui accorde des nègres et des sous-nègres. Il est payé 1,25 franc la ligne, soit presque autant que Mary[2].

Par ailleurs, Félix Duquesnel rapporte que Richebourg confectionnait le genre agreste et sentimental. Et Fernand-Hue estima qu'au roman d'aventures dramatiques, il « ajoute une note émue, tendre, sentimentale et douce ».

Le lieutenant de pompiers à Bougival, un matin que ses pompiers devaient faire l'exercice des pompes, les trouva en train de boire avec le sergent. « Crégniongnieu! Garde à vous... Et la cuite au prochain numéro! »

Sous la Commune, le romancier ne dut d'échapper au peloton d'exécution que grâce à Raoul Rigault. Il mourut dans sa propriété de Bougival, en 1898, alors qu'il achevait *Une haine de femme* pour *Le Petit Parisien.*

Ce qui caractérise sa manière et explique l'attrait que ses romans un peu naïfs exercèrent sur d'innombrables lecteurs, c'est la simplicité de ses plans : non que l'intrigue ne soit corsée, et ne comporte de nombreux personnages, mais la marche des événements est suivie avec une clarté qui ne laisse pas un seul instant l'esprit s'égarer. Les romanciers populaires furent le plus souvent des éducateurs de la conscience publique, selon le jugement de Jules Lermina, lui-même feuilletoniste. Richebourg remplit ce rôle, pour toute une frange de la popula-

1. Louis Bethléem, *Romans à lire et Romans à proscrire,* éditions de la Revue des Lectures, 1928.
2. Mame, 1899.

tion à laquelle il fournit, régulièrement et copieusement, le plaisir de lire. Maître des constructions rigoureuses, point trop savantes, au sein desquelles la mesure à donner aux composantes de l'intrigue observe cette logique dans l'illogique et l'énorme qu'aimaient des esprits crédules appréciant essentiellement les généralisations hâtives et arbitraires, un intérêt soutenu, des conflits brossés à gros traits, sans raffinements psychologiques[1].

L'originalité de Richebourg fut de porter à son apogée le roman larmoyant, de pousser au plus loin l'art d'explorer les stéréotypes, les lieux communs dramatiques, ou plutôt de les moderniser avec assez de brio pour faire passer ses énormes fictions. Art d'une technique sûre, ample et lumineuse, enchevêtrant de façon prolixe mais lisible des séries de circonstances et de sous-circonstances. Art d'un « suspense » niché dans les recoins de l'intrigue principale ou dans le lacis des intrigues secondaires, comme dans le choix des énigmes les plus communément recevables par le grand public. Avec une écriture discrète et le sens de la péripétie, il n'a tâché qu'à amuser la sentimentalité des lecteurs, non sans mérite dans l'exécution. Ses personnages sont parfois hâtifs et sans relief, les répliques plates comme des trottoirs, mais il se laisse encore lire. Il a su retenir de Sue et de Ponson les procédés qui leur apportèrent la gloire, leur façon de grouper les épisodes, de poser les personnages, de varier et de doser l'intérêt, avec ces épices supplémentaires que sont une imagination experte en l'art de synthétiser des situations pénibles, de faire pleurer.

Le scénario de *Cendrillon* est « à la fois naïf et compliqué, selon Adolphe Brisson. Il embrasse, comme les anciens mélos de l'Ambigu, une énorme période. Le héros est en nourrice au premier tableau du drame; au dernier, il bénit de ses mains tremblantes le mariage de ses arrière-petits-enfants[2] ».

L'héroïne, orpheline et ruinée, a fondé une maison de commerce, connaît le bonheur, mais découvre que son mari, Melville, la trompe avec les ouvrières de la maison, et a séduit Gabrielle Anglade, devenue folle après avoir enfanté « un bébé rose ». Mme Melville adopte le nour-

---

1. Ses stéréotypes favoris (unions contrariées, épouses partagées entre le devoir de fidélité au mari et l'amour pur, princes épousant des bergères, chute ignominieuse des créatures cupides ou lubriques) sont récupérés par l'ensemble du roman féminin, catholique (M. Maryan, B. de Buxy) ou « laïque » (Claude Lemaître, feuilletoniste attitré du *Journal*). Qu'il s'agisse des feuilletons du *Petit Écho de la mode*, de *La Mode* ou de *L'Illustration*, la note est la même. La femme expie durement pour sa beauté ou sa dot (André Gérard, *Trop jolie, L'Illustration*, 1879).

2. *La Comédie littéraire*, Armand Colin, 1895.

risson, Marie-Madeleine, dont s'éprendra son fils Paul : de cet amour, impossible entre frère et sœur, jaillira l'intérêt pathétique du récit. Un ami dévoué de Mme Melville combat le vil mari aidé dans ses entreprises par un agent d'affaires véreux. Outre ces éléments surgissent mille incidents diversement risibles ou larmoyants : rapts, actions d'éclat, scènes de mœurs faubouriennes, composant « cette marmitée de faits divers que l'on nomme un feuilleton populaire », selon Brisson. Lequel Brisson reproche à cette copieuse composition de comprendre des personnages « remarquables par leur rigidité d'attitudes », complètement bons ou incroyablement mauvais, et des deux côtés s'éloignant de la nature. L'auteur « ignore l'art de nuancer un caractère... ou, s'il connaît cet art, il le suppose incompatible avec l'intellect de ses lecteurs habituels ».

En outre, Brisson relève que chaque profession « porte une étiquette immuable, et de même chaque catégorie d'individus. Ils sont classés sans contrôle, selon les préjugés, les idées reçues ». L'auteur ramasse ainsi tous les lieux communs de pensée et d'expression : « distingué ingénieur », « savant docteur », « brave marin ». Le style est « moins ridicule » que ne l'aurait supposé Brisson, mais parfois comprend « quelques métaphores laborieuses ». L'ensemble est « raisonnable et quelconque. La langue... est grossièrement tissée, mesurée au kilomètre, sans aucun sentiment de finesse ou d'élégance, ce qui ne veut pas toujours dire sans prétention ».

Enfin, sur la portée et l'influence morale de ce roman : il est inoffensif, la jeune ouvrière n'y puisera pas de mauvais conseils. J'ai tenu à citer ce jugement, car il est caractéristique de celui des critiques envers l'ensemble du genre, jusqu'il y a peu[1].

Deux Mères (1879) et *Le Fils* (1880) forment les volets d'une autre fiction énorme. Les vils coquins de Perny et Des Grolles sont associés au rasta Basco. La situation fondamentale est ici l'envie, la cupidité unissant un petit groupe. L'action cruciale est celle-ci : Eugène, fils d'une jeune fille séduite et abandonnée par son séducteur, enlevé à sa mère peu après sa naissance, qui devint folle, Eugène n'est pas le fils de la marquise de Coulange, combat le trio pervers, qui veut tuer le marquis. Les sentiments sont faussés, portés au paroxysme : les déclarations grandiloquentes de mélo touchent peu ou prou. Ainsi, Maximilienne dit-elle à Perny : « Pour nous, la vie n'est rien, l'honneur est tout ! » L'intrigue

1. On est du reste frappé de la sécheresse et de l'ignorance totale en matière de littérature populaire, des critiques du XIXe siècle finissant. Qu'il s'agisse de Claretie ou de Talmeyr, tous pèchent par une prétentieuse sottise.

est rigoureusement construite : autour de Maximilienne qu'un des gredins veut épouser, qui sera enlevée, et d'Eugène, le trio éclairant les actions du couple. Le représentant de la société, l'agent Morlot, est rigide et incorruptible comme la justice devrait l'être. Le style est sec, sans grande fioriture, de la gravure sur acier : « On est à la fin de juillet. La soirée est magnifique. Dans le ciel bleu, pas un nuage. Le soleil descend vers l'horizon et grandit les ombrages. » Archétypes et thèmes se trouvent astucieusement entremêlés : la fausse mère et la vraie mère, le vol de l'enfant d'une ouvrière qui sera passé pour le fils de Coulange, la naissance d'un enfant du marquis, le conflit des deux mères, l'ouvrière à la recherche de ses enfants. Les habituels brigands-gentilshommes.

Ce goût de la rigueur dans les développements les plus échevelés se retrouve dans *Les Deux Berceaux* (1878). Une pauvre femme épouse un bandit, Ricard. Abandonnée, elle vit avec son enfant et un nourrisson confié dans des conditions étranges. Ricard prend l'enfant étranger. Les parents le réclament. Louise leur livre le sien. L'enfant emporté par Ricard est devenu un brave garçon; l'autre, fils de Ricard, est un chenapan [1].

Parfois, on ajoute des épices : dans *La Fille maudite,* un meurtre, une disparition, la recherche d'un enfant devenu fou; l'enfant trouvé adopté par un saltimbanque, apprend que son père est l'assassiné de jadis. Dans *L'Homme aux lunettes noires,* l'abus du procédé des situations larmoyantes rend le récit peu lisible. Par une nuit d'octobre, une voiture s'arrête devant la porte d'une maison noire; trois personnes descendent. « Depuis, on n'a revu qu'une femme, la muette. » Un chant sort de la maison, trouble le marquis de Nancey, qui entre, voit la belle Brigitta veillant la belle Lucienne. Brigitta va au marquis avec un poignard. Nancey remet à l'usurier Joas un anneau, a des visions. On a ici un pastiche plus ou moins réussi de Ponson. Les archétypes du genre ont la vie belle dans *Le Million du père Raclot :* sur fond de drame rural, un paysan madré, usurier et voleur, père d'un ange de douceur qui aime un jeune ingénieur noble. A la mort de son père, elle restitue tout puis épouse le héros. Dans *La Petite Mionne,* c'est pour son argent et sa situation dans le monde que la future Mme Joramie épouse le comte de Soleure puis le

---

1. Ces lieux communs marquent aussi bien le « cape et épée » que le roman pour la jeunesse. Il faut dire aussi que les mêmes auteurs écrivirent pour des publics différents; il n'y a pas de spécialisation à l'intérieur du roman populaire.

Notons aussi une permanence de la littérature misérabiliste, les histoires d'écrasés, de gens médiocres aux vies obscures (Alfred Bonsergent, *Miette et Broscoco, Le Temps,* 1881. Léon Allard, *Le Roman d'un employé, Le Temps,* 1881).

ministre Joramie, elle se vengera en trompant l'un et l'autre; ajoutons-y les malheurs de l'enfance persécutée.

L'œuvre de Richebourg justifie-t-elle le jugement de F. Lhomme? Il déclarait que le genre est « le principe le plus actif de l'abêtissement de la foule... Il lui inculque lentement les notions les plus malsaines sur le monde, sur la vie, sur le devoir... L'écrivain qui ne sait faire que ce métier est le plus méprisable des citoyens. Il porte préjudice à ses semblables[1] ».

En fait, Richebourg porta à un degré extrême la conscience de sa classe, il sut résumer pour un public qui lui resta toujours fidèle, les goûts communs aux classes moyennes de la fin du siècle dernier; goût d'une certaine mesure, d'une étroite logique dans l'enchaînement des intrigues, des personnages typiques de l'actualité, grossis, déformés par cette actualité : la fille-mère, les coquineries financières, vues du petit bout de la lorgnette, les mœurs des « gens du monde », les avatars, les luttes et l'insertion sociale du peuple, comme on dirait aujourd'hui. La portée sociale de telles œuvres peut certes paraître fort faible, et les fictions de leur auteur, bien trop surévaluées par le jugement du public. Conteur préféré des midinettes, Richebourg ne leur prêche pas la révolte : cela, les contemporains l'ont bien senti et noté, mais il leur assigne un petit coin de bonheur, à ras de terre, au soleil de la civilisation industrielle et bourgeoise, rien de plus. Les midinettes lui demandaient surtout trois sous de rêve, d'évasion, d'amusement : il les servit généreusement sur ce point. Du moins, observait Adolphe Brisson, il ne confectionna pas de narrations judiciaires qui « exaltent les malfaiteurs et transfigurent en héros les gredins de cours d'assises ». Si parfois pointe une intrigue policière sous ses horizons limités, elle reste courte : Richebourg, s'il aimait faire pleurer, détestait faire éprouver des sentiments d'horreur ou d'épouvante. En cela aussi, il demeura fidèle aux goûts mesurés de ses petits bourgeois de lecteurs[2].

1. *La Comédie d'aujourd'hui*, Perrin, 1898.
2. Combinard, calculateur, doté d'horizons limités, profondément ignorant du monde extérieur à la France (les rastas des *Deux Mères* sont de sordides caricatures), Richebourg représente bien l'idéal étriqué de son public de rentiers et de négociants. C'est la mystification par excellence.

Pierre Ninous

Pierre Ninous fut un des rares auteurs de la fin du siècle dernier qui sut concurrencer avec bonheur Richebourg, voire le battre sur son propre terrain. Sa vie fut pourtant loin d'être un roman rose : Jeanne Thérèse Lapeyrière naquit à Bordeaux en 1845. Elle se maria une première fois, en 1857, avec Dubang de la Salle; séparation judiciaire en 1869. Elle fonda en 1879 *La Famille,* hebdomadaire pour les jeunes filles, qu'elle dirigea jusqu'en 1886. Vers la fin de l'Empire, elle se trouva dans une situation très précaire et batailla durement pour gagner sa vie. Sous le nom de Pierre Ninous, elle travailla d'abord à des ouvrages de tapisserie et de passementerie; sa situation personnelle s'améliora quand un jugement lui rendit sa fortune, elle put alors divorcer et épouser en secondes noces de Roussen, en 1880.

En 1881, son mari acquit l'île de Porquerolles, pour en faire un centre éducatif à l'usage d'adolescents. Les sévices constants endurés par les enfants, souvent ordonnés, voire perpétrés, par la dame de Roussen, provoquèrent le procès dit de Porquerolles, en 1887. La romancière fut acquittée, désormais, elle ne fit plus parler judiciairement de sa personne, se contentant d'aligner d'assez nombreux ouvrages, signés Pierre Ninous et Paul d'Aigremont. Elle eut assez d'argent, tiré de ses narrations, pour acquérir un appartement, boulevard Malesherbes, et ce fut là qu'elle mourut, en 1907.

« Quel rapport, je vous prie, entre un écrivain et Pierre Ninous? » lançait Charles Le Goffic. Républicaine, voire anticléricale – elle collabora à *La Petite République française* et fut l'une des feuilletonistes attitrées de *La Lanterne* –, Pierre Ninous sut résumer à merveille les préjugés et la morale de la France laïque, entre Jules Ferry et Félix Faure. Dans son œuvre, elle se montra une adaptatrice des procédés de Richebourg, tout en y mettant une note féminine, voire féministe, qui ne manque pas de saveur. Ses ouvrages, épais et prolixes, aux débuts souvent confus, aux développements un peu gris, sont soigneusement conçus et l'exécution en est minutieuse.

Cœur-de-neige (1880) résume tout le credo de la digne dame : une mésalliance, un proscrit, quelques coquins, un sacrifice, la réparation et pas de bonheur final. Le héros du jour est l'officier, Olivier de Pardiac, fidèle à l' « honneur de soldat ». Le pays décrit est celui que l'auteur connut dans sa jeunesse : l'Armagnac entre Eauze et Tarbes, en Gascogne. Berthe, cupide fille d'usurier, veut épouser le riche Olivier. Retour en arrière : la grand-mère d'Olivier eut une fille qui se mésallia et fut écartée de la succession. Olivier veut restituer à cette cousine pauvre. Sacrifice, pour des raisons de famille, d'Andrée, qui aime Olivier et est aimée de lui. Olivier et Andrée, sitôt mariés, sont séparés par la mort. L'atmosphère est déjà celle des romans d'Ohnet, on a ici un type de fiction rurale où les héros ne sont que la personnification d'idées-forces : le désir des uns de monter (Berthe), les familles nobles enracinées dans le culte de l'honneur, on est déshonoré si l'on manque à sa parole d'honneur, mais cela touche des affaires d'argent. L'exposition est assez ample, le récit s'articule autour de quelques personnages antithétiques; on a affaire à un certain réalisme dévalué. Le style est grandiloquent, semé d'interjections, assez creux parfois : « Hélas! soupira le jeune homme, pauvre mère! – Oui, pauvre mère!... Pauvre mère! qui m'a accueillie, qui m'a ouvert son cœur, qui m'a tout sacrifié[1]! »

Abandonnés, ouvrage un peu moins ample, présente des archétypes tout aussi sommaires : un gredin persécute un couple, des enfants de riches, abandonnés; une fille devient ouvrière avant d'épouser un peintre. La substance du *Bâtard* (1881) résume toute la manière de l'auteur : roman touffu où les intrigues se croisent, où les personnages, dotés de physionomies diverses, aux incarnations multiples, se heurtent dans un tourbillon de péripéties. Après la condamnation et l'exécution d'un innocent, sa fiancée recherche et atteint le coupable, mort étranglé par le chien qui venge son maître. Du début à la catastrophe, de nombreuses aventures se greffent à la ligne principale dont le principal mérite est d'être contées avec une sincérité d'émotion et une simplicité de style. Par sa singularité et le nombre des péripéties, ce type de roman arrache le lecteur pendant quelques heures à la triste réalité des choses, note Lermina dans son *Dictionnaire universel.* Le récit est cadré en Gascogne, il sait émouvoir par des fictions d'un pathétique réel. La plupart des romans de Ninous commencent en un château, avec un bonheur

---

1. La conception de la femme reste invariable, de Mme Riccoboni à Delly et Max du Veuzit : « Donner sans compter » (Marianne Milhaud, « La femme au miroir du roman-feuilleton », *Europe,* n°s 427-428). Pour Maryan (*Un mariage de convenance,* 1880) la femme doit être « dévouée, attentive, prête à excuser et comprendre tous les écarts de conduite de son époux, consciente de son infériorité, mais sachant que l'honneur du foyer repose entre ses mains... Ses vœux et ses espoirs se bornent à l'enceinte de sa maison ». Geneviève, jeune, belle, riche, épouse du vieux comte de Noirault qui la quitte, s'entend dire par son amie Amélie : « Donner sans compter... ne point excuser vos torts par ceux d'un autre, c'est le rôle de la femme. »

troublé; puis on est à Paris, et retour en Gascogne. La comtesse Jeanne d'Arquizan adopte un enfant perdu, Irène; elle est tuée. Le bâtard, c'est Antoine, l' « être bafoué, honni, méprisé de tous », l'assassin de Jeanne. Quelques allusions politiques, à la répression qui a suivi le coup de force de décembre 1851. Le concierge est gascon, donc sympathique. En bonne héritière de Gaboriau, Ninous aime à mêler à ses intrigues des scènes violentes : séquences de meurtre, et rapt.

Si elle ne posséda pas toujours le don qu'eut Richebourg de mener savamment jusqu'à leur terme d'épaisses constructions, Ninous eut bien plus de sobriété de ton, et même une certaine finesse dans les fondus psychologiques qui rend ses personnages moins filiformes, plus contrastés, plus ambigus. Tendant par ailleurs la main, dans une certaine mesure, aux auteurs féministes de son temps, comme Gagneur, en consacrant la fortune du roman provincial, elle annonce Ohnet, et même Delly.

BIBLIOGRAPHIE

BRISSON (Adolphe), *La Comédie littéraire*, Armand Colin, Paris, 1895.
CIM (Albert), *Le Dîner des gens de lettres*, Flammarion, Paris, 1903.
DRAULT (Jean), *L'Odyssée de Claude Tapart*, Mame, Tours.
DUQUESNEL (Félix), « Chronique du lundi », *Le Petit Journal*, n° 1600, Paris, 1907.
FERNAND-HUE, « Émile Richebourg », *Courrier artistique et littéraire*, n° 10, Paris, 1892.
JEAN-BERNARD, *La Vie de Paris*, Lemerre, Paris, 1906.
LERMINA (Jules), *Dictionnaire biographique de la France contemporaine*, Boulanger, Paris, 1884.
OLIVIER-MARTIN (Yves), « Émile Richebourg », *Chasseur d'illustrés*, n° 22, Paris, 1971.
PÉRI (André), « Tout passe », *Paris moderne*, n° 323, Paris, 1898.
TISSOT (Victor), *Voyage aux pays annexés*, Dentu, Paris, 1876.

CHAPITRE IV

Triomphe du larmoyant
(suite)

Les deux dernières décennies du XIXᵉ siècle ont vu, au sein de la littérature populaire, s'affronter plusieurs courants, plusieurs influences : le naturalisme, le roman de mœurs balzacien, le roman de drame et d'amour à ses débuts, le roman populaire mondain, mais toutes ces étiquettes font partie d'un seul et même genre, le roman populaire bourgeois. Rien ne sépare, ni dans les procédés de composition ni dans le rétablissement de la norme au profit de la société, un auteur de droite comme Jules Mary — ou Jules de Gastyne, concurrent assez heureux de l'auteur de *La Pocharde* —, d'un romancier de gauche comme Camille Bias [1].

Les grands tumultes sociaux et politiques de la fin du siècle apparaissent plus ou moins au sein du feuilleton, qui continue de vivre, parfois, de vivoter : les attentats anarchistes des années 1890 suscitèrent toute une littérature autour de Ravachol notamment, et illustrée par Pierre Delcourt; l'affaire Dreyfus, qui secoua tant la France, fut peu exploitée littérairement, mais de plus en plus, le genre se colore d'un ton revanchard, à l'égard de l'Allemagne, vivement hostile aux Anglais — lors de la guerre des Boers —, et généralement, nationaliste, xénophobe, plus ou moins antisémite [2].

---

1. A quelques exceptions près, lorsqu'il s'agit d'une littérature militante, à thèse : les séries misérabilistes d'une Louise Michel débouchent sur une sorte de populisme violemment bariolé de bons sentiments et de méditations révolutionnaires, mais ces fictions connurent une très mince audience, le grand public les ignora. Et Camille Bias, militante blanquiste, plaça fort peu d'idéologie dans ses romans. (Hormis dans *La Fille du Fusillé,* sur la Commune de 1871.)

2. L'exaltation du chauvinisme au détriment des sales nègres ou des sales Jaunes coule à flot dans les récits pour la jeunesse de José Moselli ou de Danrit, si elle reste mesurée

Par ailleurs, on note une importance accrue donnée aux problèmes posés par la montée du syndicalisme : si le roman populaire bourgeois rejette en général l'idée même de grève, une certaine tendance se dessine, plus favorable au militantisme ouvrier, avec notamment le marxiste Jean Maubourg, auteur d'une « fresque socialiste » restée inachevée [1].

Vers la diversification du roman populaire

Vers la fin du siècle, des genres différents commencent à surgir, à conquérir une certaine autonomie, plus ou moins grande : le roman proprement policier, d'énigme, se détache de plus en plus du récit criminel ou judiciaire qui le rattachait encore au tronc commun [2]. Il conquiert son autonomie grâce à une évolution entamée par Gaboriau, poursuivie par Boisgobey, puis par Leblanc et Leroux, en attendant le *Fantômas* de Souvestre-Allain... Le roman d'aventures exotiques est illustré par Gabriel Ferry, Gustave Aimard, Paul d'Ivoi. Dans le genre larmoyant et démobilisateur, comme démoralisateur, de grands titres font mouche : *Les Deux Orphelines* d'Adolphe d'Ennery, mélo adapté en roman, fiction pseudo-historique contant les aventures navrantes d'enfants perdus et retrouvés. Faisant partie de ce même groupe, mais s'adressant à une clientèle plus relevée que celle des midinettes, des ouvriers et des petits employés qui dévorèrent d'Ennery ou Richebourg, Delpit, Uchard, Feuillet, Ohnet, voire ce sinistre « moraliste » que fut Paul Bourget, statufieront, à partir des années quatre-vingts, les grands mythes de la sensibilité bourgeoise, les grandes questions que se posa une telle clientèle : croyance au Progrès, condition de la femme dans une

chez Mary ou Richebourg. D'une façon générale, les conquêtes coloniales sont vues comme une nécessité civilisatrice, les colonisés sont des sauvages.

1. Si l'héroïne du *Roman de l'ouvrière* de Charles de Vitis souffre fort, il s'agit d'une fille noble obligée de travailler, non d'une fille du peuple. Les héroïnes populaires de Decourcelle ou de Bernède, dans la lignée de la célèbre *Jenny l'ouvrière* de Cardoze, ressemblent bien plutôt à des Mimi Pinson, gaies et légères, qu'à des suffragettes ou des révolutionnaires.

2. D'assez vives attaques sont menées contre le genre vers la fin du XIXe siècle. Mgr Besson, évêque de Nîmes, adresse en janvier 1887 aux membres du clergé et aux fidèles du diocèse une instruction pastorale sur les mauvaises lectures stigmatisant « le roman-feuilleton honteux, dont on ne saurait lire une page sans souiller son âme des plus sales images ».

Frédéric Bricka (« Le roman contemporain », *L'Estafette*, 30 juin 1894) note que « le peuple qui vit par l'action veut lire des romans d'action ».

« [...] Aujourd'hui le roman scientifique paraît appelé à remplacer le roman d'aventures dont le champ d'action est littéralement saccagé. »

société industrielle à l'évolution accélérée, et plus spécialement, condition du couple, traversé par l'image idéalisée de la Femme, sujet des peintures maniérées d'Helleu ou de Bouguereau.

On ne parle guère des enfants dans ce type de roman populaire mondain, ils ne sont que des faire-valoir, et *Sans famille* d'Hector Malot est un roman pour la jeunesse.

Tout continue de jouer, autour de l'argent, organe stabilisateur d'une société apparemment rigide et immobile, mais traversée de violentes lames de fond, sur les conflits de l'honneur et de l'argent, de la passion et du devoir. Un Georges Ohnet poussera à l'extrême l'exploitation du roman du « martyre féminin »[1].

Essor des collections populaires

Si le feuilleton fait encore la fortune des grands journaux et de leurs équipes de narrateurs-maison — comme des petites feuilles, de Paris et de province —, l'essentiel de la production romanesque tend de plus en plus à quitter le journal pour la collection à bon marché[2].

L'essor de la livraison populaire est particulièrement remarquable, à partir de 1890. Les livraisons ne sont pas une innovation dans la littérature française : beaucoup de grands classiques et des ouvrages illustrés publiés depuis 1830 s'aidèrent de ce moyen pour se répandre. « Mais le véritable avènement de la livraison date d'hier, note Olivier de Gourcuff en 1890. L'abaissement du prix du papier, le développement des procédés de la gravure lui donnent une importance chaque jour plus grande.

« Si tous les livres ainsi débités trouvent des acheteurs, c'est que le nombre des lecteurs a plus que triplé dans ces dernières années. Le succès des collections à bon marché, des *bibliothèques populaires,* ne s'explique pas autrement. »

Des collections spécialisées dans le roman populaire sont ébauchées ici et là, mais il faudra attendre le début du XXe siècle pour voir surgir les plus importantes. En fait, la politique des auteurs populaires reste plus

---

1. A l'inverse du roman populaire mondain survit, ou tente de survivre, un type de narration resté dans la mouvance du socialisme incantatoire de Sue : Michel Morphy 1863-1928) fut le dernier véritable auteur populaire en ce sens que, homme de gauche, ses œuvres reflètent ses opinions : *L'Ange du faubourg* est une réplique de Fleur-de-Marie. Il aida Bruant à rédiger d'épaisses fictions, comme *Les Bas-Fonds de Paris,* sorte d'univers avant-coureur de celui de *Fantômas.*

2. Les usines à feuilletons sévissent toujours. Des auteurs comme Decourcelle emploieront des équipes entières.

favorable aux récits en livraisons qu'aux fascicules. Un auteur comme Ohnet ne parut pas dans des collections à bon marché comme le sera « le livre national », mais chez des éditeurs moyennement chers comme Ollendorff, ou alors sous forme d'énormes pavés, chez Rouff. La librairie populaire tâtonne encore en cette fin de siècle. Notons aussi la concurrence de périodiques spécialisés, comme *Les Veillées des chaumières,* ou *Le Petit Écho de la mode,* destinés à une clientèle bien-pensante et catholique [1].

Georges Ohnet

« Il parle si bien des choses de l'amour et de l'argent telles qu'elles se passent en France! » Cette appréciation du Kaiser pourrait servir d'exergue à l'ensemble de l'œuvre d'un homme honnête, sérieux, mais dépourvu de tout humour, brandi avec ardeur par toute une partie de la société française, par les riches bourgeois et les nobles qui assurèrent sa fortune.

Ohnet, de son vrai nom Henot, naquit à Paris, au lendemain de la révolution de février 1848. Il était le petit-fils par sa mère, du Dr Blanche, le célèbre aliéniste. Il commença ses études à Sainte-Barbe, les termina au lycée Bonaparte. Il fut très peu de temps avocat, puis entra dans le journalisme : au début des années quatre-vingts, au *Constitutionnel,* pendant quatre ans, il rédigea simultanément le bulletin politique et le feuilleton dramatique. On le vit aussi au *Parti national,* boulangiste, en 1887. Il aborda le théâtre puis la littérature : son premier ouvrage, *Serge Panine* (1880), inaugura la série des « Batailles de la vie », qui comprendra une trentaine de volumes. Surtout, *Le Maître de forges,* dont deux cents éditions se répandront en quelques mois, consacra sa réputation. Avec les droits d'auteur, il acquit en 1886 une grande propriété, « Les Abymes », près de La Ferté-sous-Jouarre. Il parcourt à pied les bois environnants, chasse le lièvre et le perdreau, puis travaille jusqu'à midi. Sa femme copie les manuscrits. A Paris, il ne sort que pour aller chez son éditeur, Paul Ollendorff, ou au cercle de la place Vendôme, dont il est membre du comité des fêtes et spectacles : il joue alors au billard. Il est un auteur fêté, quatre-vingts éditions de *La Grande Marnière.*

Il se fit faire un hôtel, avenue Trudaine, qui était toujours à louer en 1934, comme le révéla *Je suis partout :* ce vaste bâtiment de mauvais style

---

1. *Cf.* Anne-Marie Dardigna, *La Presse féminine,* Maspero, 1979.

était resté vide en raison des volontés suprêmes de l'auteur. On tente de lui voler les épreuves de son prochain roman, en juin 1891, à son hôtel de l'avenue Trudaine; le coup est fait par deux hommes voulant en empêcher la publication. Il est juré aux assises de la Seine, en 1892. Il entra en 1889 à la *Revue des deux mondes,* et Jean Lorrain se délecta amèrement à constater que la sottise était éternelle : « Voilà Pall-Mall-Paris, qui nous console un peu d'être venus trop tard dans un monde trop rieur : on annonçait bien hier l'entrée de M. Georges Ohnet à la *Revue des deux mondes*!!! »

Petit homme nerveux, bouc et moustache fine, Ohnet fit pendant près de deux générations les délices de son public d'oisifs et de belles alanguies. Il meurt en 1918, presque subitement, à Paris : l'époque a décidément bien changé, il est resté l'auteur typique d'avant 14, élégant, élégiaque, maniéré, gourmé, musqué.

Ohnet fut très diversement apprécié par ses contemporains : le plus dur contre lui resta Jules Lemaître. Lequel trouva que ses ouvrages étaient « merveilleusement adaptés au goût, à l'éducation, à l'esprit de son public spécial composé d'illettrés qui aspirent à la littérature ». Récits faits d'une « triple essence de banalité ». Ohnet souffrit beaucoup des attaques de Lemaître. Il écrivit à François Coppée : « Je lis pour me consoler de mes tristesses... », puis : « Vous n'ignorez pas que depuis dix ans, je suis l'écrivain le plus décrié qu'il y ait dans les lettres... Il a suffi, pendant si longtemps de m'appeler imbécile pour recevoir un brevet d'esprit supérieur, qu'il faut être presque un héros pour oser m'avouer. »

Paul d'Armon écrivit en 1884, lors de la parution du *Maître de forges :* « Il écrase la fortune littéraire de Stendhal, de Balzac et de Flaubert... C'est donc avec une sorte de terreur que j'aborde ce demi-dieu, dressé par la faveur populaire sur une montagne de papier aussi haute que le Mont-Blanc...

« [...] Notre auteur est né au monde des lettres avec tous les instincts de la médiocrité. Sans effort [...] il tire de son propre fonds des sentiments mesquins et des expressions banales...

« Remarquons cependant ceci : à mesure que grandit le succès de M. Ohnet, sa manière [...] entre en décroissance. » Jean Ernest-Charles salua ainsi sa mort : « Donc, Georges Ohnet s'est laissé mourir. Et cela fait un brave homme de lettres de moins. » Jules Lemaître, pour réparer ses dures critiques, aurait préparé la candidature d'Ohnet à l'Académie. Et Bernard Lazare fut un des rares à prendre la défense de l'auteur du *Maître de forges* : « Entre tant de romanciers vulgaires [...] il a été

choisi comme bouc émissaire. Il a supporté le poids de toutes les ran-
cunes, il a été l'instrument de toutes les ambitions...

« Pour le défendre [...] il a autant de talent que bien d'autres qui n'en
ont pas plus que lui... » Tandis que l'abbé Bethléem lui accordait un
jugement mesuré : l'auteur de récits solidement construits, mit en scène,
« avec une réelle puissance, le monde de l'argent, l'industrie, l'aristocratie de race, et les lieux communs dramatiques de l'amour », valant bien
Mary aux points de vue moral et littéraire[1]. Si Belz de Villas traita en
1896 Ohnet de « ballon gonflé » et reprocha à Ollendorff ses procédés
de lancement tapageurs, le journaliste Edmond Xau accusa en 1884 le
romancier d'avoir emprunté le sujet, les situations, les personnages, les
caractères et nombre de menus détails du *Maître de forges* à la Suédoise
Émilie Carlen. Ohnet se défendit d'avoir jamais lu Carlen. Par ailleurs,
comme pour Ponson, on lui reprocha ses impropriétés de style : Scholl
critiqua vertement le début de *La Comtesse Sarah :* « Il est cinq heures. Sur
le boulevard, la foule monte et descend... » « Ah! M. Ohnet nous a
appris une chose bien intéressante. Nous savions que les fleuves descen-
daient vers la mer. Nous savons à présent qu'ils montent aussi, mais
M. Ohnet ne nous a pas dit vers quoi. » A propos du *Docteur Rameau,*
Scholl releva une scène montrant un gamin, fils de garde-barrière « au
passage à niveau que vous voyez d'ici... » « Déjà! » s'exclama Scholl,
qui commenta ce même chapitre du *Docteur Rameau :* « Sa femme était
morte en lui laissant une grande douleur et un fils officier d'artillerie. »

L'art des nuances

Ohnet eut son originalité : chaque œuvre nous le montre sous un jour
nouveau. Écrivain tâchant d'être toujours égal à lui-même, il n'en aime
pas moins à faire preuve de complexité, passant du roman passionnel
rocambolesque et un peu guindé, dont le prototype est *Le Maître de
forges,* à l'exposé d'une doctrine philosophique, *(Le Docteur Rameau)* au
roman de mœurs financières *(Nemrod et Cte, L'Inutile Richesse),* au roman
d'actualité *(La Fille du député),* au roman psychologique, dans le genre
Feuillet et Cherbuliez *(L'Étoile),* voire au récit pseudo-historique *(Le
Partisan).*

De là, en ses livres, une diversité attrayante, qui les rend accessibles à

---

1. L'abbé Bethléem n'oubliait pas que les catholiques prisaient Ohnet.

tous. Jules Lermina, qui trouva *Le Maître de forges* « d'une beauté surhumaine », estime chez Ohnet ses idéalisations de l'homme et de la femme qui plaisent aux lecteurs, et « éveillent une sorte de satisfaction vaniteuse qui ne nuit au succès de l'œuvre ».

En fait, Ohnet voulut faire du Malot et du Bourget, pour faire passer ses intrigues rose bonbon dans les milieux opulents. Il avait beaucoup de savoir-faire, une grande maîtrise de l'art descriptif, une certaine aisance à changer de registres, à nouer des intrigues subtilement construites, ni médiocres ni vulgaires, ou alors, il faudrait en accuser la médiocrité de son temps. Robuste travailleur, Ohnet sut mieux que tout autre répondre à la soif d'idéal — et de culture, d'enseignement, de morale — d'une classe de nouveaux riches, peu ou guère instruite. Si parfois les intrigues sont écrites avec un laisser-aller pouvant sembler injurieux pour le lecteur, si elles contiennent souvent des situations qui ont servi mille fois, et si elles se terminent « comme un mélodrame de banlieue », comme le dit Paul d'Armon à propos du *Maître de forges,* il ne faut pas mésestimer son art du « suspense », surgi dans le pittoresque des attitudes, des caractères. Par une conciliation habile, il a su faire, en ses ouvrages, la part de l'imagination et celle de la vérité, sans sacrifier l'une à l'autre. Sa personnalité se dégage nettement de ses œuvres, car la ligne de démarcation y est perceptible entre la fiction et la réalité. Il ne se borne pas à faire une tâche servile de photographe en transplantant, de la vie dans la fiction, des sujets tout faits, sans y rien rajouter de son propre fonds. Il n'a recours à la réalité que pour donner plus d'exacte ressemblance aux personnages conçus, plus de vraisemblance aux différents milieux où il les fait évoluer. L'Album Mariani note en 1899 que son esprit inventif se charge du reste et que l'imagination a chez lui le rôle prépondérant. « C'est elle seule qui fait naître les situations dramatiques et conduit l'intrigue pas à pas, de façon à tenir le lecteur sous le charme d'une progression d'intérêt sans défaillances. » Ainsi ce « romancier populaire pour bourgeoisie », selon l'expression de René Lehmann, sut-il avec doigté mesurer les intrigues trop corsées, brosser une fresque autour de quelques caractères essentiels, écarter les épines des digressions inutiles, des retours en arrière trop inévitables[1].

Il modernisa le genre en lui donnant, à défaut de sobriété, une allure assez vive, un sens des couleurs, des analyses du cœur féminin, un certain attachement pour l'étude fouillée des passions, en même temps que du

---

1. Précisons qu'Ohnet écrivit des feuilletons, mais parut aussi, souvent, d'abord en librairie : ses procédés de composition ne sont donc pas ceux du feuilletoniste.

genre de vie, d'une classe d'oisifs et de nababs. Car le peuple est exclu :
il apparaît encore moins que chez Mary.

Lieux communs de l'amour ?

Si tout tourne autour de l'amour et de l'argent, est-ce à dire qu'Ohnet
nous livre une psychologie désuète, devenue illisible, des personnages-
pantins trop liés à leur époque, une vérité sommaire, poreuse et fuyante
sur l'évolution de la société entre 1880 et 1914, c'est-à-dire pendant ce
qu'on a appelé la Belle Époque ? En un mot, peut-on encore trouver dans
cette œuvre disparate, tout en facettes, parfois décousue, dans le ton,
comme dans la composition, une source d'émotion, de rêve, à côté du
documentaire plus ou moins appuyé, plus ou moins partial ?

Les lieux communs dramatiques de l'amour, Ohnet sait les exploiter
mieux que tout autre, et c'est à cette science qu'il dut son immense renommée. A sa manière, malgré lui peut-être, il est sociologue, il reste un
témoin des années durant lesquelles la grande industrie se concentre,
consolide son pouvoir, devient internationale, tandis que se nouent et se
dénouent d'étranges fortunes, éphémères, hasardeuses [1].

Mais surtout, il se penche sur la femme du monde, ses vapeurs, ses
rêves, sa condition, avec une sorte de fixité, d'amour du détail. La femme
est la dominatrice. Dans tous ses romans, on retrouve, sous des formes
diverses, la femme énergique, obstinée : Mme Desvarennes, dans *Serge
Panine;* Mme Derblay, dans *Le Maître de forges;* la comtesse Sarah; l'actrice
Clémence Villa dans *Lise Fleuron.* Dans tous aussi, la lutte entre deux
femmes rivales et jalouses l'une de l'autre. *Le Maître de forges :* un ingénieur assez niais pour épouser à l'improviste une femme que son fiancé
vient de quitter. Derblay, l'usinier très riche, aime et épouse donc Claire
qui s'unit à lui pour se venger d'un autre, de Bligny. Claire se croit toujours riche : ce qui est le nœud du drame. Duel entre Bligny et Derblay,
Claire se jette entre eux, est blessée : « Un seul mot, dit-elle à l'oreille de
Derblay, m'aimes-tu ? — Je t'adore ! — Oh ! comme nous allons être heureux ! »

---

1. On ne peut se trouver étonné de découvrir peu de reflets des scandales politico-
financiers de la Troisième République : Panama, l'affaire Wilson... Ohnet reste un
mémorialiste un peu distant, la chose politique l'ennuie, il n'oublie pas non plus qu'il
doit écrire pour une clientèle — élégantes, riches bourgeois — surtout soucieuse de généralisations hâtives. Toutefois, dans *Nemrod et Cie,* il dresse un portrait-charge acéré de
Rothschild.

La Comtesse Sarah est un univers de convention pure, les personnages de carton éprouvent des sentiments mis au point comme dans un tableau léché. L'œuvre eut un vif succès auprès des femmes, qui adoraient ce type de roman qu'on peut lire à la cuillère en feuilletant vite les pages, en courant au dénouement. Sarah, riche et belle, enfant trouvée, adoptée par une dame riche, épouse un vieux général, on ne sait pourquoi, mais aime le fils du colonel Severac, lequel aime ailleurs. Severac est un type de niais ballotté entre deux amours. Roman bien-pensant : Sarah se tue, de remords. *Serge Panine,* récit solidement construit, avec des situations et des caractères bien dessinés, en un style franc et sain, dégagé de toute mièvrerie, présentait déjà la solution du coup de pistolet comme dénouement.

Un autre type de fiction est le roman d'actualité, dont *La Fille du député* constitue le prototype. Visite en 1893 de la flotte russe à Toulon et scandale parlementaire. Henri et Gilberte, fille du député, s'aiment. Le rival de Henri est celui qui a battu son père aux élections. Henri devient Henri Gervais, parti des confins de l'anarchisme, enrôlé dans les radicaux de gouvernement, directeur d'un journal très rouge. Le père de Gilberte lui offre de l'intéresser à son journal : « Êtes-vous socialiste? – Oui, par conviction. – Alors vous ne craindrez pas de vous mettre en avant. Quel programme, cher ami! L'usine à l'ouvrier, la terre au laboureur, la maison au locataire, le capital à l'État, le partage équivalent de la fortune... »

Ohnet aborda plus rarement le roman « littéraire » avec notamment *L'Étoile :* amour, fortune, vertu, c'est l'héritage reçu par l'auteur de Feuillet, c'est du Malot en moins bon, le Malot de *Mondaine.*

Avec le roman de mœurs financières, Ohnet n'entend pas rester totalement indifférent aux mouvements de son siècle. Il se montre antisémite lorsque, dans *Nemrod et Cte* (1892), il met en scène le comte Sélim-Nuno, qui a ruiné au krach de l'Union générale le marquis de Pontcroix, dont il a acquis le château. Pontcroix se dresse contre les écumeurs de la Bourse. La fille du comte l'aime, et, juive, se convertit au catholicisme et entre au couvent, se jugeant indigne de l'épouser. Son père supplie le marquis de la tirer du couvent et de l'épouser[1].

Dans *L'Inutile Richesse* (1896), Ohnet tente de moderniser l'archétype rebattu de l'orphelin à la recherche de son identité en lui adjoignant une

1. Le personnage de la Juive libertine et passionnée, au passé généralement trouble, commence d'apparaître vers la fin des années quatre-vingts : c'est l'espionne Sarah de *Chaste et Flétrie* de Mérouvel, c'est la Siona de Sirven, séduite par un jésuite. Reine de la nuit, courtisane, rarement amante pure, un tel type doit être placé dans le contexte du temps. L'antisémitisme proprement militant ne fut guère que l'apanage de quelques auteurs, situés à l'extrême droite.

étude des milieux d'affaires. La veuve du riche Mossler, très charitable, a adopté l'orphelin Valentin, mauvais sujet, mari d'Henriette. Valentin délaisse sa femme pour se débaucher : il finira, tué par des souteneurs. Ici, le héros romantique du Mal, changeant d'identité (Valentin devenu Pépitard autour de ses gigolettes), est un bien pâle reflet de Rocambole.

Ainsi se révèlent la densité et la variété des genres adoptés par Ohnet, sans parler des hors-d'œuvre attenant nettement à des catégories plus ou moins limitrophes du roman populaire[1].

Ohnet a-t-il vraiment et totalement travaillé « hors de la littérature », selon le mot d'Anatole France? A-t-il été le témoin consciencieux de l'évolution sociale de son temps? Répondre à la première question, c'est en fait relever le principal reproche asséné par les critiques à l'ensemble du genre : peu ou pas de psychologie, une construction surchargée, boursouflée de stéréotypes, de nuisances verbales, des personnages tout d'une pièce, uniformément manichéens, donc sans relief et sans consistance, un style maigre ou épais, maladroit, amphigourique, inharmonieux. Ohnet, contemporain de Malot et de Bourget, écrit — et pense, du moins pour Bourget — à peu près comme eux. Il nourrit des prétentions littéraires lorsqu'il brosse des études bien léchées, autour d'un petit nombre de personnages, comme dans *L'Étoile* ou dans *Lise Fleuron*. Maître du roman populaire mondain à tendances aristocratiques, il manie certes tous les registres de l'émotion, du théâtral, du larmoyant, avec des procédés qui le rapprochent souvent du Mérouvel — très littéraire, au fond — de *Chaste et Flétrie* : exposition sobre, balancement de l'intrigue unique, simplifiée, entre les mouvements des protagonistes. Il n'évite pas toujours le charabia dans l'emploi des trop grandes subtilités psychologiques : ainsi, dans *Le Droit de l'enfant* : « Ce qui assurait l'avenir du père détruisait celui de la mère, et l'heure, qui devait marquer le triomphe de l'un, devait amener l'anéantissement de l'autre. »

Témoin consciencieux de son temps, il le fut dans la mesure où, préoccupé de la puissance de l'argent, il plaça un banquier, un spéculateur, dans tous ses romans : l'Auvergnat Cayrol, l'Allemand Herzog, dans *Serge Panine;* le marquis de Cygne et presque tous les personnages de la

---

1. Ohnet fit peut-être le premier roman d'espionnage moderne avec *La Dame en gris*, traitant de l'invention de la poudre sans fumée. Par ailleurs, il commit une évocation romancée de Bonaparte, et, dans *Le Partisan*, livra une fresque assez réussie des événements révolutionnaires de 1834 : un bon tableau de la cour de Louis-Philippe, en opposition avec les coteries légitimistes. Thiers, Guizot, Lafayette et Blanqui surgissent autour des massacres de la rue Transnonain, tandis que grisettes et carbonari montent sur les barricades.

Comtesse Sarah; l'affreux Nuno de *Lise Fleuron.* Dans le *Droit de l'enfant,* l'usinier Herbelin a deux mille ouvriers, « et jamais de grèves ». Surtout, son originalité fut d'étudier les problèmes du couple, dans *Le Docteur Rameau,* c'est la lutte de la femme et du mari, puis du père et de la fille, avec les lieux communs : le savant à la Zola, la bâtarde, l'athée qui à la fin se met à prier [1]...

BIBLIOGRAPHIE

Album Mariani, *Figures contemporaines,* Floury, Paris, 1899.
ALMÉRAS (Henri d'), *Avant leur gloire,* Société française d'imprimerie et de librairie, Paris, 1902.
BETHLÉEM (Louis), *Romans à lire et Romans à proscrire,* éditions de la Revue des lectures, Paris, 1928.
BOYER D'AGEN, *Bibliographies célèbres,* Savine, Paris, 1890.
BRISSON (Adolphe), *Pointes sèches,* Armand Colin, Paris, 1898.
FRANCE (Anatole), *La Vie littéraire,* Calmann-Lévy, Paris, 1890.
GOURCUFF (Olivier de), « La vie littéraire », *Le National,* n° 9551, Paris, 1890.
GOURDON (Pierre), *Le Roman chrétien,* Romans-revue, 15-10-1908.
GYP, *La Joyeuse Enfance de la IIIe République,* Flammarion, Paris, 1931.
JULES (Léon), *Le Petit Journal,* Romans-revue, Paris, 1911.
—, *Le Petit Parisien,* Romans-revue, Sion-le-Noble, 1911.
LAZARE (Bernard), *Figures littéraires,* Perrin, Paris, 1924.
LEMAÎTRE (Jules), *Les Contemporains,* Lecène et Oudin, Paris, 1886.
LERMINA (Jules), « Courrier de Paris », *Revue universelle internationale,* n° 1, Paris, 1884.
MEYER (Arthur), *Ce que je peux dire,* Plon, Paris, 1912.
ROUSSEL (Robert), « Georges Ohnet », *Désiré,* janvier 1974.

---

1. Gourcuff lui reprocha en 1891 de ressasser à satiété l'opposition entre monde ancien et monde nouveau, entre « le château féodal et l'usine, celui-là ruiné, celle-ci triomphante ». Autres lieux communs d'une sorte d'école que la critique du temps baptisa idéaliste.

CHAPITRE V

L'héritage du mélo

Si la société française reste, au début du XXe siècle, apparemment statique, des événements graves, comme l'affaire Dreyfus, montrent combien elle est vulnérable, peu unie. En ces premières années du nouveau siècle, on parle beaucoup de cosmopolitisme, face à une industrie nationale encore en proie au protectionnisme : les « rastas » envahissent les beaux quartiers, les capitaux étrangers font et défont le cours des choses. La situation sociale reste grave, sinon explosive : le Congrès d'Amiens (1906) concrétise les premières réalisations syndicales, et la Confédération générale du travail, née en 1895, commence d'émerger des brumes de l'anarcho-syndicalisme. Telle qu'elle se présente, cette société est toujours la société balzacienne qu'avait observée le roman-feuilleton de l'époque romantique : à une minorité le pouvoir, la fortune. Pour le reste de la population, l'obscurité, les rancœurs, un maigre salaire. Ainsi, un trottin gagne péniblement cinq ou six centimes par jour, alors que les fils de famille battent le pavé de Paris, se ruinent avec des moyens représentant des années du salaire d'un ouvrier. Ces inégalités profondes − corrigées quelque peu par la loi de 1898 sur les accidents du travail −, plus criantes encore quand il s'agit de la condition de la femme, exigent des solutions rapides, qui tardent à se concrétiser [1].

---

1. Jean Leclercq (« Dans la foulée du deuxième cavalier de l'Apocalypse populaire », *Désiré,* 3e trimestre 1978) souligne à juste titre qu'à l'ère « de la lutte *contre* la misère », (jusque vers 1890) succéda l'ère « de la lutte *pour* l'appropriation de la richesse ». De 1840 à 1914, les prolétaires, faute de nécessaire, furent « sacrifiés à la réalisation de l'ACCUMULATION PRIMITIVE, stade indispensable au développement de toute société ». A partir de 1900, « les mêmes masses obtiennent le nécessaire, mais pas encore le superflu »; donc : « abandon progressif de la *littérature misérabiliste* », « création d'une *littérature de luttes concurrentielles*... au sein d'un univers ni bon ni mauvais ».

Une humanité de roman populaire

Il continue de se développer, depuis 1836, une humanité de roman populaire, de roman-feuilleton, à commencer par l'Église : l'héritage du *Juif errant* d'Eugène Sue a été repris plus ou moins grossièrement, durant ces années 1900 qui furent celles de la gloire du « petit père Combes » : dans les romans de Marie-Louise Gagneur ou de Michel Morphy, voire de Léo Taxil, le parti pris est tel qu'il s'agit de grossières machines anticléricales, toutes de circonstance, venues pour épauler la lutte que mène la République radicale contre l'Église. Ainsi, dans *Les Mystères du lapin blanc* de Jules Boulabert, le religieux Meyer, vieil usurier criminel, n'est pas juif, mais est un frère de la Doctrine chrétienne qui a traîtreusement pris un nom juif. Dans *La Grande Iza* d'Alexis Bouvier, tous les gredins sont des dévots, des prêtres, des élèves des jésuites. Face à cette littérature « de gauche », se dresse toute une production tout aussi outrancièrement manichéenne et simpliste que l'autre.

L'armée, on l'a déjà vu pour la période précédente, est respectée, voire, fort souvent, portée aux cimes, les officiers sont les héros du jour : pour ceux issus des classes populaires, sortis du rang, « servir » devient une promotion, une ascension. Pour les autres, nobles ou bourgeois, ils constituent une caste orgueilleuse entachée de préjugés...

Comment se conçoit, se prépare, se lance ce commerce spécial de la littérature populaire ? D'abord, dans ce genre d'ouvrages, les faits seuls ont de l'importance. « Il s'agit en effet de gagner avec cela, sinon une fortune, comme certains, du moins quelque argent. Il sied donc de demander au plus grand nombre la fidèle collaboration du sou quotidien ou des dix centimes hebdomadaires. Or la masse... cherche moins pourquoi l'on a agi que comment on agira. Ce sont donc des incidents qu'on doit lui servir, encore et toujours, découpés en tranches plus ou moins copieuses... » (Pierre Vrignault, « L'émouvant roman-feuilleton », *Monde moderne,* n° 9, juillet 1906). Les feuilletonistes des années 1900 ne s'embarrassent pas d'inventions pour les intrigues. Un auteur disait à Pierre Vrignault : « Je ne trouverai jamais mieux que *La Gazette des tribunaux.* En y ajoutant les faits divers des journaux populaires, les mémoires policiers et les livres déjà écrits. »

Comme ce public aime surtout les histoires qu'il connaît déjà, on se soucie surtout de lui servir sous une apparence de nouveauté des thèmes destinés à piquer sa curiosité. Ensuite, l'invention ne consiste plus qu'à varier l'ordre des incidents, à laisser le plaisir de chercher comment ils s'enchaînent les uns aux autres. Quand cette abondante matière a été disposée en de nombreux feuilletons pleins d'événements et suspendus au bon endroit, quand l'ouvrage, accepté ou retenu à l'avance par traité, a vu venir son tour, c'est le moment du lancement. « Ce n'est pas toujours en raison de même qu'on s'en préoccupe, note Pierre Vrignault, mais parce qu'il y a longtemps qu'on n'a travaillé la publicité. »

On chercha, vers 1900, à remplacer l'immense placard publicitaire par une livraison pliée et à donner, par reproductions photographiques, le portrait des principaux acteurs du drame. Le petit peuple (midinettes, livreurs) préfère encore la grande feuille illustrée. Un administrateur de journal engagea sur la distribution d'une telle feuille une somme dépassant 1 200 000 francs-or. On est toujours à l'affût de l'idée nouvelle : après la vogue de l'image « théâtrale », on profita de la mode des spectacles d' « épouvante », pour rivaliser avec leurs affiches-cauchemars. Pour une clientèle plus raffinée, on promettait la fortune, on organisait des romans-concours, demandant tantôt ce que deviendraient les personnages, tantôt incitant à reconstituer des mots oubliés.

Les placards de lancement tirés à deux millions d'exemplaires « se répandent partout, mettent en mouvement des équipes nombreuses de distributeurs et de porteurs » (Pierre Vrignault).

Le développement des journaux illustrés, surtout spécialisés dans la grivoiserie, commence d'inquiéter sérieusement les « quatre grands », car ces journaux publient souvent des feuilletons. La substance des œuvres est la même, qu'il s'agisse de romans destinés à un public amateur d'histoires lestes ou aux abonnés de revues hebdomadaires contenant plusieurs récits : on corse simplement certains détails, dans *Le Journal de Paris,* de Reschal, par exemple. Mais le public des « quatre grands » reste conformiste, il n'est jamais question d'adultère dans *Le Petit Journal (cf.* G. Duprat, « La crise du roman-feuilleton », *Renaissance politique et littéraire,* 21 octobre 1900)[1].

---

1. C.-L. de Moncade (« Comment on fait un roman-feuilleton », *Télégramme de Toulouse,* 6 février 1909) relève que le principal personnage doit être une femme. Si elle est du peuple, elle est jolie, nécessairement. Il est rare qu'une femme du peuple abandonne ses enfants. « Évitez [...] de charger une femme de trop de crimes... Votre clientèle est surtout féminine.

« [...] Ne tombez jamais dans la description... De la vie, de l'action et du dialogue... Arrangez-vous pour qu'à une scène d'amour succède une scène d'angoisse, à une scène d'angoisse une scène comique... Ne croyez pas [...] que l'imagination soit la qualité primordiale d'un bon feuilletoniste. Le don qui lui est le plus utile est, sans aucun doute, la sensibilité. »

L'officier reste le héros du jour : nulle différence de nature entre le militaire noçant pour se désennuyer de la vie de garnison et ces ânes bâtés de l'état-major que l'affaire Dreyfus a révélés au grand jour, avides de sortir de l'inertie du temps de paix pour « punir » l'Allemagne et récupérer les provinces perdues. *Le Péché de Marthe* de Paul Bertnay, un des représentants mineurs du roman populaire d'avant 14, montre fort bien l'idée que se faisait le gros public de l'armée [1].

L'homme et la femme « du monde », encore fort représentés, dans le roman « de droite » comme « de gauche », constituent la descendance dégénérée de l'homme du monde-brigand popularisé par Sue. Surtout, la bourgeoisie continue d'être mise en scène, avec ses valeurs particulières. Classe dynamique, elle crée des emplois, elle s'associe au destin de l'industrie, mais aussi, elle a des représentants parmi les professions libérales, dans le monde intellectuel et artistique, et dans les carrières politiques et financières. Si les industriels sont généralement flattés, les médecins, les juges et les banquiers ne sont pas toujours les héros du jour... Les docteurs sont parfois responsables d'erreurs judiciaires, comme chez Mary ou Decourcelle. Les juges sont eux aussi, mais plus ou moins explicitement, tenus comme responsables de ces erreurs. Les banquiers ont souvent dans les romans populaires un rôle secondaire mais décisif, ils sont en général mal vus, comme le financier de *Dolorès la Créole* d'Émile Blouet.

La noblesse est presque aussi importante que la bourgeoisie, dans les œuvres populaires : s'il y a souvent un personnage noble, il est le plus souvent le héros. Ce sont des oisifs, des viveurs, maîtres de leurs destinées, responsables de leur chute. Si toute une partie de la noblesse adopte l'idéologie bourgeoise, la plupart vivent retirés dans leurs terres, comme les dépeignent Ohnet et Mérouvel. Parfois, ils versent dans les bonnes œuvres (*La Mendigote,* de Georges Spitzmuller) ou s'occupent d'affaires. En tout cas, les nobles ne sont plus adaptés aux réalités du temps.

Le peuple comprend les petits employés, domestiques, ouvriers, paysans et tous les sans-emploi, mendiants ou voleurs. Lorsqu'il y a ascension sociale pour les personnages des romans populaires se découvrant nobles, « ces origines les font toujours passer de la classe laborieuse à la bourgeoisie ou à la noblesse » (Évelyne Diebolt, *op. cit.*) On voit des jeunes filles du peuple épouser des nobles, mais rarement de telles unions

---

1. Le comique troupier, représenté par Charles Leroy (la série du colonel Ramollot), les Chapuzot et les Bécasseau de Jean Drault, aura un certain essor jusqu'à la guerre de 14. En gros, l'armée y est classée en types embêtants (l'adjudant) et en héros. Mais ici, nulle critique du régime militaire.

réussissent. Les ouvriers travaillent durement pour monter l'échelle sociale, mais, de leur côté, les filles-mères sont toujours mises au ban de la société, même si Talmeyr, en 1903, croit remarquer qu'elles sont systématiquement idéalisées. L'ouvrier, selon Talmeyr, est toujours sympathique dans les romans populaires, qu'il s'agisse de la femme de chambre, du bon matelot, du régisseur idéal. Il convient de nuancer. Le « bon ouvrier », robuste et travailleur, associé au développement de l'essor industriel, s'oppose au « mauvais ouvrier », ivrogne, gréviste, anarchiste. Le peuple des romans populaires n'est donc pas uniformément travailleur, courageux, tendre, gai, modeste [1].

Quoi qu'il en soit, le roman populaire continue d'influencer les visions et la sentimentalité populaires, et on relève cette influence à l'aide d'une comparaison des changements d'orientation du genre et des réactions de la foule. Les directeurs de journaux et les éditeurs ayant obéi à une inspiration commerciale, depuis 1890, une certaine modification touche les œuvres à grand tirage : les journaux les plus anticléricaux n'ont plus de feuilletons anticléricaux. Après s'être lancés par le tapage de récits anticléricaux, les grands journaux veulent capter un autre public par la modération de leurs feuilletons. Il n'en reste pas moins que le feuilleton modèle la vie des humbles : Talmeyr visitait une petite ville où l'Assistance publique plaçait ses orphelins et il y avait là un vieux pauvre qui prenait l'inspectrice en tournée pour une duchesse allant voir un de ses petits bâtards : « Tout le roman-feuilleton n'est-il pas là ? » concluait Talmeyr.

Surtout, note Jules Claretie, la littérature des années 1900 diffère totalement de celle de 1840. Vers 40, « le romanesque était partout, dans la vie, les lecteurs de ces *contes* [Claretie parle de Sue et de Dumas] restaient calmes. Le roman, pour eux, c'était le rêve, ce qui console et ce qui charme. Car il y a deux *romans* [...] il y a le roman d'en haut, la poursuite ou le songe de l'idéal, le roman [...] du jouisseur avide qui veut inventer pour profiter...

« C'est ce roman des instincts de crédulité béate ou de méchanceté instinctive qui prévaut aujourd'hui et partout. On croit à tout ce qui est improbable, pourvu que ce soit scandaleux.

« ... Le temps présent, si avide de science pourtant et de vérité, semble occupé à lire quelque immense suite d'un roman fou de Ponson du

---

1. La grève, le syndicalisme, sont généralement exclus des feuilletons à succès, en raison même des exigences de la clientèle. Il n'existe pour ainsi dire pas de feuilletons syndicalistes, hormis de rares cas, comme le très partial *Camarades jaunes* d'Auguste Geoffroy (1912) qui attribue la provocation à la grève aux usiniers teutons jaloux de la concurrence française.

Terrail, un néo-Rocambole, un Rocambole qui semblait inadmissible quand l'auteur de *Rocambole* écrivait... mais qui est accepté comme parole d'Évangile par un public énervé au lendemain de toutes les aventures qu'il a non pas seulement lues dans les livres, mais subies, mais vécues depuis un demi-siècle — après la guerre et le réveil des grandes affaires, après les injures entre Français... il est naturel et explicable que la foule, dont les crânes sont secoués comme un sac de noix, se prenne à ce *roman* de hasard que débite chaque jour... l'aventurière au teint de mousmé japonaise [1]. »

Certes, des scandales comme l'affaire Thérèse Humbert inspirèrent les auteurs populaires, mais Claretie voit trop l'évolution du genre, reflet de celle des mœurs, en moraliste distant et revêche. Le roman populaire ne peut que constater, il n'exalte pas le vice ou l'ordure. De son côté, René Lehmann relève en 1911 les qualités spécifiques au genre : social, il bouleverse les masses et grave ainsi une empreinte profonde dans l'esprit populaire. Réaliste et optimiste, la vertu restant l'éternelle victorieuse, il divertit ou émeut simplement, par l'évocation de silhouettes prises dans la vie quotidienne et familières au peuple, d'où leur succès. Lehmann estimait que le genre a beaucoup baissé, il « frôle le pornographique et devient morne. Les mêmes aventures recommencent sans cesse, sous d'autres noms. Par définition, tout roman-feuilleton actuel met en rapport d'honnêtes gens et des fripouilles. Les fripouilles dupent les honnêtes gens mais ceux-ci seront les plus forts ». Lehmann note aussi que le genre flatte les passions du peuple; il est davantage lié à l'actualité, se faisant l'écho de scandales célèbres — c'est surtout sensible chez Vast-Ricouard, les naturalistes du roman populaire —, et en outre, de tels ouvrages sont « veules, ils sont bêtes. Le fil conducteur apparaît, limpide et monotone ». Trivial et niais, le roman populaire d'avant 14 devrait pouvoir se réformer, toujours selon Lehmann, et le roman populaire de demain, confondant étroitement la sociologie et la littérature, verra son rôle considérablement augmenter pour œuvrer à la concorde humaine et faire une œuvre d' « éducation et d'harmonies sociales ».

Il est de fait que, par rapport à Ponson, et même à Montépin — qui faisait s'agiter tout un monde dans une action parfois factice mais clinquante et bruyante, machinée et truquée comme les décors de l'Ambigu, avec ses imbroglios goûtés par tous —, le roman populaire a beaucoup baissé, il survit à l'aide de stéréotypes ingénument et faussement

1. *La Vie à Paris,* Charpentier, 1904.

modernisés; ses orientations vers le roman criminel, à la *Fantômas,* ou vers le récit pour la jeunesse, ne nous intéressant pas, il faut bien constater le caractère creux et sommaire de mainte œuvre feuilletonesque de la Belle Époque. Hormis peut-être chez Pierre Sales, à la fois styliste élégant et peintre assez juste de la femme, notamment dans l'admirable *Corso rouge,* ou dans *La Vierge du Guildo,* aux résonances presque symbolistes en leur pâle ténuité, hormis donc Sales, dont les œuvres rigoureusement charpentées faisaient les délices des bourgeois cultivés, le genre entre en pleine décadence; son essoufflement, relevé par les critiques du temps, reste encore non perçu par le public, peu difficile. Les grands auteurs ne se renouvellent pas, les grands succès sont la réédition des grands succès de l'époque romantique, avec la dualité de la lutte du Bien et du Mal. Il suffira de quelques années, de la coupure créée par la Première Guerre mondiale, pour fermer la page de cette époque assez médiocre[1].

En dehors du roman-feuilleton, l'essor des collections populaires continue de croître. En 1905, Arthème Fayard lance « Le livre populaire », collection à soixante-cinq centimes, où paraîtront tous les grands noms du genre : Mérouvel, Mary, Decourcelle, Zévaco, Pierre Sales. Durant l'entre-deux-guerres, « Le livre populaire » publia notamment du Simenon. En 1909, ce fut au tour du « Livre national rouge » de Jules Tallandier, d'affronter le public populaire, pour le même prix, en principe, de soixante-cinq centimes. Les diverses collections en fascicules suivront plus tard : J. Ferenczi lance en 1912 « Le petit livre » à quarante centimes, qui édita surtout des « auteurs maison » comme Jean Petithuguenin, Auguste Lescalier ou Michel Nour. Cette collection sera une des plus longues, sinon la plus longue, de l'histoire des éditions populaires, puisqu'elle ne prendra fin qu'en 1964, le n° 2000 dépassé. Un auteur comme René Poupon passera toute sa carrière, soit quarante-deux ans, de 1922 à 1964, à publier dans les petites collections de Ferenczi. De son côté, la librairie catholique suit le mouvement, quoique avec retard : la Bonne Presse inaugure en 1912 la « Collection des romans populaires » à vingt centimes, avec des « auteurs maisons » comme Pierre l'Ermite ou René d'Anjou, mais aussi M. Delly.

Du côté des magazines s'élèvent de puissantes maisons comme celle des frères Offenstadt qui dirigent toute une série de périodiques féminins (*Les Dimanches de la femme,* notamment), concurrencés surtout par

---

1. En fait, à partir des années 1900, le roman populaire « meurt » au profit du roman policier.

Jules Rouff et par la Librairie catholique, forte du succès des *Veillées des chaumières* et du *Petit Écho de la mode*.

Parmi les auteurs du début du XXe siècle, ayant du talent mais, entassant souvent un salmigondis de violences, de nobles sentiments et d'amours passionnés, tandis que d'autres romanciers sont de simples ressasseurs de lieux communs, les tenants d'un art inférieur et médiocre (un Jules de Gastyne, dont le succès paraît incroyable aujourd'hui, orfèvre d'intrigues filandreuses et débiles comme celles de *La Femme nue* ou de *L'Enfant du viol*), Pierre Decourcelle se créa un nom[1].

Pierre Decourcelle

« Il a beaucoup travaillé, mais il a fait aussi beaucoup travailler les autres. » Ce fut par ce mot cruel mais juste que Jean Valmy-Baysse salua la mort de Decourcelle. Né à Paris en 1856, il était le fils d'Adrien Decourcelle, auteur dramatique et romancier (1821-1892). Pierre Decourcelle fit de très brillantes études au lycée Henri-IV et remporta le premier prix de discours français au Concours général. Son père le détourna de la littérature qui l'attirait déjà, et l'aiguilla vers les affaires. Après avoir fait à des fins commerciales plusieurs séjours en Allemagne, Angleterre et Espagne, il entra dans les bureaux du baron Haussmann puis, en 1881, devint remisier dans la banque où se trouvait Octave Mirbeau. Il écrit au *Gil Blas* en 1881, se fait connaître par des duels retentissants, notamment un échange de gifles avec Ebstein, du *National,* et cette déclaration : « M. Ebstein m'ayant gratuitement et bêtement insulté [...] je lui ai fêté la Saint-Sylvestre par une paire de soufflets. M. Ebstein a eu probablement tant de visites du premier de l'an à faire [...] qu'il a oublié de me faire sa visite... » De telles prouesses le situent déjà : beau, brillant, très mondain, homme aux nombreuses fortunes, très à cheval sur le sens du « point d'honneur »[2].

Pierre Decourcelle s'essaya au théâtre en 1880, devint rédacteur au *Gaulois* en 1883, où il signa Choufleury des critiques de théâtre. Ce fut

---

1. L'absence de personnalité et la mise en œuvre du style passe-partout est la caractéristique de Georges Ohnet, mais aussi de Decourcelle et de Gastyne, selon René Georlette... Georges Pradel, royaliste, ex-officier de marine, se tailla un grand et légitime succès en renouvelant le roman d'aventures par un souci notable de la composition, le goût des épisodes échevelés et d'un certain exotisme finement rendu.

2. Le duel fit fureur chez les auteurs populaires : Paul Mahalin et Léon Sazie inventèrent des bottes, furent d'enragés escrimeurs. Jean-Joseph Renaud était, avant 1914, un des duellistes les plus redoutés.

Le Gaulois, où il se rencontra avec Maupassant, Hervieu, Capus, Bourget, qui publia son premier roman, *Le Chapeau gris,* en 1886. Il entra avec un brillant traité au *Petit Parisien* en 1889, et parvint en deux ans à acquérir une des premières places parmi les auteurs populaires[1].

Decourcelle déclara, lors d'une assemblée générale de la Société des gens de lettres : « Citez-moi un seul roman qui ne voudrait pas être *populaire?* » Il faisait allusion aux fabuleuses ressources des milliardaires du genre. En 1895, Pierre, petit-neveu de d'Ennery, épousa Edmée About. Un de ses témoins était Paul Bourget. Désormais lancé, il envoie des chroniques au *Tout-Paris* en 1885. On le trouve dans les colonnes de *Comoedia* vers 1907. Les titres sont chez lui garantie de succès : *Gigolette, Les Fêtards de Paris, Le Crime d'une sainte, La Bâillonnée, La Buveuse de larmes; Les Deux Gosses* connurent un immense retentissement, en volume, en 1895, puis à la scène. C'est que Pierre Decourcelle porta souvent à la scène ses best-sellers.

Comme Bernède, il touche à tous les genres, du roman du « martyre féminin » au récit revanchard. Henry Lionnet nota justement en 1927 que « la foule aimait, dans les œuvres de Pierre Decourcelle, les aventures qu'il savait imaginer, l'observation dont il saupoudrait l'invraisemblance de ses histoires, l'air de vérité qu'il prêtait à ses personnages de fiction, le pittoresque des milieux dans lesquels il situait l'intrigue de ses feuilletons, sachant répandre de la clarté sur les intrigues les plus embrouillées et les plus ténébreuses ». Il ressort une vie intense dans ces fictions broussailleuses, colorées, noueuses. Roman d'Amat releva que ces ouvrages ne sont à proprement parler pas de la littérature. « Écrits à la diable, avec le concours de collaborateurs obscurs, ils ont cette particularité, qu'auront d'autres romans plus récents, les romans-fleuves, de se répartir en famille... » Il est de fait que Pierre Decourcelle inaugura une sorte de récits à tiroirs, chaque souche comprenant une fière descendance : *Le Chapeau gris* eut trois suites; *La Buveuse de larmes* en eut plusieurs. *Brune et Blonde* (1893) connut cinq suites; *Les Tempêtes du cœur,*

1. Maurice Jogand (Marc Mario), par sa collaboration avec l'éditeur Rouff, gagna de six à trente fois plus qu'un ouvrier; or ceci n'était qu'une partie de ses revenus, il fallait y ajouter les droits de reproduction de ses feuilletons, ses traités avec les journaux, ses contrats avec les autres éditeurs. En dix ans, Mario écrivit douze livres pour Rouff, qui lui rapportèrent, entre 1892 et 1899, de 125 250 à 290 000 francs-or, soit un rapport annuel compris entre 12 525 et 29 000 francs-or. Pour un roman en collaboration (*La Demoiselle de l'usine,* 1894), dont Mario fut le nègre de Montépin, Montépin touchait 50 centimes par ligne, soit 138 francs pour chaque page, Mario 60 francs par page. Chaque roman publié en livraisons rapportait entre 6 000 et 15 000 francs-or. A titre de comparaison, en 1901, un ouvrier cordonnier gagnait, pour 300 journées de travail par an, à Paris, 2 250 francs-or; un charpentier, à Paris, 2 295 francs-or.

plus de six. Certains de ces romans-feuilletons, qui parurent en librairie, furent, individuellement, groupés en volumes de plus de 2 000 pages, imprimés parfois sur du papier de chandelle, surtout vers la fin de la carrière de l'auteur, dans « Le livre populaire ».

Pierre Decourcelle ne négligea pas le cinéma : directeur artistique de la S.C.A.G.L. (Société cinématographique des auteurs et gens de lettres), fondée par Pathé, il s'occupa d'adapter à l'écran les romans contrôlés par la Société des gens de lettres. Surtout, il adapta en français le premier ciné-roman du genre, *Les Mystères de New York,* qui firent oublier aux lecteurs du *Matin* les heures noires de la guerre de 14.

Galant homme qui avait su, selon Henry Lionnet, tout en conservant les traditions de courtoisie du passé, comprendre son époque et marcher avec son temps, moustaches fringantes, visage carré, collectionneur de tableaux, jouisseur, Pierre Decourcelle se composa toute une écurie de nègres. Citons parmi eux Saint-Pol-Roux, Louis Launay; Paul Bosq, pour *La Danseuse assassinée* [1].

En 1913, il reçut des rédacteurs de *L'Intransigeant* vêtu d'une robe d'intérieur écarlate, dans son cabinet de travail : « Des fenêtres immenses qui prennent vue sur l'avenue des Champs-Élysées, des arbres bienveillants et si verts... qui laissent passer une lumière douce, un petit bureau auprès de l'une d'elles, et aux murs, sur des meubles, des œuvres d'art, comme dans un musée. »

Auteur dandy, contrôlant en principe les scénarios de ses œuvres, refaits par ses secrétaires, Pierre Decourcelle connut des mécomptes. En 1916, on disait dans la presse qu'un directeur de journal reçut un matin deux « suites » différentes d'un roman de Decourcelle en cours de publication : par suite d'un contrordre, les deux équipes alternant d'ordinaire avaient œuvré au même chapitre, mais tandis qu'une version des *Vendeurs de patrie* laissait la marquise désespérée s'empoisonner, après avoir fiancé son fils naturel à la fille du garde-chasse, l'autre favorisait la fuite coupable de la grande dame et du subalterne, vengeant ainsi l'honneur de sa femme outragée par le jeune vicomte. De tels procédés suscitèrent des critiques : *Le Petit Bleu* écrira, lors de la mort de l'auteur : « On peut dire, sans le blesser, qu'il appartenait à la grande épicerie

---

1. Charles Holveck nota en 1911 qu'un certain nombre d'auteurs tiennent les journaux; il passe en moyenne par jour 240 lignes de feuilletons dans un journal, soit 50 numéros à 12 000 lignes payées à un grand auteur 50 centimes. Les 12 000 lignes représentent 250 francs-or pour l'auteur qui a conçu et écrit, 6 000 pour celui qui s'est contenté de faire publier le roman ou la pièce. « Littérature d'industriels et d'hommes d'affaires », conclut Holveck.

littéraire. » Et Scholl de s'exclamer : « On joue une pièce de Pierre Decourcelle ce soir, quel en est l'auteur ? » Toutefois, Roman d'Amat jugea impartialement : « Il ne faut pas trop mépriser les romans de Pierre Decourcelle; si l'on y trouve des invraisemblances et du fatras, il y a aussi de bonnes peintures de mœurs, de l'émotion romantique. C'est avec beaucoup d'art qu'il campe des personnages bien vivants, c'est avec tact qu'il sait jouer de la sentimentalité populaire. » Il ne faut pas oublier que l'auteur eut infiniment de goût, une vaste culture, qu'il lança notamment la mode des faïences dites « bleus d'Auvergne ». Et puis, sa grande originalité fut, outre la pratique du roman à suites, d'avoir adapté en France, comme le déclara Thierry Sandre lors du décès de l'auteur des *Deux Frangines,* « la conjugaison du roman à épi- sodes et du cinéma — Pierre Decourcelle a été un des grands repré- sentants d'un genre considéré parfois comme secondaire... Nul plus que Pierre Decourcelle n'aura su, d'ailleurs, émouvoir le grand public... ». Lorsqu'il meurt, à Paris, en 1926, tout un cortège suit les obsèques au Père-Lachaise, avec notamment la princesse Bibesco, Francis de Croisset...

Dès le début de la carrière de Decourcelle, le critique E. O. avait relevé : « Faire du roman populaire avec plus de soin, plus de style, et, si le mot n'est pas ambitieux, un peu plus d'art, avec une imagination au moins aussi féconde, mais plus raisonnable que ses devanciers, tel a été le but de M. Pierre Decourcelle et telle est aussi la raison du succès rapide qui l'a mis en trois ans au niveau de ses aînés et des auteurs les plus appréciés du grand public. »

Une œuvre composite[1] ?

N'étant souvent que l'ordonnateur de scénarios confectionnés par d'autres, Decourcelle eût pu composer une œuvre faite de pièces et de morceaux, uniquement de circonstance, donc peu lisible aujourd'hui. En fait, son originalité est, en rassemblant ces matériaux hétéroclites, d'avoir réussi, un peu comme Dumas père, à donner une image convain- cante et séduisante de la société, non pas d'une société antique, mais

---

1. Decourcelle écrivait le plan et le début de ses romans, puis les remettait à ses nègres. Partant pour la campagne, il dit à un de ses secrétaires de porter la copie au journal. Mais le secrétaire tomba malade, Decourcelle chargea un autre nègre de continuer le travail. Peu après, le premier collaborateur, rétabli, reprit son travail, et le journal reçut chaque jour deux versions totalement différentes du même roman.

d'une société qui nous est encore proche. Auteur de mélos, petit-neveu d'une des gloires du mélo, il sait construire des intrigues fortes et denses, grouillantes de vie, divisées en parties comme les différents actes d'un drame. Il observa d'un œil aigu son époque, et cela lui inspira des tableaux d'une vie intense, pleins de couleur et de pittoresque. Avec le mépris des règles convenues du roman « littéraire », des vivacités de dramaturge, Decourcelle a tracé une sorte de satire impertinente de la société 1900. A la différence de l' « idéalisme » d'Ohnet, de l'optimisme gonflant souvent les chutes des romans populaires, Decourcelle fait montre d'un réalisme fréquemment pessimiste, poussant jusqu'à l'extrême l'exploitation du roman du « martyre féminin » : autre originalité. Son art du « suspense », lié à une pratique constante de l'art dramatique, est fait de couleurs et de sons, image grossie de la vie, il vise à provoquer des sensations immédiates.

Decourcelle a donc composé *Gigolette, Les Deux Gosses,* qui se lisent encore, car ces ouvrages sont loin d'être sans valeur. Il sut honorer son public, même populaire, en déployant beaucoup d'art. Il tenta un effort méritoire, celui de moderniser le genre, de composer un type de roman moderne, rapide, haletant, découpé comme un film, et rempli de personnages évocateurs des années d'avant 14 : brutaux, jouisseurs, sans idéal ni poésie. Comme Ohnet, il répondit aux besoins d'idéalisme et de sensibilité de la bourgeoisie française, comme lui il s'éleva comme une protestation contre le naturalisme triomphant, tout en noircissant ses données.

L'action est très habilement conduite, rapide, pathétique souvent, car Pierre Decourcelle vise au pathétique sans trop d'effets (*Les Deux Gosses* ont fait pleurer plusieurs générations), les personnages ont du relief, de la couleur. On notera aussi un louable effort dans la voie de l'analyse, mais aussi une langue médiocre et moyenne. Parfois, durant la première manière, celle des récits courts, comme *Le Chapeau gris,* le style est sobre et soutenu. Mais souvent, le style manque d'élégance, de précision et de clarté : d'abord, l'auteur écrit trop vite, voulant projeter une production à jet continu; ensuite, les lecteurs ne font pas de différence entre ce qui est bon et mauvais. En revanche, les drames sont bien engagés, les scènes saisissantes *(Gigolette, La Buveuse de larmes)* même si l'on trouve une hâte trop grande dans l'exécution. Les dialogues sont serrés et puissants[1].

Decourcelle abandonna définitivement le thème de la société secrète

---

1. Tout comme Maurice Leblanc, Decourcelle bâtit ses romans sur le mode d'une pièce de théâtre. D'où la véracité, la vivacité des dialogues.

(déjà enterré par Richebourg), celui du héros tout-puissant. Ce n'est pas la grandeur des caractères qui frappe, le romancier nous peint des hommes, non des héros. C'est leur vie intense qui séduit, à travers des situations bien équilibrées, mais souvent des ensembles un peu disparates, décousus, comme dans *Les Ouvrières de Paris.*

Ce qu'il maintint et développa fut la dualité sadomasochiste de la relation victime-bourreau, illustrée par le roman du « martyre féminin », et une plus grande attention donnée à la sublimation morale de l'héroïne.

Son tort est d'avoir morcelé l'intrigue de tel scénario : ainsi, pour *Gigolette,* de l'avoir découpée en chapitres qui ne sont pas unis par des liens visibles, en sorte que *Gigolette,* galerie de portraits d'une grande ville, n'est qu'une galerie, mais ici, il s'agit de croquis faits à la hâte.

Dans la prière d'insérer de *Gigolette,* édition de la Librairie illustrée, on peut lire : « *Gigolette* — les critiques les plus éminents l'ont déclaré —, c'est les *Mystères de Paris* d'aujourd'hui, de ce Paris rempli de dessous ténébreux, de pièges cachés, de machinations insoupçonnées, de créatures vicieuses et perverses, mais en même temps de grands cœurs méconnus, d'abnégations secrètes, de dévouements modestes, d'héroïsmes mystérieux. Dans *Gigolette* on voit défiler tous les mondes, depuis le plus grand jusqu'au plus humble... C'est le kaléidoscope de cette fin de siècle où évolueront tous les types les plus divers de notre vie dévorante et surchauffée d'aujourd'hui. Lecteurs et lectrices pleureront, riront, trembleront, palpiteront tour à tour au déroulement des mille et mille péripéties qui font de *Gigolette* un des ouvrages les plus captivants. »

Cette histoire d'une jeune fille pure et malheureuse qui connaît enfin le bonheur eut un immense succès. Gigolette la vicieuse est rachetée par son amour pour sa sœur, dont elle fait le bonheur au prix de sa propre joie. Mieux que chez Richebourg, la construction est d'une grande rigueur, on admire la simplicité logique du plan, l'enchaînement précis des événements. L'auteur va roidement au but en ne s'embarrassant guère de détails accessoires, c'est un maître du style blanc et un peu sec dans sa transparence crayeuse. Comme au théâtre, c'est ordonné en trois tableaux : le premier à Rennes, le second à Paris, le dénouement à Rennes. Le problème essentiel sur lequel repose le développement du livre est ici la luxure — ailleurs, une affaire d'amour, de famille ou d'argent —, la tension primordiale est dénouée par un acte criminel : le viol de Blanche. La donnée de départ est simple : le juge Georges de Margemont aime Blanche Brisset mais ne peut l'épouser, sa fiancée est violée par un ouvrier, Vauquelin. On a ici affaire à une sublimation de la cause pure de l'héroïne (cause de la vierge, de la veuve). Blanche a eu une fille de Vauquelin. Les lieux communs dramatiques sont traités avec assez de modération pour conquérir l'estime du public actuel : le père-forçat à la recherche de sa fille; la fille facile aimée par un homme honnête, un docteur; les retrouvailles de Vauquelin et de sa fille Zélie dans « un bouge infâme, repaire de bandits et de prostituées ». Chose inhabituelle dans l'ensemble du genre – mais on a eu le repentir de Baccarat –, le repentir final de Vauquelin n'escamote pas le rétablissement de la norme, puisque tout rentre dans l'ordre [1].

Les Fêtards de Paris (1902) est un drame bien engagé : les « maisons du péché », recéleuses de mystère et d'effroi? Pas pour une joyeuse bande. Le récit touffu truffé d'incidents jouit malgré cela d'un plan uni : la séduction de Thérèse Rébeval, fiancée au jardinier Pierre Lajaille, par le marquis de Marrans, c'est donc la luxure qui ici encore ouvre le drame. La pénétration des couches sociales opposées se fait par le coït. Les archétypes sont à peine époussetés : la femme fatale qui se détruit et détruit, être de cauchemar, et qui a des relations sexuelles avec le héros, mais non avec la victime; ici, la goule est Liane de Barancy, qui veut empêcher le mariage du marquis avec sa cousine, Catherine de Vieuville. La fille de la victime est frappée des mêmes malheurs que sa mère : les situations ont plusieurs fois servi mais sont bien enlevées, les dialogues sont pleins de panache. La mise en scène des personnages est habile : dès le début, par l'agencement d'intrigues entrecroisées, les moteurs de l'intrigue apparaissent avec une sorte de limpidité. Ces moteurs se basent toujours sur le principe de l'origine très rapprochée du Bien et du Mal : comme le Chazey, de *Chaste et Flétrie* de Mérouvel, le marquis est un « larron d'honneur » : « Ce marquis de Marrans, à qui Pierre Lajaille vouait un véritable culte, c'était le misérable qui avait déshonoré la femme de son frère d'armes, du naïf qui lui avait sauvé la vie! » Le ton est plus sûr que dans *Chaste et Flétrie :* le séducteur n'est pas puni, pas de construction hybride, le ton reste au réalisme. Le milieu décrit, celui des fêtards, est vu de près, l'auteur le connaît bien. Toutefois, le rythme s'emballe trop vers le milieu du livre : à la fin, l'hécatombe de morts donne au drame jusqu'alors uni un aspect de mélo.

Le romancier accommode au goût du jour un certain style de reporter : brûlant, rapide, incisif, qui se veut le greffier de l'actualité. La conclusion est équilibrée, elle comprend les survivants de l'action ini-

---

1. Sans le « Dieu est bon! » de Montépin. La justice distributive, chez Decourcelle, reste essentiellement laïque.

tiale. Mais on note une certaine impossibilité de conclure contrastant avec un style ferme et précis : l'auteur ne creuse pas ses personnages, il reste à la surface, et en outre, le scénario pèche par les bariolures de tous ses emprunts : commencé comme *Chaste et Flétrie,* le texte finit comme *La Pocharde.* Le rythme est parfois un peu dur, trop heurté, mais l'idée est présentée avec chaleur et conviction, même si l'auteur sacrifie souvent la forme au sujet. On sent que, tout comme Dennery, l'auteur lit volontiers les faits divers et les comptes rendus judiciaires lui fournissant les matériaux de ses drames. De la première à la dernière page, le lecteur, à travers l'agencement ingénieux des intrigues, marche vers un dénouement au moins imprévu.

Le sens du pathétique, des constructions surprenantes et savantes, qui mélangent les genres et les thèmes, tout en préservant une certaine unité de ton, se retrouve dans les *Tempêtes du cœur :* milieu artiste, intrigues mondaines. Le style entraînant évoque instantanément les différents milieux où évoluent les personnages. Édouard Pesch dit en 1895 : « C'est un résumé de la lutte pour la vie, à Paris, écrite par un vrai Parisien. » On retrouve les mêmes procédés scéniques dans *Le Crime d'une sainte :* hypnotisée par l'assassin authentique, l'héroïne croit avoir vu son fiancé tuer, et son témoignage enverra celui-ci au bagne. La donnée primordiale des *Deux Gosses* est simple et pathétique : un enfant disparu, persécuté, victime d'un atroce malentendu entre ses parents.

L'auteur n'oublie pas que les midinettes dévorent ses livres : *Les Ouvrières de Paris* est un tableau assez dur de la condition ouvrière durant la Belle Époque. Une patronne au nom coloré, la mère Mailloche, emploie plusieurs gamines « à qui elle permettait tout juste de manger du pain sec et de boire de l'eau claire, et qui, pendant douze ou quatorze heures par jour, bâclaient [...] des peignoirs ». Suzanne perd deux fois son emploi, va en prison, travaille chez une modiste puis chez une allumetière : « Il était possible que ce phosphore coûtât moins cher que l'autre, mais il était certain qu'il tuerait beaucoup plus vite les ouvriers et les ouvrières qui le fabriqueraient. » Joséphine meurt rongée d'ulcères dus à son travail d'allumetière.

Decourcelle eut l'art de combiner des intrigues pathétiques, des drames sombres et comme achevés par la présence discrète des Erinyes. Ses trouvailles narratives surent retenir les riches bourgeois aussi bien que les ouvrières : des sentiments cornéliens animent souvent des intrigues raciniennes. L'histoire tragique de telle ou telle victime (celle des *Fêtards de Paris*) reste profondément émouvante parce que vraisemblable, d'une jeune fille écartelée entre l'homme aimé et son bourreau, ou d'une mère à la recherche de son enfant. Le style, simple et clair, aide à prolonger la vie profonde de ces fictions.

BIBLIOGRAPHIE

AMAT (Roland d'), *Dictionnaire de biographie française,* Letouzey et Ané, Paris, 1965.
BRUNO (P.), « Les collections à bon marché. Les volumes à 65 centimes », *Romans-Revue,* 15-6-1914.
CLARETIE (Jules), *La Vie à Paris,* Charpentier, Paris, 1904.
GAUSSERON (B. H.), « Le mouvement littéraire », *Monde moderne,* n° 100, Paris, 1902.
GEORLETTE (René), *Le Roman-Feuilleton,* chez l'auteur, Bruxelles, 1955.
HOLVECK (Charles), « Les Usines à feuilletons », *Renaissance contemporaine,* n° 12, Paris, 1911.
LES TREIZE, « Pierre Decourcelle », *L'Intransigeant,* n° 12430, Paris, 1913.
LIONNET (Henry), « Pierre Decourcelle », *Larousse mensuel,* n° 240, Paris, 1927.
MARTIN (Jules), *Nos auteurs et compositeurs,* Flammarion, Paris, 1903.
MEYER (Arthur), *Ce que je peux dire,* Plon, Paris, 1911.
OLIVIER-MARTIN (Yves), *Entretiens sur la paralittérature,* Plon, Paris, 1971.
SAINT-LANNE, *Dictionnaire illustré des contemporains,* Dentu, Paris, 1891.
SANDRE (Thierry), « Les justes paroles », *Chronique de la Société des gens de lettres,* n° 8, Paris, 1926.

CHAPITRE VI

Le roman de l'énergie

Un des crimes majeurs dont la critique jusqu'à nos jours a tenu responsable le roman populaire, c'est de manquer de vraisemblance
et de style. Mélo! Le mot terrible est lâché. Galimatias, pathos[1]!

Est-il possible de combiner des intrigues rocambolesques tout en
respectant une écriture correcte, sinon même élégante? La plupart des
auteurs populaires furent des journalistes, ils apprirent à monter un scénario, comportant des personnages vivants, sinon crédibles toujours,
en faisant leur métier de chroniqueur ou de reporter : ceux-là, les Mary,
les Decourcelle, les Richebourg, ont un langage plus ou moins terne,
plus ou moins empli d'incorrections, de platitude, bouffi d'interjections,
redondant, bavard, creux, manquant de précision, de vivacité, de limpidité, usant d'une syntaxe pauvre : c'est que leur technique, celle du
feuilleton, exigeait le remplissage, le tirage à la ligne. D'autres abor-
dèrent le roman populaire par des voies détournées, non plus à partir
du journalisme, mais de la poésie : ces derniers surent enrober d'une
syntaxe imagée, discrète, musicale et pure, les intrigues les plus impossibles, les cas les plus tordus, les données les plus véhémentes. On ne
saurait oublier parmi eux un des représentants les plus remarquables
du roman populaire « poétique », Daniel Lesueur.

---

1. Parlant d'un roman de Daudet, Adolphe Brisson semble parler d'un récit de Ponson : « ... Ces personnages, vrais en soi, s'agitent dans une action factice, machinée et
truquée comme un roman-feuilleton. Les cent dernières pages de *La Petite Paroisse* sont
du pur Montépin, et non du meilleur... M. Daudet eût composé son livre en vue du *Petit
Journal,* qu'il n'eût pas imaginé d'autres aventures... » Donc, le roman populaire est
refusé aux esprits délicats!

Daniel Lesueur

Née à Paris en 1860, Jeanne Loiseau, la première femme de lettres à avoir la Légion d'honneur, la première à qui l'Académie attribua en son entier le prix Vitet, eut des débuts pénibles, mais pas très malheureux. Son père était français, sa mère était une Irlandaise descendante de la famille du grand patriote irlandais, Daniel O'Connell. Ernest Tissot, en 1911, alla voir la romancière, « qui joint à l'attrait d'un sourire de l'Ile-de-France le mystère d'un regard pur comme les paysages de la verte Erin. Jusqu'à la voix d'Anglaise plutôt que de Française, dont le timbre, à travers la mémoire, s'éternise »! Elle n'était qu'une enfant lorsque ses parents perdirent leur fortune. Nécessité s'imposa d'aller enseigner au pair la langue française dans une pension des îles Britanniques. A vingt ans, après avoir préparé le brevet supérieur, elle enseigne donc. « Au retour, confie-t-elle à Ernest Tissot, de nouvelles difficultés m'attendaient. Que pouvais-je faire sinon donner des leçons? J'en donnai tant que la tête, le soir, m'en sautait... Non pas une fois, mais cent, je dus enseigner à dix heures du matin, bouche en cœur, ce que j'avais passé la nuit à apprendre! A la fin, je résolus d'en avoir la conscience nette... Versailles me parut propice... J'y fus admise avec bonheur!... »

Entre-temps, elle s'était mise à écrire des vers : ses deux volumes de vers furent refusés par Calmann-Lévy, Coppée défendit sa cause auprès de Lemerre, qui publia un recueil. Jeanne avait vingt ans et demi. Camille Doucet, secrétaire perpétuel de l'Académie, louangea un de ses poèmes : « Les vers valaient sa prose, sa prose valait les vers. » Son premier éditeur, Lemerre, lui dit : « Jeanne Loiseau! Mais vous n'allez pas faire paraître votre livre sous ce nom-là!... N'avez-vous pas un pseudonyme tout prêt? » Elle n'y avait pas songé; à la hâte, la mémoire lui vint de son parent, O'Connell, elle en dit le nom. « Daniel qui? » Elle n'osa répéter. « Quel est le nom de jeune fille de votre mère? — Lesueur. » Alors, l'éditeur écrivit sur la première page du manuscrit : « Daniel Lesueur. » Elle n'osa protester.

Poétesse, influencée par Leconte de Lisle, sa philosophie est sereine : il faut vivre sa vie, tout participe de là, ce qui arrive devait arriver, « et surtout pour ce qui est de notre cœur nul n'a le droit d'y regarder d'un peu près que nous-mêmes », selon son mari. Car elle épouse, toute jeune, Henry Lapauze, conservateur du musée des Beaux-Arts et de la ville. Désormais, le droit fil de la vie, et de l'œuvre, de Daniel Lesueur tient

dans ces mots : féminisme, culte de l'énergie, de l'amour. Il faut aimer
pour vivre. Tous les romans de sa première manière *(Nietzschéenne, Lèvres
closes, Amour d'aujourd'hui)* sont bâtis sur ces principes. Et déjà se dégagent
les lignes maîtresses de son œuvre : c'est d'abord le respect de la jeune
fille, c'est ensuite pour celle-ci, quand elle a été trompée, le droit de tra-
verser la vie la tête haute, « c'est enfin, selon Henry Lapauze, pour l'humanité, qui n'est que faiblesse, la nécessité inéluctable de changer ce
qu'il y a de suranné dans ses lois sociales et dans ses lois morales ».
Quand Renée succombe sous l'infâme trahison de Lionel Duplessier,
(Amour d'aujourd'hui) qui est le coupable, vis-à-vis de la malheureuse
comme de la société, sinon Lionel, vrai type de bandit dont la gredine-
rie était courante, l'est toujours? « Et c'est bien plutôt à la jeune fille
que dans ce cas la société jette la pierre... », note Lapauze [1].

Il existe donc deux registres principaux dans son œuvre : les romans
à thèse, « littéraires »; les romans passionnels. Ses fictions de la première
manière ont un ton agréablement doux et discret, les touches sont sobres
et sûres, les sujets constatent une invention aisée et de bon goût, avec
comme caractéristique un mélange de la réalité et du rêve, qui fait un
décor poétiquement ombré à tous ces personnages nets et précis comme
des portraits. C'est fait avec art, avec science et fantaisie; les plans sont
nets et d'une allure franche. Les récits, alertes, avec une part d'émotion
vraie et touchante. La langue est intéressante, riche d'idées et d'images.
Le style est parfois touffu, prolixe, mais l'exposition des théories n'a rien
d'aride ni d'abstrait, car elle sait donner de la vie à ses conceptions en les
animant sous la forme de personnages réels. Les nouveaux archétypes dont use Daniel Lesueur sont ceux-ci : la passion est-elle toujours
légitime, dès le moment qu'elle est la passion? La force est-elle la seule
loi? (*Le Droit à la force* : substitution de la justice privée à la justice
publique.) Quel est le droit de la société bourgeoise face au socialisme
(A force d'aimer)? Le développement de la personnalité est-il le seul
devoir? Tous ces archétypes resurgiront dans la seconde manière.
Romans mouvementés, pleins de vie, dialogues spirituels, situations
dramatiques : Daniel Lesueur a toutes les qualités scéniques. A l'inverse de maint auteur populaire, son style est élégant, précis, clair, c'est
qu'elle n'écrit pas trop vite, et se relit. Sur cette première manière, Jean
Kervoël profère en 1900 un jugement nuancé : « Tous ses romans sont

1. *Cf.* Julien Berr de Turique, « Les femmes et les livres » *L'Indépendant littéraire,*
15-6-1888. « Les femmes sont seules... à tout lire » car elles prisent les romans roses bien
nourris d'événements, indifférentes « à l'originalité du style et à l'effort artistique ». Il
suffit qu'ils finissent bien, ou décrivent des toilettes.

des études essentiellement psychologiques. Elle présente ces personnages non pas d'une façon superficielle, mais elle pénètre jusqu'en les profondeurs les plus inexplorées de l'être », créant des types bizarres, ceux de *Marcelle,* du socialiste Fortier, dans *A force d'aimer*[1].

Physiquement, selon Jean Kervoël, « c'est une femme de moyenne taille, aux cheveux blond roux avec un teint de blonde, à l'allure encore jeune, tout à la fois simple et distinguée... Elle attire et on la devine bonne.

« Les jours où elle ne montait ni à cheval ni à bicyclette, de bonne heure, le matin, je l'apercevais au fond du jardin. Elle travaillait en compagnie de son chat...

« [...] Dans la journée, pendant des heures d'excessive chaleur, elle travaillait encore. Avant de dîner, elle allait au bois; le soir, après une courte promenade sur la grande place du village, elle rentrait et sans doute se reprenait à penser à ses travaux.

« [...] Mme Daniel Lesueur est une acharnée travailleuse. »

De son côté, l'abbé Bethléem jugea gentiment sa première manière, des romans de mœurs « remarquables par l'alliance heureuse de l'analyse des sentiments et la bonne tenue du style ». Elle tenta de ressusciter, avec succès, le roman populaire mondain, intéressant à la fois les lettrés et les amateurs de grosses émotions. A partir des années 1900, s'opère chez elle un glissement très net vers le roman populaire, avec *Le Marquis de Valcor* et *Madame de Ferneuse.* C'est l'époque où *Le Gaulois* ouvrit une enquête sur la valeur du roman-feuilleton (1905).

Féministe résolue, Daniel Lesueur collabora aux *Droits de la femme* en 1900, à *La Fronde* en 1901. Elle écrit à *Femina* en 1910, à *Achetez-moi magazine,* en 1907. Critique littéraire au *Temps,* elle écrit aussi au *Figaro,* au *Gaulois.* En 1913, elle tint une conférence sur le bonheur, elle est en guimpe de tulle blanc, ceinture de velours bleu. Elle est en 1905 du jury du prix « Vie Heureuse ». Surtout, elle devint une fournisseuse attitrée du *Petit Journal.* Interviewée en 1912 par Maurice Verne, elle déclara : « Pas une ligne de ces ouvrages, forcément hâtifs, je ne renierais... Le feuilleton, c'est un peu comme la fresque : il faut aller vite, mais faire bien... Voyez-vous, mes amis, on a tort de mépriser le feuilleton... »

Daniel Lesueur situe devant Ernest Tissot le sens de son œuvre : « On prétend que les œuvres d'imagination qui, découpées en feuilletons, sont

---

1. Sans être toujours aussi « à gauche » que les feuilletonistes du journal *La Fronde* né en 1898, Daniel Lesueur entend assumer tous les mouvements sociaux de son temps, grâce, sans doute, aux conseils de son mari.

des succès, échouent en volume; mon cas dément ce paradoxe... Peut-être qu'à l'inverse de mes rivales, je n'ai jamais eu la prétention que mes écrits du premier jet fussent définitifs. Mon assiduité a toujours préféré réviser, corriger, réfléchir... Je prends le temps de devenir brève. Mes débuts furent difficiles; la critique eut la plume dure... je m'en félicite; car ces difficultés me contraignirent à plus de travail... [1]. »

Une œuvre de volonté

Dotée d'une volonté irréductible et modeste, Daniel Lesueur donna à toute son œuvre une allure énergique, ses héros ne sont pas des fantoches, mais des êtres d'énergie et de sang, d'un sang nerveux et bleu qui irrigue le sang rouge, un peu trop vieilli, du roman populaire. « Nietzschéenne », pour reprendre le titre d'un de ses romans, elle le fut dans sa seconde manière aussi bien que dans la première. Ernest Tissot, lui demandant de quelle façon elle opère pour nouer et dénouer des histoires qui, interminables, s'achèvent cependant trop vite au gré de ses innombrables lecteurs, reçut cette réponse : « Question de volonté. D'abord, il faut un fait inédit, terrifiant. Dans *Calvaire de femme,* par exemple, l'abominable épisode de l'automobile. Puis, l'imagination continue; la cristallisation (selon l'image stendhalienne) opère. Pour ce travail psychique, j'ai besoin de paix. A Paris, je parviens, sans effort, à mener au point final un roman comme *Nietzschéenne* [...] mais pour mes grandes machines populaires, l'isolement de la campagne m'est nécessaire. Alors la chaîne s'allonge peu à peu, les anneaux se soudent aux anneaux, un épisode en suggère un autre; l'arbre grandit branche après branche... Il n'y aura qu'à couper l'arbre afin de le débiter [...] en feuilletons... Pour ma part, je n'ai jamais pu dépasser 30 000 lignes! [...] Au-delà, les épisodes, trop nombreux ou trop développés, en détournant du drame, lui nuisent. L'unique cause du discrédit, en lequel le public lettré, ou soi-disant tel, tient le roman populaire, ne serait-il pas que neuf fois sur dix, ce genre d'ouvrage est rédigé par des auteurs qui s'y adonnent sans délices, avec la seule intention de faire vite. Or un bon roman populaire réclame autant de réflexions et d'observations que deux ou trois romans psychologiques ou sociaux... C'est minutieux à ordonner, long à rédiger [...] mais [...] au lieu de s'adresser aux lettrés

1. Ernest Tissot, « Mme Daniel Lesueur », *La Revue,* n° 17, 1911.

vous atteignez le grand public; ce peuple des véridiques, des instinctifs d'où sortira l'avenir des obscurs lendemains [1]! »

Je m'excuse de toutes ces citations, mais elles éclairent parfaitement, et la technique de l'auteur, et la conception que se faisait du genre un romancier à succès. Du reste, entendant ainsi créer, à l'intérieur du roman populaire, une sorte de genre nouveau, le roman de l'énergie, et ce fut son originalité profonde, Daniel Lesueur établit les principes de cette espèce d'école du récit populaire, mondain et nietzschéen, dans la préface de *Lointaine Revanche* (1900). Elle définit son type de « roman romanesque » en ces termes : « Les péripéties, le mouvement, les effets extérieurs des passions, y tiennent plus de place que l'analyse des caractères. » Le roman est soumis aux influences plus ou moins favorables, aux surprises du sort, aux hasards de l'existence. « De ces hasards le roman a le droit de se servir sans cesser d'être psychologique, à la condition que chaque aventure détermine toujours la conduite des personnages suivant la logique de leur mentalité.

« [...] L'idée nous séduisit de choisir quelques types énergiques, et de les placer dans des circonstances fortes, capables de mettre en jeu toutes leurs possibilités de caractère. »

Si ses personnages sont virils, l'action du roman est d'un intérêt relatif, selon Jean Kervoël : « Ce sera toujours l'éternelle histoire d'un mari trompé, d'une jeune fille séduite, d'une femme abandonnée, ou de quelque idylle troublée par certains préjugés de fortune, de rang. Cela ne varie pas. » Par ailleurs, Ernest Tissot estima qu'elle abusa de la vierge « immarcescible, de la femme adultère dans des circonstances si atténuantes qu'elles en deviennent absolvantes ».

La seconde manière de Daniel Lesueur nous offre des incursions dans le domaine du droit et du Code (les salades de crimes de *Lointaine Revanche,* les vengeances à retardement et les recherches d'identité parmi les nihilistes russes du *Roman d'une étoile*) offrant quelque invraisemblance, mais présentant un ensemble de caractères bien tracés, bien posés, bien distincts : surtout parmi les hommes. Cadres ingénieux, où se déroulent des dissertations morales sur tous les sujets qui se débattent, en ce début du XXe siècle, hors d'une société désaxée : mariage et divorce, féminisme, distribution de la richesse, éducation, religion, travail, puissance de l'or, pouvoirs publics.

---

1. Jules Bertaut (*La Littérature féminine d'aujourd'hui,* Librairie des Annales, Paris, 1909) note que « clarté, méthode, esprit d'invention, don de la vie, sensibilité », sont les qualités de l'œuvre de Daniel Lesueur.

Ces cadres aux multiples compartiments ont permis à Daniel Lesueur d'amener bien des éléments divers (beaucoup d'historiettes intercalaires, des tableaux d'ensemble, des morceaux de bravoure qui s'encastrent naturellement dans l'action nerveuse) qui traduisent un grand effort pour animer des tableaux compliqués, en disposer les parties multiples, éviter l'éparpillement et obtenir le rayonnement des détails autour de l'idée centrale qu'ils illuminent.

Un genre modernisé

L'originalité de Daniel Lesueur est d'avoir modernisé le roman populaire en lui donnant une certaine allure littéraire qui ne lui messied pas. « Au fond, juge en 1907 Maurice Cabs, rien de changé, à l'exception, bien entendu, des accessoires. L'automobile a remplacé le coursier fougueux... Mais la mère retrouve toujours son enfant par les mêmes procédés... [1].

« Les moralistes sévères pourront taquiner l'auteur en lui faisant observer que son roman *(Le Fils de l'amant)* est une apologie de la femme adultère... L'héroïne qui se contenterait d'être honnête paraîtrait fade de nos jours.

« [...] En somme, l'œuvre est originale; elle témoigne d'une imagination ardente, d'une grande facilité de style. »

Morte à Paris en 1921, Lesueur lutta jusqu'au bout en femme de tête. Durant la guerre de 14, elle agit au sein de l'Aide aux femmes des combattants qu'elle créa et dirigea.

Son œuvre, dense et importante, est marquée par la simplicité émouvante de certains récits, le rendu plein de vérité et de fraîcheur des scènes parisiennes et provinciales, les jolis contes d'amour écrits avec âme, d'un style aimable.

Son autre originalité est, tout en gardant une langue apprêtée et fine, et un don littéraire pour les études psychologiques, de ménager heureusement l'intérêt, du commencement à la fin; ses expositions sont habiles, ses histoires entraînantes, bien portées par une écriture imaginative, aisée, facile mais pas argotique.

Mieux que tout autre, elle sut expliquer l'homme et la femme par le

---

1. Ferdinand Brunetière notait en 1891 que le mauvais romanesque est celui de « la chaise de poste », de l'« échelle de cordes ».

temps et le milieu qu'ils représentent, même monstrueusement. Elle sait raconter avec vivacité, ses sujets sont traités avec habileté, mesure et convenance. Elle sait éviter les situations scabreuses [1].

Son habileté excelle dans l'art de nouer une intrigue et de provoquer l'intérêt, habileté que les femmes ont plus spontanément que les hommes. « Ses dons de romancière, nota Henry Bordeaux en 1901, sont encore des dons de poète. Elle imprime à sa phrase un tour harmonieux... exige de la prose qu'elle ait le nombre et cette grâce des mots qui pour les artistes possède tant de charme. » Elle posséda fort bien la technique du mélo : bonne exécution, intérêt soutenu, suspension habile du dénouement. Ses romans sont excellemment composés : le lecteur est tout de suite saisi, aucune lenteur n'alanguit les débuts. Les scènes se détachent avec une vive netteté, et les fins sont pour la plupart agréables, le lecteur aimant à fermer un livre sur une impression heureuse : ces dénouements optimistes sont parfois forcés, vu l'humeur méditative de l'auteur.

Une psychologie intense enveloppe les caractères des personnages : *Fiancée d'outre-mer* contient une analyse fouillée de la jeune fille élevée à l'américaine; *Le Roman d'une étoile* est un bon tableau de la décomposition russe après la guerre russo-japonaise de 1904. Par la finesse des aperçus psychologiques, *Le Masque d'amour, Le Lys royal,* firent sensation dans le monde littéraire, Coppée les apprécia. Le gros public suivit le mouvement : *Calvaire de femme* obtint autant de succès dans les journaux étrangers que dans *Le Petit Parisien.* Sa tendance aiguë à voir et à montrer des scènes de vie renouvelle la galerie des types du roman populaire.

Une dernière originalité est que cet esprit féminin a le pouvoir viril de s'emparer des idées étrangères à soi et de les féconder : la lutte des classes, dans *Lointaine Revanche;* la satire des feuilletonistes, dans *Au tournant des jours;* la condition de la femme, « vierge et veuve », dans *La Main sanglante.* Dans *Mortel Secret :* celui d'un malheureux qui tua pour venger sa mère, le cas d'une jeune fille innocente accusée de ce crime. Les deux actions qui se déroulent ensemble, sans se nuire, se donnent un charme et une vivacité mutuels. Autre présence de l'auteur social, jusque dans le stéréotype éculé de *Le Marquis de Valcor,* avec substitution d'un faux marquis au vrai, le gredin devenant député.

Les fins sont excellentes, d'un bon écrivain et d'un conteur adroit, qui sait mener l'émotion : celle de *Le Marquis de Valcor* ne manque pas

---

1. A l'encontre des récits érotiques de Jane de La Vaudère *(Les Mystères de Kama).*

de charme, avec l'ex-amie du vrai marquis demandant à l'usurpateur ce qu'il y a d'écrit sur la bague du mort.

Aux archétypes usuels hérités de Sue et Ponson : un univers féodal au sein duquel Bien et Mal s'affrontent, constitué par des liens de dépendance d'homme à homme; la binarité victime-bourreau; l'immortalité du héros, lié à un temps logique, au moins dans les romans à épisodes; le criminel enfantant le justicier; l'anti-héros, seul obstacle possible à la liberté illimitée d'action du héros, et restant l'être le plus proche de lui, uni charnellement à lui, Daniel Lesueur apporta des variations : le héros se meut dans une certaine durée; il meurt pour ressusciter, mais sa résurgence paraît moins factice parce qu'accordée à un temps réel et non magique; la structure n'est plus la sempiternelle répétition du thème unique de l'accès à la domination, puisque l'intimisme des scènes, les recherches psychologiques, le réalisme de l'invention, permettent la facture d'études fouillées, avec un charme d'analyse, une entente exquise du décor. La plus belle passion est l'amour : le culte de l'amour; de l'honneur (dans *L'Honneur d'une femme,* Daria Nogaret, victime des perfides jugements mondains, femme d'un riche industriel ivrogne, sacrifie toute sa fortune pour le sauver de la faillite et garder à son enfant un nom intact, avant de se donner à son beau militaire : Daria combat les lois du monde) et du féminisme. Ainsi, lit-on dans *L'Honneur d'une femme :* « Les sociétés latines croient pouvoir guérir du catholicisme, mais il est dans leur sang... Au point de vue de l'amour et du mariage, de la virginité... nos lois, notre morale officielle, suivent les rigoureux préceptes de l'Évangile : " Un seul homme à une seule femme. " Nos mœurs tolèrent autre chose, car la nature et le bon sens crient en nous contre notre catéchisme et nos codes. Mais où il y a tolérance, il y a vice. »

Les héros de bronze de Daniel Lesueur n'ont donc point le masque uniforme et l'invincibilité factice des héros de mélo, ils vivent et remuent au sein d'une action puissante et drue, dépouillée autant que possible des phrases ronronnantes, des sublimes horreurs et des extases du mélo. Ils ne manquent guère de l'énergie « indispensable à l'amputation de leur propre cœur, remarque Henry Bordeaux; ils sont capables des plus grandes audaces sentimentales comme ils le sont des plus nobles héroïsmes, et quelquefois... ils font du tout un extraordinaire mélange ».

Les héros sont plus réussis que les héroïnes : au lieu de sans cesse récrire la même histoire d'amour ou d'adultère en la situant dans des milieux ou des époques différents, ainsi que le firent maintes roman-cières, Daniel Lesueur nous livre une diverse et vivante galerie mascu-line, et cela, dès le début, avec Jean Valdret « si nerveux, si mâle dans sa visible candeur », le beau lieutenant de *L'Invincible Charme,* avec le téméraire et timide Robert Clérieux, le richissime industriel de *Nietzs-chéenne;* l'énergique docteur Delchaume du *Roman d'une étoile,* le sinistre Almado de *La Main sanglante.*

Enfin, le féminisme irrigue de son flot sûr et véhément des intrigues en dehors de cela assez pâlotes, dans la première manière, comme il arrache au dessèchement et à la monotonie les constructions archi-romanesques de la seconde manière. Ernest Tissot nota justement que Daniel Lesueur « a trop pensé, écrit en femme de l'avenir dans une société qui, malgré les étiquettes féministes ou libres penseuses, demeure aveuglément attachée aux préjugés du passé pour n'avoir point suscité des indignations, des surprises [1]! ».

La dernière originalité de l'auteur est d'avoir, l'une des premières, osé dire qu'au code d'amour, la justice de la femme était supérieure à celle des hommes. Elle écrivit sur un album questionnaire de jeune fille : « J'ai essayé de faire un peu de psychologie dans quelques bou-quins trop gros pour leurs lecteurs; cependant je n'en possède pas assez pour répondre à tant de questions sur moi-même, — surtout sur moi-même! »

Enfin, par la logique de ses récits, le pathétique de ses aventures, l'œuvre de Daniel Lesueur, à l'inverse des autres feuilletons, ceux de l'im-posante Georges Maldague ou de la joyeuse Mme Rolland, les fictions de Daniel Lesueur réussirent en librairie, mais Tissot relève au passage que ses feuilletons, avant l'édition en volume chez Dentu, furent « émondés avec adresse ». Pourtant, Lesueur ne figura pas au catalogue de Fayard ou de Rouff [2].

Si l'on analyse d'un peu plus près quelques-uns de ses romans, on est frappé de l'inflexible rigueur de l'enchaînement des épisodes. Pourtant, dans *Mortel Secret,* on constate la brusquerie de l'entrée en matière à chaque chapitre, dont le lien avec le précédent semble avoir été vio-

---

1. On trouve un certain écho du féminisme dans l'œuvre de Jane de La Vaudère, éton-namment charnelle, mais les revendications de la femme sont absentes des feuilletons à succès.

2. Georges Maldague entassa d'indigestes et filandreuses machines et obtint autant de succès en feuilleton qu'en volume. Ce ne fut pas le cas des autres femmes feuilleto-nistes, Jean Rolland, Max-Lyan, Maxime Villemer. A l'inverse, un auteur comme Mme Ély-Montclerc ne parut pratiquement qu'en feuilleton. Au « Livre populaire », les auteurs étaient surtout masculins.

lemment et délibérément rompu (mais on observe une remarquable unité de ton dans le déroulement des mécanismes psychologiques). C'est aussi l'abus du présent de l'indicatif dans le récit; le contraste qui se produit parfois entre l'affirmation de principes d'un interlocuteur avec le reste de ses paroles; la trop grande bizarrerie de certaines situations : les juges prévaricateurs, les policiers répugnants, un crime endossé par deux victimes, la criminelle et l'accusée à tort. En tout cas, comme dans la plupart des récits de Daniel Lesueur, la femme est tenue pour non responsable de ses égarements, uniquement dus à l'état dans lequel la société l'a placée : dans *Le Roman d'une étoile,* l'héroïne tue mais pour le bon motif.

Lointaine Revanche fourmille de situations dramatiques et pour ce fait plut aux amateurs d'aventures extraordinaires, où le merveilleux se mêle à l'épouvantable[1].

L'auteur, ici, comme ailleurs dans son œuvre, a voulu fabriquer un roman littéraire sans prétention, intéressant sans avoir systématiquement recours aux violences de la passion et aux situations, en marge du code et donnant au lecteur un plaisir uniquement tiré des psychologies de l'adultère ou des déséquilibres de la décadence morale ou sociale. Roman tout à fait attachant, tant par les caractères dépeints que par l'intrigue bien nette au milieu de laquelle ils se débattent. Pourtant, on trouve ici tous les poncifs du genre : le bon jeune homme riche, honnête et amoureux; le retour en arrière dramatique, écho du douloureux passé du héros; le justicier affrontant le criminel, forcé de rédiger l'aveu de son crime; la vengeance à retardement; la faute ancienne; le criminel mort-vivant; le justicier, autour duquel est centrée toute l'action. La fille du criminel épousera-t-elle le héros? Bâti sur une série de faits divers, comme la plupart des feuilletons : un naufrage, une vengeance, des séries de crimes, des erreurs judiciaires[2].

L'armateur Vauthier, ruiné, imagine pour se refaire d'assurer pour une somme énorme une cargaison et de la faire brûler. Le feu allumé, tempête, un témoin, Ramerie, a vu Muriac mettre le feu. Ramerie veut se venger, ayant perdu sa femme dans le naufrage. Il commet tous les crimes, inspire toutes les passions, condamne, absout, tue, fiance, marie. Hécatombe innombrable d'hommes, de femmes, d'enfants. A

---

1. Ély-Montclerc fut un des rares auteurs féminins des années 1900 à poursuivre la veine rocambolesque, en donnant des intrigues bien menées et fortement silhouettées de personnages monotypés.
2. On retrouve ainsi dans ce roman un reflet des gros scandales financiers du temps; plus tard, l'affaire Humbert inspirera maints auteurs (notamment Maurice Leblanc).

la fin, le bonheur se décide, et quatre survivants en jouissent, unis dans un même amour né d'une même haine. Le plan ne ménage ni les allées et venues ni les chassés-croisés, les hasards, les rencontres déterminent un incroyable déclenchement de personnages courant tous les uns chez les autres. L'étude des caractères est soignée : caractère des groupes sociaux (la lutte des classes s'affirme entre le prolétaire Ramerie et le riche Vauthier), des individus et surtout des femmes. L'exposition est longue et compliquée; les incidents sont parfois laborieusement amenés, les descriptions un peu sommaires. L'écriture a chaleur et fermeté; l'auteur déploie une certaine sûreté dans le plan et la conduite du récit. Comme dans ses autres romans de passion, l'action se déroule autour d'un problème d'amour nettement posé, et dont la solution, rigoureusement déduite, est déconcertante en ce qu'elle semble aller à l'encontre de la morale courante.

La sûre technique de Daniel Lesueur fit sa fortune : elle développe avec clarté, livre une abondance d'aperçus, a le don d'évoquer et de colorer, de grouper et de mettre en scène. Son style agile et actif porte sans fatigue, remue sans effort la masse des problèmes que l'auteur résout. Romancière de la psychologie en action, son art fut de faire succéder volume à volume dans le même mode et presque sur le même sujet, sans jamais lasser son public. Si elle n'a pas créé le roman populaire féministe, elle l'a fait sien en le renouvelant. Elle sut à la fois s'adresser aux lecteurs avides d'intérêt tressaillant et aux lettrés aimant les complications psychologiques : elle met de la vie, et c'est la force et le charme de ses romans. Ayant l'ambition de faire une œuvre d'observation minutieuse et générale, avec un souci de vérité, elle atteignit le gros public par des procédés qui firent leurs preuves : son roman populaire de l'énergie ne se dissocie donc pas totalement de ses premières œuvres, et il y a une certaine unité de ton entre *Nietzschéenne* et *Justice de femme, Le Masque d'amour,* ou *Du sang dans les ténèbres.*

BIBLIOGRAPHIE

BETHLÉEM (Louis), *Romans à lire et Romans à proscrire,* Cambrai, Masson, 1908.
BORDEAUX (Henry), « Madame Daniel Lesueur », *Revue hebdomadaire,* n° 42, Paris 1901.
CABS (Maurice), « Madame Daniel Lesueur », *Gil Blas,* 2-8-1907.
CAILLOT (Patrice), « Bretzels et cacahouètes », *Désiré,* n° 18, Arpheuilles, 1977.

GAUSSERON (B. H.), « Le mouvement littéraire », *Monde moderne*, n° 95, Paris, 1902.

JEAN-BERNARD, *La Vie de Paris. 1904,* Lemerre, Paris, 1905.

KERVOEL (Jean), « Portraits de femme », *Droits de la femme,* 1-2-1900.

LAPAUZE (Henry), « Une femme de lettres : Daniel Lesueur », *Nouvelle Revue,* n° 3, Paris, 1899.

LESUEUR (Daniel), Préface à *Lointaine Revanche,* Lemerre, Paris, 1900.

« Madame Daniel Lesueur », *Excelsior,* Paris, 3-11-1912.

MÉLIA (Jean), « Madame Daniel Lesueur », Supplément de l'*Action,* 7-8-1909.

OLIVIER-MARTIN (Yves), « Les oubliés », *Désiré,* n° 16, Paris, 1968.

TISSOT (Ernest), « Madame Daniel Lesueur », *La Revue,* n° 17, Paris, 1911.

VERNE (Maurice), « Interview de Madame Daniel Lesueur », *L'Intransigeant,* 9-6-1912.

III

Décadence
1920-1928

Delly

L A guerre de 1914 consacra une nouvelle évolution dans l'histoire de la société, et, partant, celle du roman populaire : l'héroïsme se réfugie dans les tranchées, sous l'impulsion décisive de l'union sacrée. La Grande Guerre fut une parenthèse pour le genre, voué au patriotisme à outrance. La nation oublie un temps ses querelles pour repousser l'ennemi. Face au péril commun, fleurit toute une littérature de circonstance, allant de Gaston Leroux et de Maurice Leblanc à Henri-Jeanne Magog et à Maurice Landay : ce ne sont plus que *Démon boche*, *L'Homme aux cent visages, Confitou*. Apparaissent de nouveaux noms au firmament du roman populaire : les frères Priollet font leurs premières armes avec un récit patriotique, *Le Roi des cuistots*. Surtout, Bernède est l'auteur le plus représentatif de cette époque intermédiaire [1].

Arthur Bernède

Né en 1871 à Redon, élève des eudistes de cette petite ville bretonne, Bernède fit son service militaire à Rennes avant de prendre la route de Paris. Il débuta dans les lettres par des vaudevilles, des récits maniérés et tordus se ressentant de l'influence symboliste, du style nouille, mais aussi de celle de Paul Bourget — qui inspira Lesueur à ses prémices — comme *Les Contes à Ninon, Mésange* (1892).

1. Le XIXe siècle s'étant réellement achevé en 1920, le roman populaire entre dans l'ère « psychologique » (Jean Leclercq, « Le roman-feuilleton », *Europe*, n° 542). C'est-à-dire qu'il se rapproche davantage des thèmes et parfois des procédés du roman « littéraire » : Marcel Prévost, Henry Bordeaux sont peu distincts de Delly. Jean de La Hire à ses débuts pasticha Paul Bourget.

Parfois, l'auteur se montra anticlérical (*La Soutane*, 1907). Patriotique et sentimental, il déploie très vite un art sûr du récit, marqué par des temps forts astucieusement disposés, et un intérêt dramatique maintenu jusqu'au bout, comme dans *Le Roman d'un jeune officier pauvre*. Parfois aussi, l'auteur est social, mais d'un « socialisme » pour midinettes. Bernède ne perça vraiment qu'avec *Cœur de Française* (1913) portant bien la marque de son époque, de la loi militaire de trois ans, de la mobilisation de toutes les énergies nationales contre le péril teuton. Dans ce temps de grande indécision, flottant entre la paix et la guerre, les auteurs populaires font leur « devoir » en répercutant dans leurs œuvres les préoccupations du moment. Il y a peu à dire de *Cœur de Française* : de ce scénario dispersé, il se dégage une impression d'indécision, une sorte de flottement, quelque chose qui ressemble à un effilochage de l'écriture. D'une part, le roman raconte le calvaire sentimental d'une jeune femme; d'autre part on assiste au conflit tout proche avec le voisin teuton. L'auteur a bien senti cette indécision, qui a tenté d'intégrer cette hésitation dans la trame dramatique du roman. Rien n'y fait : le côté factice de l'intrigue demeure [1].

Pendant la Grande Guerre, Bernède conçut le détective Chantecoq dans toute une série d'intrigues plus patriotiques et sentimentales que policières. C'est de l'espionnage débité en tranches, saupoudré de mièvrerie, parfois, résonnant de trouvailles pseudo-scientifiques; le style en est parfois lourd, embarrassé, on sent que l'auteur hésite entre des genres différents sinon ennemis, et navigue au plus près, sinon même à l'estime. Il reste que ces *Chantecoq,* avec leur allure bouffonne, une certaine gaieté, une vivacité des images, sont le chef-d'œuvre de l'auteur. Dans cette sorte de récits épisodiques, la trame principale n'étant qu'un prétexte, un alibi, pour abriter des intrigues concurrentes, des bouts de phrases patriotiques, avec une écriture plus journalistique qu'élaborée, brouillonne, tapageuse, parfois maniérée, Bernède fut relayé du reste par la série des aventures de l'Inspecteur Tony, de Gabriel Bernard. Chantecoq, c'est l'astuce française combinée avec l'esprit de déduction sherlockien [2].

1. En fait, c'est un stéréotype bien daté que de situer une jeune Française face au Teuton : René d'Anjou à Guy de Téramond ou à Louis d'Hée.
2. Mort en 1934, Gabriel Bernard fut un auteur populaire qui mériterait de sortir de l'oubli, ne fût-ce que par certains romans d'anticipation ou d'épouvante, comme *Satanas*. Musicologue averti, il conféra au roman populaire une certaine allure véhémente, un type de construction fortement charpentée. Ses scénarios superbes, lyriques, toujours surprenants de fluidité, conservent tout leur charme. Avec *Les Destructeurs* (1934) il fit un chef-d'œuvre du roman d'anticipation.

Plus tard, Bernède abordera tour à tour le roman historique, le roman pseudo-fantastique (*Belphégor*, 1927), voire le gros récit de drame et d'amour, à la Priollet ou à la René Vincy. Mais ce furent les années 1913-1918 qui lui conférèrent le plus d'authenticité : Bernède sut exprimer avec verve et grandiloquence, très fidèlement, les émois et la volonté de revanche d'une société française saisie du vertige de la guerre.

Bernède utilisa savamment les recettes d'une nouvelle technique d'écriture liée à l'essor du cinéma, le ciné-roman. (*Impéria; Judex*, avec Louis Feuillade.) Le long récit à l'allure de mélopée qui était celui de l'immédiat avant-guerre (celui des *Fantômas*) fait place à un récit sec, imagé, télégraphique, syncopé, rapide, grâce à l'apparition du ciné-roman en France... (*Les Mystères de New York* furent adaptés par Pierre Decourcelle pour *Le Matin* en 1915.) La structure emprunte au découpage cinématographique des films muets : une série de flashes négligeant l'écriture alourdie à la Richebourg, les digressions philosophiques à la Lesueur, multipliant les scènes enlevées, faisant privilégier les récits broussailleux, pathétiques. Bernède fut un de ceux qui utilisèrent le plus couramment les nouvelles recettes romanesques, avec Guy de Téramond, Charles Vayre. Il mourut à Paris en 1937.

Auteur charnière, né littérairement à la fin de la Belle Époque, rendu célèbre pendant la Grande Guerre, journaliste de profession, Bernède consacra une nouvelle évolution du genre : en 14-18, ses nouveaux héros, comme ceux de l'ensemble du roman populaire, sont l'aviateur, le poilu affrontant l'espion ou l'espionne allemand, le financier interlope, le sinistre ingénieur teuton, celui qui viole les femmes, enlève les enfants, torture et pille. La guerre marqua les auteurs et leurs lecteurs, le cas de Bernède en est particulièrement significatif. Les nouveaux décors sont influencés par le cinéma : apparaissent les grandes cités étrangères, comme New York.

Les romans d'amour et de mœurs subissent le contrecoup de l'évolution du genre : les thèmes ont changé, le roman politique et social est absent, une civilisation nouvelle, celle des « années folles », des éblouissantes années vingt, avec leur frénésie de jouissances, leur soif de vivre, imprègne le genre. On a un type de roman d'amour distingué, mais aussi la femme se trouve émancipée, depuis la guerre, elle joue avec les désirs de l'homme, elle lui échappe souvent. On assiste à un grand essor du policier; de l'exotisme (à travers Albert-Jean, André Armandy, sans parler des tintamarresques fictions de Maurice Dekobra, qui mit à la mode un certain érotisme cosmopolite, dans un monde en proie à la folie de la vitesse, les héroïnes de Dekobra, *La Madone des sleepings*, vampent entre deux trains). Surgit aussi le roman sportif. Souvent, la technique emprunte au journalisme : concision, intrigues menées à la vapeur, peu descriptives, abondance des dialogues [1].

Changement de génération

Les « anciens » (Mary, Mérouvel, Sales, Decourcelle) sont, ou bien morts, ou très près de la retraite. Ohnet est décédé en 1918. Les « nouveaux » (Magog, Groc) ont surtout débuté après la guerre. Ils exercent souvent le métier de journaliste.

Une vague d'auteurs féminins

Face à l'irruption du féminisme, de la revendication, par la femme, à exercer librement sa vie sexuelle et économique, surgit toute une série d'auteurs féminins. Le roman populaire, devenu roman mièvre, roman d'amour distingué, mièvre, semble redevenir une spécialité féminine, avec les Delly, Max du Veuzit, Magali. Ces fictions sont souvent écrites par des femmes pour des femmes, ou des jeunes filles, destinées à activer leur propension à la rêverie. Les auteurs perdent le sens des situations parfois scabreuses où perçait une sorte d'érotisme contenu, traduit dans l'exotisme à la Dekobra ou à la Champsaur [2].

Entre 1919, année de *Midinette et Nouvelle Riche,* de Marcel Allain, du retour des soldats dans leurs foyers, et 1929, date du début de la grande crise, toute une société se remodèle. Les petits rentiers ruinés par la guerre font place à une clientèle de nouveaux riches et de rapides fortunes, l'argent coule aisément au son du jazz-band. Puis, avec les émouvantes et fragiles années trente, la montée du fascisme, l'incertitude de la politique française, le roman pour midinettes semble de plus en plus constituer un monde à part, ignorant de la marche vers la Seconde Guerre mondiale. Le roman populaire est un refuge, avec lui on oublie le chômage, l'incertitude du lendemain.

---

1. C'est le temps, à partir des années vingt, du « roman-reportage », illustré notamment par Henry Champhy. Une sorte de *serial* aux séquences cinématographiques.
2. Jean de Bonnefon releva en 1908 les noms de 738 romancières dans les catalogues de librairie. En 1928, 671 femmes auteurs étaient membres de la Société des gens de lettres.

Collections populaires

En 1916, Ferenczi a lancé « Le Livre épatant », destiné à élargir davantage l'essor du « Petit Livre ». Tallandier et Fayard entreprennent de nouvelles collections. Le « Livre populaire » de Fayard continue de déverser des flots de fictions dramatiques, beaucoup plus sentimentales qu'avant 14, avec notamment des ouvrages de Simenon. Tallandier lança des collections plus ou moins éphémères : « Les Jolis Romans » en 1932, publiant Priollet ou Darcy; « Les Beaux Romans dramatiques » à 2,75 francs où florissent Darcy, Vincy, auteurs mièvres, descendants bâtards du gros roman d'avant 14. Les tirages des séries roses de Ferenczi sont les locomotives qui emportent l'ensemble des collections [1].

Marcel Espiau déclare en 1932 que les femmes préfèrent les livres qui font pleurer à ceux qui font rire. Lors du référendum de la Ligue des femmes françaises, en 1932, le roman policier recueillit 2 219 bulletins, le roman populaire d'amour, près de 7 000. Pierre Benoit et Montépin sont très demandés. Pierre l'Ermite a les faveurs de 3 816 lectrices. Les auteurs à gros tirages n'ont pas tellement la faveur des femmes. Par ailleurs, on lit beaucoup Delly à Hanoï. Et toujours, aujourd'hui, on lit et on relit du Delly [2]...

---

1. Alphonse de Parvillez (« Famine et Empoisonnement », enquête sur les lectures du peuple, *Études*, nos 23 et 24, 5 et 20-12-1928) note qu'une demi-douzaine de petites collections de Ferenczi répandent 700 000 volumes par mois, plus de 8 millions par an; ce sont les romans d'amour (« Petit Livre », etc.) qui ont les plus gros tirages. L'amour « occupe la place d'honneur dans les kiosques » : *Pour l'amour, L'Amour au cœur, Fleur d'amour*, etc. « L'amour [...] est roi. Il excuse tout, il transfigure tout. » Les lecteurs de telles collections achètent le roman d'après sa couverture. « On s'arrête, on regarde, on achète pour voir comment le héros va se tirer d'affaire. » L'écrivain obéit aux mêmes préoccupations que le dessinateur : « Émouvoir, stupéfier, ahurir, voilà le fin du fin. On ne spécule même plus sur la curiosité du lecteur c'est-à-dire son désir d'apprendre, mais sur son besoin physique de sensations fortes. »

2. Delly est largement débité en Presse Pocket, après avoir contribué à faire la fortune des éditeurs Plon, Flammarion, Gautier-Languereau. Delly, c'est le pactole assuré, depuis plus de trois générations! Exemple typique d'une littérature inusable.
La presse féminine, entre 1900 et 1930 *(Le Petit Écho de la mode, La Famille, Veillées des chaumières)* n'est nullement le reflet des conquêtes féministes du temps (loi de 1907 sur la libre disposition par la femme mariée des biens acquis à l'aide de son salaire; premières bachelières, mouvements des suffragettes, etc.). Les feuilletons publiés par ces périodiques traduisent la même image conservatrice et machiste de la femme, de la jeune fille. (De B. de Buxy à Marcelle Davet, la vierge accepte une union de convention, reste dans l'ombre du foyer, en génitrice édifiante.)

Un couple énigmatique

« Faut-il avouer que j'ignore tout de Mme Max du Veuzit et même de Mme Delly? Mais je me promets bien de réparer; car enfin voilà deux auteurs dont nul critique n'a jamais parlé, et qui pourtant sont plus lus, plus aimés, plus admirés peut-être que Malraux ou Montherlant » (Marcel Arland).

Qui était-il, ce couple mystérieux, signant d'abord M. Delly, puis Delly tout court, assurant à des séries d'éditeurs de monumentaux tirages? Quand commença de pointer la vogue de Delly, au début des années vingt, il semble bien que les auteurs naviguent à contre-courant, ignorant délibérément les recettes de l'érotisme, de la libération sexuelle de la femme, du féminisme. Rien de plus concentré, de plus pudique, que du Delly, du moins en apparence, comme on le verra.

Marie Salomon? Mme Doumergue? assurèrent certains journaux, lorsque Doumergue était président de la République. D'autres affirmaient qu'il s'agissait de Mlle Pilâtre de Rozier. Le « baroquisme » délirant, la consternante platitude des clichés — grammaticalement parfaits — les ravages d'un inconscient où Freud n'a rien à voir; la construction si souvent proche du vrai conte de Perrault, et ces titres : *Le Marquis de Carabas, Ma robe couleur du temps, Esclave... ou reine?*, qui oserait prétendre désormais que Perrault, c'est de l'eau de rose? L'influence psychologiquement « si troublante du *milieu* sur le caractère de ses personnages, minutieusement décrite et affirmée », comme le souligne Simone Magnier, tout cela, « sans oublier le romantisme fou, extravagant, des décors naturels, tout cela, c'est un élixir beaucoup plus compliqué[1] »!

Ce pseudo-couple énigmatique désignait Marie et Frédéric Petitjean de la Rosière. De la Rosière était le nom de leur mère, Petitjean, celui de leur père. Quand ils publièrent en 1907 leur premier livre, il s'agissait de résoudre un petit problème littéraire. Le livre était signé d'un pseudonyme qui semblait être le nom d'une seule personne et non celui de deux. Le frère et la sœur entendaient dédier cet ouvrage, *Une femme supérieure,* à leurs parents. Écriraient-ils « A nos chers parents » ou « A mes chers parents »? Ils optèrent pour la seconde solution, faisant preuve d'une originalité certaine — mais relative, les Tharaud avaient donné l'exemple — et ce fut la seule fois de leur vie qu'ils risquèrent une audace

1. Simone Magnier, « Delly », *Désiré,* n° 6, 1975.

littéraire. Tout le reste de leur vie, ils l'employèrent à écrire des romans conformistes, dans lesquels la foi sincère et l'honnêteté récompensées au dernier chapitre, la loyauté primée, apportaient un grand souffle médiéval, voire antédiluvien, dans une littérature oscillant entre *La Garçonne* de Margueritte et les figures perverses de Carco, ou *Les Demi-vierges* de Prévost.

Marie naquit en 1875, Frédéric, en 1876. Elle est la femme forte de la famille, la femme forte selon l'Évangile, la vierge énergique et discrète, et secrète, qui veille auprès de son frère, en tenant *La Lampe ardente,* pour rappeler le titre d'un de ses ouvrages. Marie est bien la « lampe ardente » : l'extraordinaire visage de cette femme qui, après une vocation religieuse, s'est finalement consacrée à son frère infirme, et avec lequel elle a écrit toute son œuvre, constitue un cas exceptionnel dans l'histoire de notre littérature. Qui écrivait ? Qui inventait ? Il semble bien que ce soit surtout Marie qui écrivait, Frédéric imaginant l'histoire. Le frère et la sœur « rêvèrent en l'idéalisant l'existence qu'un sort contraire leur avait refusée », selon Jean-Claude Lamy [1].

Ils ont fait pleurer plusieurs générations de Margot, cas à peu près unique dans les annales de la littérature française. Entre 1907 et 1941, ils publièrent une centaine de romans. Il en a paru dans les bibliothèques de « Ma fille » et de « Suzette », collections de Gautier-Languereau. Flammarion a vendu environ 150 000 exemplaires de chacune des réimpressions de romans en sa possession : 15 titres, de 1950 à 1966... Aucun ne sera réédité, mais quand parut, ou plutôt reparut, en 1966, *La Lune d'or,* 15 000 exemplaires furent épuisés en une seule journée. Les livres sortirent alors au rythme de deux par mois, dans une édition à cinq francs le volume. Le succès continue : actuellement, en Presse-Pocket, les Delly tirent en moyenne à 100 000 (dépourvus de préfaces, et on peut le déplorer : car qui est Delly pour les lectrices d'aujourd'hui ? Pas une simple marchandise qu'on lance comme une marque de lessive. On aimerait plus de respect pour l'œuvre).

Une vie secrète

En fait, la vie du frère et de la sœur se confond avec l'histoire de leur œuvre. Avec *Une femme supérieure,* l'héroïne, Line, sera la femme

1. « Delly, best-seller du rêve à bon marché depuis cinquante ans », *France-Soir,* 9 novembre 1973.

supérieure parce qu'on lui a inculqué de bons principes. Dans ce roman, ils réussirent à exposer tous les poncifs de la littérature rose : la fille d'officier supérieur dans le malheur ; la vieille servante renonçant à ses gages par dévouement ; cette constante dans l'œuvre : « Monsieur le docteur, souvenez-vous qu'elle est catholique ! » le monde extérieur, froid et insensible, sous la forme du cousin protestant ; la graine féconde de la bonne éducation.

Retirés à Versailles depuis 1907, dans une villa de l'avenue Jean-Jaurès, dans une communion complète de cœur et d'esprit, ces auteurs les plus lus depuis soixante-dix ans continuent de revêtir pour nous des silhouettes emplies de mystère. Ce visage tourmenté de Marie, passionné sous la rigueur monacale d'une vie de recluse, loin des agitations, des cénacles littéraires, à l'écart de la vie, est à lui seul rien moins qu'une eau tranquille. Avec son frère, enfermés dans leur propriété, toujours vêtus de noir, Marie se consacrant à une œuvre qu'ils veulent « parfaite », elle compose une étrange et hiératique figure. Pour seule compagnie, une gouvernante. Lorsque Marie meurt à Versailles, en 1947, son frère, impotent, qui se déplace difficilement avec deux cannes, la rejoindra dans la tombe deux années plus tard.

Pourquoi cette magie ?

Plusieurs explications apparaissent, dans le cas Delly. Pour Philippe Dumaine, ancien secrétaire général de la Société des gens de lettres, il est évident que les histoires extrêmement morales du couple trouvaient naturellement une large audience parmi le grand public. C'était pour lui l'occasion de rêver à bon marché comme le fait la clientèle actuelle des publications écoulant intarissablement des romans-photos. Seule la mentalité du public a changé — et est-ce même si sûr puisque Delly défie toutes les modes ? — encore que les situations stéréotypées, toujours rigoureusement morales, des scénarios de romans-photos soient des prolongements plus ou moins fidèles de Delly, de du Veuzit et autres Claude Jaunière ou Magali. Une autre question se pose : s'agit-il vraiment d'une littérature morale, ou bien l'énorme succès du frère et de la sœur s'explique-t-il par une pornographie savamment dissimulée (comme chez la comtesse de Ségur)[1] ?

1. Il va de soi que l'érotisme est absent du roman rose, du moins au premier degré. Parce qu'il s'agit d'une littérature destinée aux femmes. Et les femmes n'aiment point les descriptions cliniques.

Un même et seul graphique

Au même titre peut-être que la comtesse de Ségur fut celui des enfants, Delly a été − et sans doute restera − l'écrivain des jeunes filles, avec tout ce que ce mot de jeune fille comporte de trouble, d'ambigu, d'inachevé, de faussement lilial et de perversement candide. Il se trouve que le public atteint est au moins celui des jeunes filles et les prolongées qui ne sont point tout à fait sorties de l'âge ingrat.

Le succès, la magie du texte vient-il de ce que les fictions se déroulent toutes dans un monde distingué, ouaté, tiède, quiet? La vie des auteurs, toujours modeste, profondément chrétienne, à l'image de celle de leurs héros, partagée entre le travail et la charité, se reflète dans la vie profonde, secrète, de leurs personnages.

Une romancière disait : « Toutes les femmes aiment les livres d'amour; celles qui ont une vie un peu agitée pour y confronter les imaginations et la réalité; celles qui ont une existence calme et monotone pour se consoler dans le rêve. »

Pourquoi ce succès inouï auprès du public féminin? Sans se lasser, les Delly ont recommencé le roman d'amour que les jeunes filles de vingt ans souhaitent secrètement vivre : *La Petite Chanoinesse, La Porte scellée* eurent des tirages plus copieux que ceux de Balzac. Delly, sympathique vieille fille, pleine d'altruisme, sait plaire, encore, à tous les publics [1].

Ces auteurs, vivant dans deux chambres contiguës, au premier étage de leur villa, composèrent un seul et même graphique, valable pour tous leurs romans, et ce graphique de l'action de tant de fictions n'a pas vieilli tellement. Delly avait la connaissance, non du public en général, mais du public qui aime les histoires de braves gens; immense d'ailleurs, en France comme à l'étranger... Il s'agissait de faire évoluer des héros froids et impénétrables en surface, mais à l'âme ravagée par une noble passion, des jeunes filles pures et naïves qui ne comprenaient rien au beau ténébreux jusqu'à ce qu'elles tombassent enfin, éclairées et radieuses, dans ses bras; de les placer dans un monde où règne la vraie justice, où les bons sont toujours, toujours bons, les méchants, toujours, toujours mauvais...

---

1. D'après les sondages les plus récents, ce sont les péripatéticiennes qui constituent le plus grand groupe de lectrices de Delly, car elles cherchent à s'identifier à l'héroïne pure, à l'amour sans tache. La littérature populaire rencontre toujours, dans la vie, ses Fleur-de-Marie.

Ça a l'air très facile et pourtant personne n'a jamais réussi à égaler Delly : dans le genre, ils avaient leur secret; et on ne s'explique pas seulement leur succès par la qualité de leur écriture, et leur sens très adroit du romanesque. Pour la psychologue Pierrette Sartin, la réussite provient de l'histoire elle-même qui ne varie presque pas, quel que soit le roman : le voilà bien, le défi des modes! Le plus curieux est que les « Delly » furent des auteurs populaires sans jamais chercher à flatter leur clientèle. Oui, c'est toujours une orpheline pauvre qui rencontre un jeune homme riche, arrogant, orgueilleux, qui ne s'adoucira que pour elle, jeune fille docile, gardant sa fierté et sa dignité. Quand on ouvre un roman de Delly, on est sûr de trouver ce que l'on va y chercher.

Un seul auteur?

En fait, tout converge autour de Marie, la seule à manier l'écriture, la construction, donc toute la charpente... Avec une convenance parfaite, une pointe de sentiment qui ne glisse jamais à la sensiblerie, une veine d'observation qui s'arrête à la limite de la satire involontaire, il faut louer dans ces œuvres la correction du style, la justesse de l'expression. C'est du roman moyen, décent, voire un tantinet pincé, à langue de vieux salon provincial — comme dans les fictions des Mathilde Alanic. Un style agréable, de jolis détails sauvent les banalités d'œuvres aussi morales qu'un conte de Berquin. Les héros sont en demi-teinte : ni trop vifs ni trop passionnés, ils sont les fils de la tradition telle que la goûte la petite bourgeoisie aimant cette atmosphère irréelle, inexistante, enviable, mais si chère, si consolante, comme tous les préjugés.

Dans *La nuit tombe,* la belle héroïne renonçait à son amour et laissait le jeune homme partir vers une destinée lointaine, mais ne manquait pas de lui adresser une dernière lettre où elle lui annonçait « que c'était mieux ainsi », car lorsqu'il la recevrait, atteinte par un mal inexorable, elle serait morte. Un critique de 1947, le Magot solitaire, lut le roman à treize ans, au collège, et un de ses camarades dit : « C'est toquard », en lui conseillant *La Comtesse de Charny,* du bon Dumas[1].

« Romans innocents dont l'intrigue et le ton dataient d'un siècle, déclara ce même critique. Et elle avait l'aspect d'un de ces personnages.

« Nous l'avons vue, une fois, jadis, dans le cabinet d'un directeur de journal, assez " radin ", qui prétendait la payer deux francs la ligne alors qu'elle demandait cinq francs.

1. « Le secret de Delly », *Carrefour,* n° 134, 1947.

« Nous vîmes entrer une vieille dame, au charmant sourire, qui avait une robe de soie puce, des mitaines et, sur les cheveux en pieux bandeaux, une capote à brides vertes nouées sous le menton, et que surmontait une touffe de cerises.

« A chaque personne présente, elle fit une petite révérence puis s'assit au bord d'un fauteuil, les yeux baissés. » Le directeur de journal, après une série d'augmentations de cinquante centimes, lui accorda cinq francs. « Alors les cerises s'agitèrent pour dire oui. Mlle Petitjean de la Rosière se leva, fit une petite révérence et, sans avoir prononcé une parole, retourna au tramway de Versailles[1]. »

Les Delly firent leurs premières armes dans le *Pèlerin,* qui avait un tirage dépassant 320 000 exemplaires au début de 1906.

Un souffle unique

L'œuvre de Delly s'écoule comme un fleuve lent aux eaux faussement tranquilles : un souffle univoque emporte ces fictions apparemment pâlotes. La moralité de Delly est-elle cette étrange et moite pudibonderie sexuelle qu'on retrouve à chacune de ses lignes ? Il semble que oui, mais des récits qui s'intitulent *La Jeune Fille emmurée, Les Deux Crimes de Thècles, Des plaintes dans la nuit, Le Drame de l'étang aux biches, La Vengeance de Ralph,* ont-ils des titres sans problèmes ?

A la vérité, il n'est guère de roman de Delly sans une intrigue avant tout policière, où quelques crimes des plus diaboliquement prémédités ne soient minutieusement — pour ne pas dire complaisamment — décrits : tortures dans des cachots gothiques, séquestrations sans espoir de retour, noyades criminelles dans un lac où l'eau conserve mystérieusement les cadavres, enlèvements précédés d'une drogue anesthésiante, égorgement par le chien de service — voire le lion — dans *L'Orpheline de Ti-Carrec!* Sans oublier l'histoire de *L'Étang aux biches,* un crime commis et resté impuni. Toute cette mise en scène extrêmement pittoresque — le plus souvent dans un « cadre de verdure » à la lune montante, parce que le ciel est plus troublant — tout cela n'est pas seulement un bric-à-brac théâtral. Il y a autre chose[2].

---

1. « La bonne demoiselle », *Ici-Paris,* n° 93, 1947.
2. Magali, elle aussi, multiplie les crimes dans ses romans.

Le mal et le bien

Delly ne recule devant aucun excès, pour démonter la parfaite mécanique qui oppose systématiquement chez ses personnages le Bon et le Mauvais : la pure jeune fille « aux yeux noirs veloutés, à l'expression singulièrement profonde, dont la tête délicate supportait avec peine le poids d'une magnifique chevelure d'un blond chaudement doré » (*L'Orpheline de Ti-Carrec* — changez les couleurs et vous les aurez toutes). Qui oppose donc cette jeune fille à l'homme dont le regard est d'une froideur courtoise, qui semble lui être habituelle et tenir à distance les plus audacieux » (*Gilles de Cesbres* — changez les nuances de la domination, et vous les aurez tous)? Qui oppose en somme le Bien au Mal?

« C'est une lutte à mort, impressionnante, métaphysique, celle du vice et de la vertu, dans un décor plus romantique que kitch, quoi qu'il y paraisse, où la nature est apaisante même en ses débordements et où, finalement, irrésistiblement, le Bien vaincra » (Simone Magnier).

L'extrême pouvoir d'évasion de Delly, son sens du romanesque (qui faisait dire à une grand-mère berrichonne de Simone Magnier : « C'est bien écrit », alors qu'elle méprisait les Magali et autres Max du Veuzit, incapables de lui donner le même plaisir), qui a pu faire croire au « sentimentalisme » pur de cette littérature « de rêve », c'est peut-être cela l'explication de son succès.

Elle a choisi sa solution, unique et simple : jamais le crime ne paie. Le Mal est mauvais mais le Bien est plus fort et il vaincra irrésistiblement. C'est certain, implacable, c'est merveilleusement reposant. « C'est pittoresque et dépaysant par-dessus le marché, note Simone Magnier. C'est même une forme de progrès social. »

Un édifice à plusieurs étages

« Il y en a pour tous les goûts : du sang, de l'exotisme, de la pureté, le tout sans risques, car notre père, vous êtes aux cieux et vous nous délivrez du mal mieux qu'un commissaire de police, en nous envoyant votre blanche colombe.

« Et l'évasion, n'est-ce pas la vraie veine du roman populaire? » (Simone Magnier).

Il s'agit, sous cette apparente simplicité, de ton, de structure, d'un édifice à plusieurs étages : policier, rose, ingrédients perfidement pornographiques, au-delà de cet aspect uniforme qui fait rejoindre les « héroïnes du silence » de Mme Riccoboni. Jamais auteur catholique n'a clamé si haut et fort les vertus de la religion.

Constante de l'œuvre : de *Fille de Chouans* (1918) au *Drame de l'étang aux biches* (1940), mais sont-ce des romans totalement innocents?

A l'ombre de Perrault

Si la construction est souvent celle d'un conte de Perrault : exposition ouverte, trame serrée, conclusion raide, les archétypes de Perrault viennent rejoindre ceux de Delly. *L'Orpheline de Ti-Carrec,* c'est exactement Cendrillon. Et que dire du *Marquis de Carabas?* On retrouve chez Delly un reflet de l'univers de Perrault : les grands archétypes de la misère et de l'aventure, de la folie ou de l'amour persécuté, organisés autour d'interdictions ou de permissions qui structurent la famille ou la société. Comme chez Perrault, la jeune fille a besoin de la protection du puissant, elle est l'être le plus fragile, le plus menacé; comme chez Perrault, sa virginité sanctifie ce qu'elle approche : ainsi en est-il pour l'héroïne de *Fille de Chouans,* qui préfère se taire plutôt que de dénoncer celui qu'elle croit coupable d'un crime, mais qu'elle aime. Tout le nœud de l'action consiste dans le silence de Didier le jour du meurtre : le roman à thèse vient relayer une intrigue policière assez pâlote. Les personnages sont bien vus (Ninon incarne la province et ses traditions face à la République laïque – elle accepte d'épouser *in extremis* Gratien, frère de Didier et réel auteur du crime) mais sans particulière ampleur. Le fil général est assez relâché. Delly rajeunit quelque peu l'archétype des frères ennemis et rivaux – Didier ne peut haïr son frère, car il est chrétien, en le situant dans une perspective placée avant 14 [1].

La composition est parfois flottante et hasardeuse, d'un dessin capricieux, comme dans *L'Héritier du duc de Sailles* (1911) : certes, l'auteur sait poser un type, conduire cette action et disposer ses épisodes de façon à éclairer le sujet et à le faire valoir en pleine lumière; certes, Delly a adopté la manière plus vive du dialogue et des scènes animées, sans user des analyses ni des descriptions, et il y a de la vivacité et du réalisme

---

1. En fait, Delly décrit une société « rétro » fossilisée. Ce qui fait le charme intemporel de son œuvre.

dans les séquences, mais les types restent à peine dégrossis, l'intrigue s'essouffle, ne satisfait point. Toutefois, Delly sait brosser à traits incisifs une intrigue assez tordue qui est au fond celle du Petit Poucet, le petit duc affrontant l'ogresse, avec tout un fatras d'archétypes traditionnels : le mystère de la naissance, le drame successoral, le rapt, la femme masquée. Delly rajeunit de vieux poncifs avec une écriture sautillante, vive, l'art de coupler les portraits antithétiques, un génie sûr dans la composition : tout est en place dès le début, dans l'exposition rapide et précise. Mais l'exécution est souvent faible, les sentiments sont trop superficiellement étudiés, les événements, trop facilement arrangés.

La composition trébuche d'un chapitre à l'autre, dans *Mitsi* (1922), mais la charpente n'est pas faite de fils légers. Le style manque de fluidité. Les types sont presque des caricatures : le fils noceur, indifférent et fier; la gouvernante méchante; la petite bonne au grand cœur; surgit même une tenancière de bordel. Mitsi, frêle, jolie, intelligente, est recueillie par une riche famille et deviendra une femme de chambre avant que l'assassin ne soit démasqué, et que Mitsi, enfermée dans un hôtel borgne, ne soit délivrée.

En général, dans les œuvres de début *(Mitsi, L'Héritier du duc de Sailles)* la touche n'est pas franche et large. C'est menu et traité par parcelles; c'est de la psychologie à facettes; le choix des détails marque de l'inexpérience. Ainsi, avec *La Fin d'une Walkyrie* (1916), dont l'exécution reste assez faible : trop de longueurs, de phrases sucrées, de sentiments et de situations convenus, avec l'opposition de la bonne et de la perverse. Le coup de théâtre final ne sauve pas une intrigue assez incolore : le meurtre de Brunhilde par son amant, l'officier Boris Vlavesky, ne convainc pas. Le récit est confus, mal composé, inhabilement découpé et encombré de détails sans aucun intérêt [1].

Puis la trame se resserre, les personnages prennent davantage de relief : *Des plaintes dans la nuit* (1937) est un ouvrage tout d'images et d'observation, un récit puissamment dramatique et conduit avec une maîtrise particulière. On croit à ces nobliaux de fantaisie, à la Ohnet, qui s'agitent dans une Allemagne elle aussi de fantaisie. La miséricorde divine sauve, « par un coup terrible », l'orgueilleux incroyant de Redwitz, et on avale sans peine la reconnaissance finale du père et du fils. *La Jeune Fille emmurée* est un roman neuf dans la forme, composé d'une succession de scènes ou d'exposés qui semblent juxtaposés sans souci du

---

1. Hormis ce mauvais drame wagnérien, et *Esclave... ou reine?*, Delly ne situa jamais son œuvre dans une actualité datée.

déroulement de l'intrigue. En fait, chaque passage est une étape nouvelle qui éclaire une situation, un personnage, une analyse. Delly sait hiérarchiser ses personnages autour d'une étude majeure.

Des convertisseuses

Surtout, ce qui constitue l'originalité de Delly, c'est que les héroïnes ont une âme pastorale, elles savent retourner vers le Bien les plus durs individus. Lise de Subrans, dans *Esclave... ou reine?*, « créature délicieuse », contrainte par sa belle-mère d'épouser son cousin, un prince russe, renâcle à épouser un orthodoxe. Lui est de métal : « J'entends demeurer toujours le maître absolu; mais, en retour, je donne à ma femme toutes les satisfactions convenant à une cervelle féminine. Que pourrait-elle demander de plus? » Constamment traitée en enfant, elle fait revenir Serge « de ses erreurs » et le voilà bon. La pure héroïne qui fait du terrible justicier qu'est *Le Roi des Andes* un être compatissant est du même acabit. Dans *La Jeune Fille emmurée*, c'est Annabel, la victime, qui triomphe : la terrible grand-mère veut étouffer en Annabel toute sensibilité, toute croyance, tout élan, elle n'aura pas le dernier mot.

Et puis, du mystère, partout : ainsi, dans *La Lune d'or*, avec le meurtre d'une femme belle et étrange; l'histoire d'un bijou fatal; d'une maladie minant une comtesse; sans oublier le Comanche et le Mexicain de service. L'exotisme, on le rencontre avec *Le Roi des Andes*, avec les steppes russes d'*Esclave... ou reine?* (1912).

Pourquoi ce succès qui défie les modes? Parce que Delly apporte un sentiment sécurisant, qu'il rassure, dans notre époque cruelle et incertaine, en proie à la violence. Delly, c'est la solidité du granit, l'éternité des valeurs, dans un monde où les valeurs s'écroulent, où tout part à la dérive. Ce retour actuel en force de Delly correspond à une mode pour tout ce qui est un peu mièvre, à la vogue de la littérature « rétro »; d'autre part, Delly se singularise en allant systématiquement à contre-courant d'une production érotique dont on commence à être saturé comme on l'a été du nouveau roman. Et aussi, cette vogue correspond à un besoin du public actuel d'oublier une époque dure et cruelle, marquée par la violence : cela explique le succès de la collection « Nostalgie » de Tallandier, qui tire à 10 000 exemplaires chaque ouvrage choisi par les lecteurs eux-mêmes. En rajeunissant les plus vieux archétypes du genre : l'enfant sans origine, la poursuite pure de l'héroïne, la défaite irrésistible du Mal et du malheur, Delly a su parler à tous [1].

Marcel Priollet

A l'opposé de la manière lente et douce avec laquelle Delly nous enfonce dans les abîmes de la passion, Priollet poursuit le même et éternel thème : les infortunes de la vertu, comme Delly, mais à travers tout un canevas de gros roman d'aventures à la Galopin. Priollet, c'est l'« aventure » énorme, bouffie, bariolée, avec des titres ahurissants, choisis tout exprès pour se démarquer des confrères utilisant souvent le même titre : *Les Tueurs d'illusions* (1930), *Les Bas-Fonds du grand monde,* (1926); *Les Confessions d'amour* (1926-1932) comprenant tels titres : *J'ai tué mon cœur, Morte au champ d'amour...*

Né à Ivry en 1884, frère de Julien Priollet, qui signa Maxime La Tour de filandreux romans roses, Marcel Priollet fut publié par Tallandier, Ferenczi, S.E.T. On le vit aussi bien dans le « Livre de poche » et les « Romans célèbres de drame et d'amour » de Tallandier, que dans le « Petit Livre » de Ferenczi. Mort en 1960 à Paris, celui qui signa Claude Fleurange, Henry de Trémières et R. M. de Nizerolles, aligna un nombre incroyable de volumes écrits à la va-vite, boursouflés, mais souvent enlevés par un vif sens du mélo. *Mère à quinze ans... par la faute de qui?* (1931) débité par Ferenczi en livraisons à vingt-cinq centimes, est le prototype de ces romans pour midinettes qui firent la fortune de l'auteur. C'est un des derniers avatars du roman du « martyre féminin », avec une écriture assez enfantine, un sens ingénieux de la composition, offrant un morcellement de l'intrigue principale en sous-intrigues; mais l'exécution est souvent médiocre, souffre d'obscurités, de banalités. Le calvaire de Francine Chanterel, servante violentée une nuit par un inconnu, au château où elle sert, ce calvaire de la « fillette-mère » s'étire interminablement. Les vieux poncifs surgissent : Francine est la fille naturelle d'un baron, elle épousera à la fin son aimé. Il s'agit davantage d'un récit d'aventures que d'un roman rose, et le person-

---

1. Sue *(Martin, l'enfant trouvé)* utilisa le premier le thème de l'enfant-mystère, après le *Tom Jones* de Fielding. Chez Delly, *La Chatte blanche, L'Héritage de Cendrillon,* dérivent des contes de Perrault. Les précurseurs sont *L'Enfant du Carnaval* de Pigault-Lebrun et *Cœlina ou l'Enfant du mystère* de Ducray-Duminil, qui mirent en vogue le thème de l'enfant sans père ni mère.

nage de Francine, l'héroïne au cœur immense », n'est pas toujours crédible [1].

BIBLIOGRAPHIE

ARLAND (Marcel), *Lettres de France,* Albin Michel, Paris, 1951.

BETHLÉEM (Louis), *Romans à lire et Romans à proscrire.* Éditions de la Revue des lectures, Paris, 1928.

BRUNOT (Nicolette), « Delly, l'auteur le plus lu du monde, est morte », *France-Soir,* n° 832, Paris, 1947.

CARS (Guy des), *De cape et de plume,* Flammarion, Paris, 1965.

« Delly est morte », *Aurore,* n° 793, Paris, 1947.

GEORLETTE (René), *Le Roman-Feuilleton,* chez l'auteur, Bruxelles, 1955.

« La bonne demoiselle », *Ici-Paris,* n° 93, Paris, 1947.

LAMY (Jean-Claude), « Delly, best-seller du rêve à bon marché depuis cinquante ans », *France-Soir,* 9 novembre 1973.

MAGNIER (Simone), « Delly ou le Roman d'évasion », *Désiré,* n° 6, Segogne, 1975.

MAGOT SOLITAIRE, « Le secret de Delly », *Carrefour,* n° 134, Paris, 1947.

1. Pas plus que chez Delly, les œuvres de Priollet ne se réfèrent à l'actualité. On s'agite dans un faux décor à la Ponson du Terrail, loin des crises économiques et politiques.

CHAPITRE II

Guy des Cars

L A guerre de 1939 a introduit dans l'histoire littéraire une coupure bien plus grande que celle de 1914 : les mœurs évoluent beaucoup plus vite qu'auparavant, la société est en plein tourbillon. Un auteur comme Guy des Cars se trouve être contemporain de cette mutation profonde, qui va de 1940, se poursuit avec la IVe République, amorce la Ve. La Ve est un des régimes français qui ont connu le plus de transformations sociales et économiques : la consommation privée augmente de 69 pour 100. Les structures sociales du pays ont craqué : de 25 pour 100 de la population active en 1958, les paysans ne représentent plus en 1977 que moins de 10 pour 100. La France devient un grand pays industriel. Les cadres moyens augmentent de 150 pour 100; cadres supérieurs, ouvriers... sont des catégories en hausse rapide. Surgit tout un nouveau monde : supermarchés, grandes surfaces, laveries automatiques.

Les réformes sexuelles traduisent l'évolution rapide des mœurs : c'est la loi Neuwirth sur la contraception, en 1967, puis la loi Veil sur l'avortement. La littérature populaire actuelle est le reflet de ces mutations profondes.

La lecture, phénomène de masse

Si l'on compare la situation avec celle qui prévalait en 1900, on constate que la culture devient accessible à tous. La lecture se répand dans tous les milieux. De 1900 à 1930, c'est encore une clientèle restreinte, semi-bourgeoise, qui vise par exemple *Le Petit Écho de la mode*, mais il s'agit d'une bourgeoisie de plus en plus restreinte « qui confine aux couches populaires supérieures » (Maurice Crubellier, *Histoire culturelle de la France, XIXe-XXe siècle, op. cit.*). L'idéal proposé, les valeurs mises en œuvre sont catholiques, nationalistes et familiales. A partir de la guerre de 14, la femme peut gagner sa vie. Passé le tournant de 1930, nouvelle mutation : on la trouve avec le périodique *Marie-Claire,* lancé en 1937 ; les romans qui paraissent dans cette revue sont surtout anglais, pour plus de la moitié, car les Anglais savent « parler de la famille, des bêtes, de la campagne, et monter des intrigues policières qui restent humaines et sensibles », comme le note Évelyne Sullerot.

Après 1945, si la production grandit encore (15 700 000 exemplaires de périodiques sont vendus au début de chaque mois pour 17 800 000 Françaises, selon les chiffres de 1962), les lecteurs masculins ont part à cette inflation : pour un tiers, estime-t-on à *Nous Deux.* La nouveauté la plus notable est constituée par le photo-roman, bâtard né du magazine, de la bande dessinée et du film, surgi en 1947 en Italie, introduit en France en 1949 par Cino del Duca. Le photo-roman connut un énorme succès auprès d'un public modeste, du niveau de l'instruction élémentaire, disposant de faibles revenus [1].

Fin des éditions populaires

Un dernier phénomène marque le tournant des années soixante : c'est la disparition des éditions populaires. Après un certain foisonnement favorisé par l'immédiat après-guerre, l'apparition de maisons éphémères comme la S.E.G., les éditions de l'Arabesque ou du Grand Damier, l'édition populaire ne retrouve plus ni son souffle ni son public d'avant 1939. Elle n'a pas su se moderniser à temps, elle vivote en fonction de recettes vieillottes : Tallandier et Fayard se contentent de rééditer les grands succès d'avant 1914 ou d'avant 1939 ; les petites collections sentimentales de Rouff et de Ferenczi sont délaissées par leur public

---

1. *Cf.* Henri Cazals, « Permanence du roman-feuilleton ». *L'Éducation nationale,* n° 10, novembre 1966.
Marie-Claire, hebdo né en mars 1937, sous l'impulsion de Marcelle Auclair, connut deux types de feuilletons, « le romanesque échevelé des temps passés » (romans d'Étienne Anthérieu, Jean d'Agraives) et « une formule plus moderne où intervient l'humour ». (Marianne Milhaud « La femme au miroir du roman-feuilleton », *art. cit.*) Les lectrices, peu séduites par ces tentatives de rejet du feuilleton type, préférèrent les récits historiques. (Ou tels scénarios : *Le Troisième Œillet* de Jacques Decrest, dont l'héroïne va au bal sans chaperon et participe à l'enquête policière ; *Le Terrible Amour des sœurs Marquès* de Germaine Castro : l'épouse voleuse est malmenée par son mari.)

féminin, qui dévore les romans-photos. La fin du volume populaire a été précédée par la fin des publications en fascicules. Les interminables romans débités en livraison, genre Priollet, dont la première livraison était mise dans les boîtes aux lettres des particuliers, disparaissent autour de 1960. La concurrence de la bande dessinée, du photo-roman, d'une certaine manière du feuilleton télévisé *(Janique Aimée, Noëlle aux quatre vents),* a tué cette forme traditionnelle de l'édition [1].

Une image de marque?

« Guy des Cars est une image de marque comme chaque époque en fait naître », jugeait Paul Morelle en 1970. Il serait ainsi un produit typique de son temps. Guy des Cars est-il le continuateur de Delly, écrit-il, de la même eau que les Marie-Anne Desmarets, Claude Jaunière, Hélène Simart et autres Lise Blanchet qui ont assumé l'héritage de Delly? Des Cars s'est plusieurs fois déclaré hostile à un tel héritage, il ne veut surtout pas écrire de romans roses. « On ne fait pas de bons romans avec des bons sentiments... — Je ne peins pas des types humains isolés. C'est le fait de les cerner dans un roman qui les isole... — Derrière un thème actuel, je m'efforce de faire appel à des vérités éternelles : celles du cœur » *(J'ose,* Stock, 1974) [2].

Né à Paris en 1911, fils d'un authentique duc, Guy fit ses études chez les jésuites de Saint-Louis-de-Gonzague; il fut douze ans pensionnaire. A onze ans, il fonda son premier journal, *En famille,* qui paraissait chaque semaine au collège. La feuille eut un tel succès que les jésuites le renvoyèrent. A Évreux, Guy créa le journal *Chez nous,* qui parut jusqu'en 1940. Son père l'envoya au Chili à cause d'une frasque sentimentale. Il épousa une fille riche et fit avec elle le tour du monde. Journaliste au *Pantagruel* de Henri-Louis Mill, il y connut Pierre Véry, Claude Farrère, et y signa sous plusieurs pseudonymes : Giglio, Synovie, Desrac. Il effectua un bref passage au *Jour* de Léon Bailby, en 1932. En 1930, ayant

---

1. Outre le feuilleton télévisé *(Noëlle aux quatre vents* de Dominique Saint-Alban) florit la presse Del Duca : *Nous Deux,* à 0,80 franc le numéro, tire en 1964 à près de 1 400 000 exemplaires, contient dans chaque numéro un roman complet, deux romans-feuilletons et quatre romans-photos. A côté de la permanence du genre Delly (Brigitte Sandel, *Cher oncle Thierry),* se dessine une évolution des mœurs au niveau des nouvelles (essais prénuptiaux, jeune fille au travail, mais ignorance des problèmes évoqués dans les articles publiés par *Marie-Claire* ou *Femmes d'aujourd'hui :* mariages entre jeunes, éducation des adolescents, contraception, femmes seules).

2. Mais il rejoint par là même l'intemporalité de Delly ou de Claude Jaunière.

écrit sa première nouvelle, le jeune auteur la porta à un hebdomadaire dont Henri Duvernois était le directeur littéraire. Duvernois lui déclara : « Il y a un principe absolu dans ce métier où tu veux te lancer : ne livre jamais au lecteur des pages qui ne t'enchanteraient pas! Ça risquerait de le désenchanter, lui aussi! Et il ne te le pardonnerait pas! »

Après son passage au *Jour,* Guy des Cars mena une vie de saltimbanque, comme secrétaire général d'un chef de cirque, puis il entra à *Aujourd'hui,* puis à l'hebdomadaire *Savez-vous?* de Jean Rollin, qui fustigeait tous les partis politiques. Il écrit dans *Demain* en 1936, hebdomadaire de Pecquery. Il y passa un roman policier dont il écrivait, anonymement, les premiers chapitres « pour nouer l'intrigue et dont les chapitres suivants seraient dus à l'imagination des lecteurs » (*Mémoires d'un jeune,* Fayard, 1945). Ce fut *Le Crime de l'Exposition,* cadré durant l'Exposition de 1937 ; André Lang avait déjà lancé une telle formule de roman écrit par les lecteurs avec *L'Affaire Plantin.* Démobilisé en 40, Guy fut affecté au commandement d'un groupe des Chantiers de la Jeunesse du Var. Il y fit un journal qui n'eut qu'un numéro, *Jeune Force.* Quelque mois plus tard paraissait son premier roman, *L'Officier sans nom* (1941). Albert Flament en dit : « Le feu qui anime *L'Officier sans nom* et qui laisse les lecteurs brûlants, porte le qualificatif de " roman "... Le roman d'amour et de mort de centaines de milliers de Français. L'héroïne n'est pas " sans nom " : la Guerre!... » Colette jugea ainsi ce roman, en 1942 : « Il est bon, ton bouquin, mon petit... Surtout ne te grise pas!... » Pierre Benoit qualifia l'auteur de « rude conteur ». (En fait, il s'agissait d'un roman ultérieur, *L'Impure.*) De *L'Officier sans nom,* Guy des Cars déclara que c'était un « récit inspiré, dirigé, commandé par les faits : sa construction reste assujettie à l'ordre chronologique des événements », et le style en était « haché, heurté, immodéré » (Préface de l'auteur à la réédition de 1964). L'ouvrage, tout de circonstance (la guerre de 39) connut un vif succès. Qui se renouvela avec son second roman, *La Dame du cirque* (1942). Michaëla Pally, fille d'un noble viennois, quitte sa famille et son fiancé pour suivre le cirque d'Hermann Thier où elle est écuyère. Elle épouse Thier, se brise la colonne vertébrale, devient folle. Début 1944, l'auteur eut son cirque sur les Champs-Élysées, avec Jean Houcke. Il lança *Le Canari,* premier journal humoristique qui parut après la Libération, mais ne vécut que trois mois, le temps de treize numéros.

Un dynamiteur?

« Il aime dynamiter ses personnages, les bousculer selon son plan connu de lui seul, placer des rebondissements... exactement à l'endroit où il l'a prévu », déclare le fils de l'auteur dans *J'ose*.

Guy des Cars s'est expliqué plusieurs fois sur sa technique, ses procédés littéraires. Découvert et lancé par Francis Carco, il entend rester fidèle à un certain réalisme. Une idée de départ, des mois de documentation, puis la rédaction : huit à dix heures par jour. A Jean-Louis de Rambures, il déclara : « Un roman, je le dis toujours, c'est un peu comme les Galeries Lafayette. Il faut tout le temps qu'il s'y passe quelque chose » (Jean-Louis de Rambures, *Comment travaillent les écrivains*, Flammarion, 1978). « Une fois le livre parti, il s'agit de ne plus lâcher le lecteur. Attention aux morceaux de bravoure. Il faut qu'ils soient absolument nécessaires à l'action [...]. L'un de mes trucs consiste à confier à celui-ci certains secrets ignorés des protagonistes [...]. Le lecteur se dit : " Moi, je sais ce qui va arriver. " Et là, il faut toujours qu'il se passe le contraire de ce qu'il a prévu : c'est Guignol. »

Un autre truc : « Chaque fois qu'un héros doit parler un certain temps il va à la ligne. » Avant tout constructeur, sa méthode est de ne commencer le travail de rédaction qu'après avoir su où il va et quel sera l'équilibre et le poids de son livre. « Je commence par me raconter à moi-même mon histoire... Je laisse dormir. Je recommence le lendemain, jusqu'à ce que je sois capable de résumer l'ensemble du roman, sans trébucher, en un quart d'heure. Après quoi, je me mets en devoir de tracer un premier plan très simple, marquant les différentes parties du livre. Je le laisse dormir en travaillant. Je reprends chaque partie en l'étoffant. J'arrive enfin au plan définitif qui peut compter une quarantaine de pages. Et alors [...] c'est une mathématique absolue : tout est numéroté jusqu'aux paragraphes. Chaque partie compte seize à vingt chapitres...

« Pour le *Château du clown* j'ai fait sept plans successifs (j'ai finalement utilisé soixante pour cent du premier et quarante pour cent des deuxième, troisième et cinquième plans). Et cela a duré quatre mois. Mais une fois ce travail accompli, je ne change plus rien. Mon livre est fait et il ne reste plus qu'à l'écrire. »

Les cinq lois

L'auteur revient sur ses procédés narratifs dans *J'ose* : « Première loi : raconter une histoire. Ne jamais raconter la même et changer de milieu à chaque livre... — Deuxième loi : faire un plan détaillé avant de s'attaquer à la rédaction proprement dite... — Troisième loi : se raconter à soi-même l'histoire en un quart d'heure. Si on se la raconte sans difficulté, c'est qu'elle tient. — Quatrième loi : avoir toujours un nombre impair de personnages. Et quand l'action s'essouffle, introduire un nouveau personnage. — Cinquième loi : il faut mettre le lecteur dans la confidence d'une partie de l'action que les personnages du roman, eux, ignorent. » Guy des Cars précise, dans *De cape et de plume* : « Quand le plan est solidement étayé, dès que l'auteur sent que la charpente de l'histoire est solide, après que sa documentation a été patiemment accumulée, puis suffisamment digérée pour qu'il soit capable de la faire assimiler aux autres qui se nomment les lecteurs [...] alors seulement il peut [...] tenter d'écrire son roman. »

Il n'a jamais cherché à avoir un style, « estimant que chaque roman exige son style propre ». C'est l'idée seule qui compte, quand elle est claire, il n'y a aucun problème de style.

Rupture avec Delly?

Guy des Cars s'est toujours vigoureusement défendu de faire ou refaire du Delly; et pourtant son public reste essentiellement féminin : près de 60 pour 100 de lectrices. Aimant la femme, dont les qualités et les défauts sont des mines d'or pour les romanciers, il a tenté de la peindre. « Cela m'a donné des héroïnes et des lectrices. Beaucoup de lectrices car les femmes les plus féminines adorent observer, analyser et juger leurs semblables. Ce sont elles qui, furieuses ou contentes, m'envoient les lettres les plus engagées. » *(De cape et de plume.)* En fait, des Cars a eu l'originalité grande d'unir les analyses psychologiques chères aux femmes à un choix systématique de données sociologiques puisées dans l'actualité. Il travaille de préférence sur des données pathologiques ou ethnologiques. Ce qui l'intéresse, ce sont des sujets jamais traités, affirme-t-il à Jean-Louis de Rambures. Un sourd-muet et aveugle de naissance accusé d'un crime : *La Brute*. Une femme jeune et belle qui se déglingue : *L'Impure*. L'insémination artificielle : *Le Donneur*. En fait, il traite l'actualité de la même manière que les feuilletonistes accommodaient les comptes rendus d'assises, en recherchant le très gros, l'équivoque, et en reprenant même le vieux procédé du récit judiciaire, comme dans *La Brute*. Ainsi, dans *Le Donneur,* fidèle à son inspiration sociologique, il a choisi le milieu des banques de sperme, avec comme héros un ouvrier de chez Renault qui améliore ses revenus grâce à ce commerce : roman-vérité selon l'auteur, l'ouvrier en question existe. Avec *Le Donneur,* un homme qui fait des enfants pour les autres, l'actualité a surpassé la fiction : l'affaire Margaret Tuttle date de 1973, le roman, de 1974. Margaret voulait avoir des relations avec son mari prisonnier par l'intermédiaire de l'insémination artificielle. Le donneur devint un personnage à la mode [1].

Le roman-enquête

Des Cars commence toujours par une enquête approfondie : pour *L'Impure,* il prit le cargo des lépreux et vécut trois mois avec eux. Pour *La Brute,* il observa de près le milieu des éducateurs de sourds-muets de naissance. Vint un regain du fantastique; exploitant cette veine, des Cars fit des romans sur la magie. Ainsi, *L'Envoûteuse,* fut-il précédé de toute une enquête sur ces professionnels de la magie à la carte qui multiplient les petites annonces dans les journaux. *L'Envoûteuse,* femme fatale, prêtresse d'un culte diabolique et afro-américain, magicienne, suscite l'enquête de Geoffroy Morin, parti au Brésil pour la démasquer. Dans ce roman d'aventures chargé de péripéties, plein de personnages inquiétants, mais toujours raconté très clairement, avec toutes les recettes du genre : le missionnaire, le proxénète, l'ex-officier nazi, les résultats de la documentation de l'auteur viennent supporter le texte, le rendre un peu crédible.

L'auteur travaille de 10 h 30 à 18 heures. Il essaie surtout de donner à ses lecteurs une continuité. Dit méchamment « Guy des Gares », il déclare à Michel Droit, en juin 1974, lors d'un entretien télévisé : « Le suffrage universel de mes bouquins, c'est le peuple. » Il aime le lecteur et travaille pour lui, et c'est à son avis la raison de son succès. On lui demande, à la télévision : « Guy des Cars, vous êtes un romancier populaire? — Monsieur, il vaut mieux être populaire qu'impopulaire. — Mais alors serait-ce que vous pensez au lecteur? — Eh bien oui, et heureusement qu'il y a des auteurs qui pensent à lui. »

1. Il y a aussi la bisexualité de *La Maudite,* où l'héroïne devient lesbienne. En fait, le précurseur de la manière chère à des Cars reste Dubut de Laforest, et on peut trouver aussi tels cas sociologiques chez Méténier.

Le courrier des lecteurs

« Derrière un thème actuel, je m'efforce de faire appel à des vérités éternelles : celles du cœur » *(De cape et de plume)*. Même en choisissant des cas monstrueux, il n'oublie pas de rapprocher le plus possible ses intrigues des préoccupations de son public. Après chacun de ses livres, il reçoit un courrier extraordinaire, extrêmement varié, des femmes lui demandant des consultations lorsqu'il a parlé de chirurgie esthétique. Après *La Tricheuse,* beaucoup de lectrices lui écrivirent sur les problèmes du rajeunissement. Se sachant très suivi par son public, l'auteur n'oublie pas de le retenir par des titres très courts, incisifs : « Le bon titre doit évoquer le thème général de l'histoire sans cependant la déflorer » *(De cape et de plume)*. Des Cars reste pour son public un mage, un conseiller, un entraîneur [1].

Prendre une chose insolite et la rendre crédible, voilà ce qu'aime des Cars. « J'aime faire vivre, aimer, souffrir mes personnages, et même les faire mourir. » Son public lui reste fidèle : « Chaque fois que je vous lis dans le métro, je rate ma station » *(De cape et de plume)*.

Sur la pente des passions

« En fait, mes lecteurs, c'est comme ceux de Tintin, de 15 à 80 ans, il y a de tout, et de toutes les classes sociales. Mais je crois être surtout lu par les couches populaires. Tenez! je connais la dame qui est responsable de la bibliothèque de Renault-Billancourt. Elle m'a récemment dit : " Vous êtes très demandé. " En revanche, les gens huppés n'achètent pas autant de livres que les ouvriers de banlieue. Je connais aussi la femme d'un grand banquier qui m'a avoué qu'elle n'avait pas pu lire mon dernier roman car elle attendait qu'il soit restitué à la biblio-

---

1. En cela, des Cars renoue avec la grande tradition romantique, il déverse tout comme Sue une sorte de parole magique sur ses innombrables lecteurs. C'est ce que démontre Paul Morelle (« Examen d'un best-seller. Pourquoi lit-on Guy des Cars? », *Le Monde,* 6-11-1970). Le succès de des Cars tient à ce que les sujets sont dans le vent et qu'ils sont traités « au niveau de la conscience moyenne et des idées reçues ». Mais surtout, ses romans sont « ce que le plus vaste public entend par romans, c'est-à-dire des histoires extraordinaires qu'une écriture réaliste rend vraisemblables ». Des Cars apporte à ses lecteurs « le dépaysement, la crédibilité [...] la dramatisation », « éléments qui font les bonnes recettes ».

thèque de la paroisse Saint-Honoré-d'Eylau, où elle est abonnée.

« Ce que je sais de mon public, c'est en prenant le métro, ou bien à travers les lettres que je reçois ou les séances de signature. A ce moment-là, je peux voir les gens qui lisent du des Cars : il y a le troisième âge, des anciens combattants, des ecclésiastiques... On a beaucoup dit que Guy des Cars était un romancier de la femme... Est-ce à dire que je ne suis lu que par des femmes, je n'en suis pas sûr. Au fil des ans, j'ai aussi vu arriver le public de la jeunesse... Tenez, l'autre jour, j'ai reçu [...] une classe d'élèves du lycée de Villeneuve-Saint-Georges. Vous n'avez pas idée des questions étonnantes qu'ils ont pu me poser [1]... »

Tout comme Delly, des Cars passe aisément dans les maisons closes. Une patronne de bordel lui a écrit : « Quand une fille vient me voir pour entrer dans la profession, si elle veut travailler en maison, je lui conseille de lire *L'Entremetteuse,* et si elle préfère travailler dans la rue, je lui mets alors *Les Filles de joie* de Guy des Cars entre les mains. » Des Cars est très fier de cette phrase que Gaston Bonheur dit sur lui : « Les grands de la terre entrent par le perron. Le roman, lui, entre par la porte de service [2]. »

Quoi qu'il en dise, il reste l'auteur des femmes : « Il est incroyable le nombre de femmes qui éprouvent le besoin d'écrire à un auteur après qu'elles l'ont lu, surtout quand elles ont affaire à un romancier... — Dans ces lettres, certaines femmes [...] n'hésitent pas à faire d'étonnantes confidences. » Certaines lui parlent d'amour, d'aventures qui « ressemblent étrangement à celles de l'héroïne de votre dernier livre lu ». D'autres se résument presque toujours à une demande de secours ou à une requête. Il en est qui fixent des rendez-vous.

Sachant qu'un « bon roman », c'est-à-dire conçu pour le grand public, doit avoir la précision d'un mécanisme d'horlogerie, des Cars établit un seul et même graphique malgré l'apparent renouvellement de chaque sujet. La construction, parfois lourde, mais relevée par un style net, parfois incolore sinon insipide, pèche par l'abus des trop longs paragraphes, la surabondance des dialogues. Ce fils du duc des Cars qui fut, vers les années 1900, attaché d'ambassade à Londres, a la diplomatie de cacher à son public une certaine permanence dans le choix des poncifs.

---

1. Selon un sondage Louis Harris (*L'Express,* n° 1426, 11 novembre 1978), 57 pour 100 de lecteurs ont lu au moins un livre de Guy des Cars. « Il est en troisième position sur les deux listes d'auteurs lus et préférés. L'importance de ses tirages le confirme » (Janick Jossin, *L'Express,* n° 1426). Les femmes choisissent Guy des Cars, Henri Troyat. « Guy des Cars semble particulièrement apprécié des ouvriers, des employés et des cadres moyens. »
2. *Les Nouvelles littéraires,* n° 2635.

Héritier des feuilletonistes, il a retenu leur recette. « Il y a une seule règle en littérature, c'est l'intérêt. Il faut savoir provoquer l'intérêt, prendre le lecteur à la première page et ne plus le lâcher jusqu'à la dernière. » Il a bien dit à Jacques Chancel que, pour lui, le roman, « c'est une reine qui a des malheurs ». Certains critiques lui ont refusé le droit d'être un grand auteur populaire : Jean-François Revel note que ce qui le caractérise, « c'est [...] l'irréalité dans la parodie du réalisme, c'est l'imitation non littéraire du roman classique ». Revel lui reproche aussi de projeter presque toujours une héroïne qui se vautre « dans le péché, le luxe, la luxure ou le crime, pour finir par une conversion spectaculaire à une religion quelconque ». Ainsi *L'Impure* s'exile dans une île maudite pour accéder « à la plus haute spiritualité ». Le vice, après avoir été abondamment dépeint, est toujours puni ou extirpé. Il en est ainsi dans *Les Filles de joie,* sœurs jumelles dont l'une entre chez les Petites Sœurs des pauvres et l'autre dans la prostitution, ainsi également dans *La Corruptrice,* ou encore dans *Le Château de la Juive,* histoire d'une jeune femme sans moralité qui expie en allant en Israël s'occuper d'agriculture. « Tous les coups sont permis, selon Revel, du moment que l'intrigue se termine au couvent ou dans un kibboutz[1]. »

En fait, Revel ne fait que reprendre les critiques traditionnelles faites au roman populaire : commercialisation excessive des sujets en fonction de l'actualité et des besoins du public, construction stéréotypée des personnages, moralisme de la conclusion après l'immoralité des séquences de l'action, manque de vigueur communicative. Certes, le truc principal de Guy des Cars consiste en d'interminables dialogues dont les interlocuteurs, « sous prétexte de se mettre mutuellement au courant de ce qu'ils ont fait la semaine précédente, se racontent à longueur de page ce que le romancier n'a pas réussi à faire vivre devant nous », et encore... Même médiocres, bouffies, hachurées de digressions faussement psychologiques, les constructions des récits de des Cars tiennent, on lit le tout sans ennui, et cela seul compte. Du moins quand on constate que l'auteur a pris la succession de Zola, voire de Pierre Benoit, devant la liquidation du roman, entreprise par le nouveau roman. « Je n'ai pas de complexes, dit des Cars, j'ai des lecteurs. »

1. « Le " bon public " », *L'Express,* n° 955, 1969.

Des histoires qui font mouche

Le scénario piège très vite le lecteur, pris par le sortilège d'histoires étranges. Dans *L'Impure* (1946), l'héroïne est griffée par un chat siamois, attrape la lèpre et s'exile dans un îlot de l'océan Pacifique pour s'y faire soigner dans une léproserie d'où elle sortira guérie. La construction est très lâche, comme un spaghetti perdu dans une pâte inconsistante. Des personnages auxquels on ne croit pas, et qui ne sont que des pantins, à commencer par l'héroïne, la sensuelle Chantal. En dépit d'un exotisme pour carte postale, d'un style faux, criard, flasque comme la charpente dont il est le support, d'une intrigue démesurément étirée, avec des situations éculées, puisées dans l'arsenal d'un sous-Priollet : la fille folle enceinte d'un homme riche (Chantal est un enfant de l'Assistance), le sort de l'enfant adultérin, l'expiation de la pécheresse devenue religieuse, cette fin nauséeuse et bâclée ennuie, malgré tous ces défauts, le roman se lit vite.

De *La Brute* (1951) son auteur dit : « La construction du roman ne pouvait être qu'un fabuleux procès d'assises dans lequel la justice chercherait à savoir lequel des deux époux avait tué l'amant ? », car un roman est toujours une crise plus ou moins longue, et cette construction lui permettait d'éclairer le comportement de Vauthier, l'accusé, de façon à ne pas trop dépayser le lecteur. Alexandre Korda adapta le roman à l'écran sous le titre *L'Écharpe verte,* avec Michael Redgrave dans le rôle de Jacques. Le succès de cet ouvrage prouva, selon l'auteur, que « l'étude d'un cas pathologique peut toujours être valable parce qu'elle ne vieillit pas ». Reste aussi « un domaine qui sera toujours inexploré [...] celui du cœur humain. Domaine tellement insondable que les histoires d'amour peuvent être éternellement renouvelées. Il n'y a pas de limites. – Le véritable romanesque n'est fait que d'imprévu ».

Toute l'action de *La Brute* est inspirée d'un fait divers, le crime dont Vauthier est accusé. Pour l'auteur, le grand public veut « de l'action, du mouvement, du mystère, de la vie surtout »! Les procédés sont gros comme des coups de massue, l'écriture est épaisse et pleine de poncifs – les « lieux vénérables » de la Bibliothèque nationale, les « couloirs poussiéreux » du Palais de justice – mais l'auteur sait où il va et offre cette densité romanesque qu'exige son public. Pourquoi Vauthier s'accuse-t-il d'un crime qu'il n'a pas commis, « pour sauver la tête du véritable criminel qu'il doit être le seul à connaître actuellement »? En fait, Vauthier veut couvrir sa femme. On retrouve ici une situation à la Jules Mary, *La Brute,* c'est *Roger-la-Honte,* transposé à l'ère des H.L.M. Intéresse donc ce roman en lieu clos (un tribunal), où la construction est particulière (l'action est racontée postérieurement au déroulement du drame), pour mieux piéger le lecteur.

Autre cas clinique, *La Corruptrice,* traitant du cancer (1952). Intentionnellement, l'auteur affirme avoir choisi pour héroïne une femme sage, frustrée, à l'âme ardente, assistante d'un jeune docteur de province, et qui s'éprend de lui et découvre qu'il a une maîtresse, mais aussi qu'elle, l'infirmière, est cancéreuse. « Toute à sa passion tardive, qu'elle veut vivre, elle n'hésite pas à mettre en œuvre un plan machiavélique pour contaminer l'entourage du jeune médecin, se débarrasser de celle qu'elle considère comme sa rivale. » Le lecteur « devait être sans cesse partagé entre l'horreur et la pitié ». A première vue, c'est un roman « médical » à la Slaughter, Soubiran ou Cronin, mais, ici encore, le récit se déroule postérieurement à l'action. Fiction toute broussailleuse, écriture lourde : trop longs paragraphes et monologues. Invraisemblance : une femme se sentant près de la mort n'eût pas perdu son temps à faire le mal avec tant de minutie, en inoculant à sa rivale un « cancer moral ». Mais l'amour le plus fort l'emporte, et Marcelle se tue. La fin, conventionnelle, ne peut effacer ce scénario solide.

L'éternel couple

C'est celui du Bien et du Mal, dont l'auteur recompose les figurations avec sa précision tatillonne. Ainsi, avec *La Maudite* (1951), s'agit-il d'une anormale de naissance qui subira une transformation sexuelle. Claude la bisexuelle devait-elle abandonner l'amour pur et normal que lui porte un homme sain « au profit d'amours interdites avec une fille perverse et capiteuse »? Ou devrait-elle cacher à une société bourgeoise « l'effroyable secret de sa dualité sexuelle »? L'éternel couple se retrouve dans *La Cathédrale de haine,* qui, selon son auteur, fut un roman « difficile à construire et à écrire ». « Le fil du récit serait simple et net, et surtout précis pour le lecteur : dès les premières phrases. On apprendrait qu'un crime venait d'avoir lieu. » Le héros est trouvé tué au pied d'une maquette représentant une cathédrale moderne. « Le fil du récit serait simple et net, et surtout précis » : le rappel de cette citation éclaire mieux le roman. Selon l'auteur, l'intérêt du récit serait encore plus grand pour le lecteur s'il construisait l'ouvrage, non pas en suivant le fil normal, mais en commençant par la fin, la découverte du corps. La victime a été tuée par sa femme, jalouse de l'œuvre même de l'architecte et pour cela sans pitié : « Une femme de chair ne pardonne pas à l'homme qu'elle désire de lui préférer une œuvre de pierre. »

La Tricheuse (1962) est l'histoire d'une femme de quarante-cinq ans qui, pour récupérer son amant jeune qui l'avait trahie, décide de disparaître pendant un an, puis de resurgir brusquement rajeunie devant lui, en lui faisant croire qu'elle est la fille de sa maîtresse. Elle devient folle en gardant son secret, le traitement médical d'un savant allemand : c'est un peu la donnée du *Fausta* d'André Lang[1].

Avec *Le Château de la Juive* (1958), on a un édifice curieux où la fin sert d'exposition. Le thème apparent est celui de l'apatride, dans une atmosphère très *Veillées des chaumières* (la vieille famille refusant d'adopter la Juive, l'opposition de la mère et du fils). C'est en fait une nouvelle version du « rachat » de la pécheresse par une noble mission, d'une rédemption à la Baccarat. *Les Filles de joie* (1959) rajeunit quelque peu le thème sadien de Justine-Juliette : les deux jumelles, la pure et l'impure. « La machine romanesque, note des Cars, aurait une précision d'horlogerie. Il y aurait trois personnages essentiels : les jumelles et le souteneur. » Avec cette pérennité, empruntée au romantisme de Sue, du « secret », la pute cachant à sa sœur son métier et au souteneur l'existence de la religieuse : l'amour vénal face à l'amour divin. Ce type de récit n'évite pas le recours au cliché, à l'expression toute faite. Comme le dit Robert Kanters, à propos du *Mage et la Graphologie,* « ce qui soutient l'intérêt du lecteur, c'est la correction de la langue, la clarté et la rapidité du récit, et aussi l'appel à des sentiments simples et directs, parfois comme ceux des romances... Il ne s'agit pas de littérature bien-pensante [...] mais de plaider pour la survie d'une littérature de plein peuple[2] ».

Les derniers des Cars observent la même rigueur dans le mécanisme narratif. Ainsi, avec *Le Donneur* (1974), le graphique de l'action est le même : une donnée pathologique ou ethnologique, d'épais paragraphes, une construction un peu terne dans sa précision trop brillante, un langage qui n'évite ni le pathos ni les envolées faussement lyriques. Auteur de l'amour exalté et tragique, des Cars donne ici un récit à

---

1. Des Cars aime mettre en relief la femme fatale ou mauvaise, alors que Delly met en lumière l'héroïne toute de pureté.

2. « Pour une littérature du tiers état », *Le Figaro,* 29-4-1978. San Antonio tire à 115 millions d'exemplaires depuis trente ans, des Cars à 50 millions.

l'architecture impeccable, mêlant l'action et l'analyse, avec un bonheur inégal. Roman à la première personne, exposition lourde, embarrassée. Le développement est appesanti par la sempiternelle technique de l'auteur qui consiste en la suppression des chapitres et le tronçonnage du livre en parties trop épaisses. Les dialogues sont parfois vulgaires, hésitant entre le vaudeville et la « philosophie » des lecteurs d'*Ici-Paris* : « Le sang bleu, c'est admirable, mais c'est comme tout : s'il y en a trop, ça déborde! ce qui peut déclencher une révolution... » Ou le travail de l'inséminateur que le héros, Lucien, appelle le « grand rendement ». Ou bien, lorsque Adrienne, épouse de Lucien, apprend le petit trafic de Lucien : « Tu es très moche, Lucien! tu l'as toujours été physiquement, mais maintenant tu l'es devenu moralement. » Des Cars estime, dans sa préface, que « dans un roman, les personnages entrent dans l'action au moment où on les y attend le moins, s'y débattent ensuite comme ils le peuvent face à des événements fortuits, source de rebondissements sans lesquels une vie ne mériterait pas d'être racontée, et s'évadent enfin d'une façon tout à fait imprévisible ». C'est le fameux « hasard » dont, depuis Soulié et Sue, le roman populaire a tant fait usage pour corser les intrigues ou retenir le dénouement tout proche.

Le plan du *Donneur* n'évite pas l'emphase, ni les situations à la limite du supportable. L'auteur a beau tenter de donner plus de vie à ce scénario par une accumulation nauséeuse de détails médicaux, il n'évite ni le grotesque — Lucien voulant tarifer les femmes en clinique, les « femmes payantes », pour se donner des aventures galantes — ni l'invraisemblable : Lucien, ce faisant, prétend agir pour l'amour d'Adrienne, invraisemblance encore plus accusée par une enquête policière. Malgré tout, le développement logique des caractères amène par degrés vers le dénouement un lecteur surpris de n'avoir pas trouvé lui-même une solution si naturelle.

Guy des Cars nous donne une œuvre curieuse et composite, irritante souvent, entraînante toujours. Son procédé habituel, un mélange de choses vues, de situations monstrueuses et de longues tartines taillées avec une certaine allure, d'après les techniques réalistes, retient immanquablement le lecteur. Ces œuvres chaudes, colorées à outrance, touffues et fouillées, études de passion dont le grand défaut est une exubérance dans les détails qui empêche de voir l'ensemble et qui fatigue l'attention, charment à tout coup. Souvent, comme dans *Le Donneur,* l'auteur utilise les procédés scéniques, abuse du dialogue, et pratique l'art leste et vivement fait du journal. Il sait présenter des scènes assez vivement enlevées, mais qui présentent plus de situations que d'études approfondies de caractères, plus de causeries que de tableaux de la vie [1].

BIBLIOGRAPHIE

ANGENOT (Marc), *Le Roman populaire, recherches en paralittérature,* Presses universitaires du Québec, Montréal, 1975.
BOUVARD (Philippe), « Des Cars fait la police », *Le Figaro,* 30-5-1967.
CARS (Guy des), *Mémoires d'un jeune,* Fayard, Paris, 1945.
—, Préface à *L'Officier sans nom,* Club du livre sélectionné, Paris, 1964.
—, *De cape et de plume,* Flammarion, Paris, 1965.
—, *J'ose,* Stock, Paris, 1974.
—, Préface au *Donneur,* Flammarion, Paris, 1974.
—, « Une fille bien titrée », *Le Figaro,* 2-2-1956.
—, « Si le mage s'en mêle », *Le Figaro,* 1-1-1977.
—, « Des complices ou des lecteurs », *L'Express,* n° 897, Paris, 1968.
—, « Guy des Cars à la banque », *Le Nouvel Observateur,* n° 434, Paris, 1973.
KANTERS (Robert), « Le goût de notre temps », *Le Figaro,* 12-7-1975.
—, « Pour une littérature du tiers état », *Le Figaro,* 29-4-1978.
REVEL (Jean-François), « Le " bon public " », *L'Express,* n° 955, Paris, 1969.

1. On assiste actuellement à une renaissance du « gros » roman historique à épisodes, avec Juliette Benzoni ou les Golon. *Angélique, marquise des Anges,* c'est le triomphe final du cœur.

Conclusion

L E roman populaire a-t-il aujourd'hui une chance de survie? Peut-on fabriquer de bons textes qui ne soient ni des pastiches insipides ni un ensemble mal ficelé d'épisodes dépourvus de souffle et d'originalité? Actuellement, avec la grande vogue du roman historique, genre *Marquise des Anges, Catherine* ou *Marianne,* le roman populaire a semblé retrouver une sorte de second souffle. Le succès d'auteurs comme Marcel Grancher et Frédéric Dard montre que le genre continue d'avoir un important public, même si les critiques littéraires boudent ce genre de productions. Les romans exotiques de Robert Gaillard : *Marie des Iles,* notamment, ont obtenu de très forts tirages. *Louisiane* de Michel Denuzière vient nous prouver que le goût du public pour les longs récits, les situations romanesques, n'est pas mort. Le succès des œuvres de Claude Klotz (comme *Paris vampire*), adaptant les vieux procédés du roman-feuilleton, témoigne dans le même sens.

Le roman populaire a-t-il un écho sur les sensibilités actuelles, et peut-il trouver une voie qui lui soit propre, tout en même temps en dehors des chemins battus et des franges semi-littéraires dans lesquelles opère un Troyat? En un mot, le roman populaire est-il resté ce qu'il était au siècle dernier, ce qu'il fut jusqu'à la Seconde Guerre mondiale, une littérature vivante, saignante, grouillante de personnages hors du commun, de situations délirantes, riche en décors exotiques, cet exotisme allant se nicher dans Paris, pleine d'amour et de tendresse, de la sueur du peuple, des humbles, des déshérités de la vie, de l'amour, écho grossi des grands combats politiques et sociaux? Indubitablement, une certaine forme de paralittérature de témoignage et de combat, celle qui était liée à des conquêtes sociales, n'a plus de raison d'être. Le roman populaire social est mort avec les Accords de Matignon, les congés payés, la civilisation dite de consommation. Non moins certainement, il paraîtrait vain de vouloir ressusciter la technique du roman-feuilleton, qui ne correspond plus du tout aux sensibilités actuelles. Le retentissement des grands feuilletons télévisés – ces adaptations de Ponson du Terrail, de Paul Féval ou de Gaston Leroux – ne saurait plaider pour une tentative de récupération ou de reprise du roman-feuilleton, mort et bien mort entre les deux guerres mondiales.

Si Guy des Cars obtient un tel succès de nos jours, si des collections sentimentales florissent chez Tallandier, chez France-Empire ou aux éditions des Remparts, c'est que le public – un public qui n'a pas tellement changé depuis la disparition du mélo de Margot – exige toujours, intensément, massivement, profondément, viscéralement, sa part de sang, de sexe, de peur, de rêve, d'idéalisation, de projection des pulsions de l'inconscient, de franchissement des interdits socio-économiques, sous l'habit de rigueur du surhomme, de la femme fatale ou de l'ange de pureté.

Élémentairement narcissique et voyeur, le public aime à se retrouver dans les éternelles figurations contrastées du Bien et du Mal qui s'affrontent, ballet d'ombre et de lumière, mansarde contre château, atelier ouvrier contre palais du riche, grisette contre grande dame, depuis l'aube fuligineuse du romantisme, sur les terrains vagues, aux frontières rocailleuses et indécises de la littérature populaire, littérature de brume, de faux mystère aussi, vieille dame fardée, usée à force d'avoir employé tant de pièges et d'artifices durant tant d'années, de régimes politiques.

Le public aime à ce que soient portés devant lui les grands débats, les grandes questions de cette fin du XXᵉ siècle : on verrait très bien un auteur populaire traiter de la contraception, des grands ensembles, de la pollution, de la surpopulation, des otages, du terrorisme, etc. De tels sujets existent, mais sont traités marginalement, partiellement, ou bien dans le cadre du roman d'espionnage à la Pierre Nord ou à la Gérard de Villiers, ou encore dans la science-fiction, ils ne forment plus ce béton monolithique, cet univers multiforme mais globalement représenté, qui caractérisait le roman populaire. Alors, le public cherche à tromper sa faim en essayant tour à tour des livres qui soient pour lui communication, nourriture mentale, partage, mais il ne trouve pas ou ne trouve que de maigres broutilles. C'est que depuis plusieurs décennies, un quarteron de critiques et d'écrivains ont proclamé la mort du roman, et que le roman populaire, longtemps tenu pour le bâtard honteux et ignoré de la littérature, n'ose encore vraiment essayer toute sa force, irriguer l'ensemble du corps social, non seulement à l'échelle d'une nation, mais mondialement, comme il le faisait jadis.

L'universalité du roman populaire est-elle morte avec la grande guerre ? Pourtant, tel ou tel gros succès connaît très vite une vogue internationale : *Love Story,* c'est du Delly modernisé, ruisselant des tares et des tics de l'époque actuelle.

Au lieu de débattre de littérature masquée ou codée, de constantes sadomasochistes ou de recherche des signes, les critiques auraient dû revaloriser le roman populaire, les collections auraient dû s'ouvrir plus largement aux multiples aspects du genre, au lieu de réimprimer ici ou là, sans politique d'ensemble, des ouvrages qui ne peuvent être compris que comme la fraction d'un ensemble, l'élément d'un tout. Car il est vain de publier tel livre de Sue, même patronné par la préface prestigieuse de François Mitterrand, en omettant Féval ou du Boisgobey, ou inversement.

Le roman populaire peut et doit retrouver sa chance dans le monde actuel, si décousu, si mobile, si morcelé.

En fait, le roman populaire apparaît comme l'unique formule, la seule voie de communication qui permettrait aux composantes isolées du tissu social de sortir de leur éparpillement, de leur solitude, de leur désarroi, et de s'éprouver, de se résoudre. Le roman populaire, c'est le ballon d'oxygène pour l'ouvrier, la femme délaissée, le pauvre type aigri, et justement parce qu'on l'a oublié, la littérature se meurt ou est morte, du moins pour le roman, pièce maîtresse de la représentation des destins de l'humanité. Humaniste, clairvoyant, généreux, lucide, véhément, pleurnichard, faux, bâclé, xénophobe, nauséabond, le roman populaire fut tout cela, mais il portait en lui un monde, des mondes, il apportait avec lui la couleur, le relief, la lumière. Lumière du riche, lumière du pauvre.

Karl Marx eut-il raison quand il dénonça le « sentimentalisme » de Sue, et aussi son faux amour du peuple, sa façon de représenter le peuple en « chien couchant », toujours aplati, eut-il raison de dénoncer le caractère profondément mystificateur de l'œuvre de l'auteur des *Mystères de Paris,* et, à travers lui, de l'ensemble de la paralittérature ? L'œuvre de Sue fut un grand moment dans l'histoire du peuple français. On ne saurait certes en dire autant des autres romanciers populaires, mais tous, à des degrés divers, surent témoigner, présenter, discuter, avec l'homme et autour de l'homme. Pamphlet abject ou torchon de journal, le roman populaire garde encore aujourd'hui toute sa densité, son caractère épais, profond, charnel. Le roman populaire, c'est la présence quotidienne de plusieurs générations, c'est l'histoire, tragique ou bouffonne, dérisoire ou lugubre, des mentalités et des mœurs, c'est la mémoire vivante de tout un peuple, sans failles, sans omissions. Alors, on peut dire que dans un sens, Marx s'est trompé, mais que dans un autre sens, au point de vue de la portée révolutionnaire du message du roman populaire, Marx a eu profondément raison. Parce qu'il était entré dans le système bourgeois de transmission des nouvelles, parce qu'il devint souvent le support, plus ou moins complaisant, plus ou moins conscient, du pouvoir établi, le genre porte une certaine tare, oui, il fut mystificateur, oui, il abusa le peuple, mais pouvait-il faire autrement? Et fût-il devenu ce grossier aliment des masses populaires, selon maintes critiques du siècle dernier, sans précisément ce caractère plus ou moins trouble, plus ou moins mystificateur et mythifiant?

Laissons là de telles discussions. Elles ont leur valeur, mais elles ne répondent pas à cette question fondamentale : comment peut-on s'expliquer le subit essor du roman populaire? S'agit-il d'une fausse résurrection, d'un engouement passager, d'une sorte de mode liée au retour à la littérature rétro, ou bien d'un retour de flamme, répondant à des exigences sourdement exprimées? Ici et là s'ouvrent dans les journaux des débats sur la portée actuelle du genre, sur ses implications dans le monde moderne. Donc, le roman populaire est bien une chose vivante.

Est-ce à dire que l'on doive se contenter de rééditer les classiques de Margot, d'ouvrir quelques discussions ou tables rondes, de pérorer sur les implications sociologiques, sémiologiques, ou psychanalytiques d'une sous-littérature qui eut surtout à cœur d'être lue par les plus humbles, puis par tous, en dehors des écoles littéraires, des recherches stylistiques?

Le roman populaire ne peut pas être seulement considéré comme une sorte de fossile, de musée de l'histoire du peuple français, de ses fêtes, de ses luttes, de ses nausées, de ses rêves; il est trop profondément entré dans l'inconscient des masses, durant trop de générations, pour que l'on songe à l'expulser du tissu social, ou bien à l'y intégrer sous une forme précaire et appauvrie.

Parce qu'il fut le miroir de temps enfouis, le roman populaire actuel doit-il, suivant l'expression de René Lehmann, vieille de plus de soixante ans, confondre « étroitement la sociologie et la littérature », voir son rôle « considérablement augmenté pour œuvrer à la concorde humaine » et faire une « œuvre d'éducation et d'harmonies sociales »? Pourrait-il s'agir d'œuvres où l'art interviendrait et où la personnalité de l'auteur se dégagerait harmonieusement? En un mot, le roman populaire peut-il devenir littéraire tout en gardant ses caractéristiques propres? La question posée par Lehmann en 1911 est toujours valable de nos jours. Malheureusement, à travers les tentatives actuelles, on peut reprocher souvent à de telles œuvres d'être insipides. Le roman populaire de demain, demandait Lehmann? Personne ne saurait en définir les lignes directrices, car il est partie intégrante des sensibilités collectives, lesquelles se dégagent lentement, hors du fil conducteur de la vie sociale.

Sociologique ou non, peut-être un peu policier, ou exotique, peut-être un peu historique, peut-être un peu érotique, ou empruntant ses procédés et ses archétypes à la littérature de science-fiction moderne, le roman populaire de demain n'est encore qu'une sorte de nébuleuse. C'est à lui de trouver sa voie, son originalité. La matière première ne manque pas, les conditions socio-économiques qui permirent l'éclosion du vieux roman populaire n'existent plus, tout reste donc à réinventer, pour que resurgisse cette source chaude et féconde, cette sève qui manquent tant pour rendre le monde présent plus humain, plus ouvert, plus disponible, plus progressiste, en un mot.

Brève chronologie

1836

Émile de Girardin fonde *La Presse,* premier quotidien à bon marché, et Dutacq crée *Le Siècle.*

1842-1843

Eugène Sue : *Les Mystères de Paris.*

1844

Paul de Kock : *Sanscravate* ou *Les Commissionnaires.*
Paul Féval : *Les Mystères de Londres.*
Eugène Sue : *Le Juif errant.*

1845

Gustave Barba lance la collection des « Romans populaires illustrés » en in-8°
   à vingt centimes la livraison.
Frédéric Soulié : *La Comtesse de Monrion.*
Ponson du Terrail : *Un amour à seize ans.*

1850

La loi Riancey frappe d'une taxe spéciale les romans-feuilletons.
Auguste Ricard : *La Grisette.*

1855

Charles Lahure crée *Le Journal pour tous.*
Henry de Kock : *Brin-d'amour.*
Xavier de Montépin a un procès à cause de *Les Filles de plâtre.*

1857

Eugène Sue meurt à Annecy.
Ponson du Terrail : *Les Drames de Paris.*
Virginie Ancelot : *Une famille parisienne au XIXe siècle.*
Paul Féval : *Le Bossu.*

1871

Paul de Kock meurt à Romainville.
Ponson du Terrail meurt à Bordeaux.
Jules Ferenczi crée à Paris une maison d'édition populaire.

1880

Émile Richebourg : *Les Deux Mères.*
Pierre Ninous : *Cœur-de-neige.*
Georges Ohnet : *Serge Panine.*

1902

Xavier de Montépin meurt à Paris.
Eugène Chavette meurt à Monfermeil.

1918

Georges Ohnet meurt à Paris.
Delly : *Fille de Chouans.*

1930

Maxime Priollet : *Les Tueurs d'illusions.*
Delly : *Gilles de Cesbres.*

1937

Arthur Bernède meurt à Paris.
Delly : *Des plaintes dans la nuit.*

1940

Guy des Cars écrit *L'Officier sans nom.*
Delly : *Le Drame de l'étang aux biches.*

1977

Michel Denuzière : *Louisiane.*

Bibliographie

ALLARD, Yvon, « Paralittératures », centrale des Bibliothèques, Montréal, 1979.

ALMÉRAS, Henri d', « Ce qu'on lisait il y a un siècle », *Grande Revue,* décembre 1923.

ANGENOT, Marc, « Le roman populaire d'E. Sue à Fantômas », *Revue générale,* n° 10, 1970.

—, « Le héros du roman populaire », *Zagadnienia rodzajow literackich,* n° 1, 1972.

—, « Le récit prométhéen. Éléments d'une typologie du roman populaire », *Revue de l'Université de Bruxelles,* n° 1-2, 1974.

AUSTRUY, Henry, « Littérature et publicité », *Revue de Paris,* mai 1923.

BARBARIN, Georges, « Influence de l'amour sur la librairie », *L'Intransigeant,* 24-5-1930.

BAZIN, René, *Le Roman populaire. Questions littéraires et sociales,* 1906.

BERSAUCOURT, Albert de, « La librairie et la publicité de jadis », *Grande Revue,* février 1924.

—, « L'affiche-énigme et l'affiche du roman-feuilleton », *La Publicité,* mars 1927.

BESSON, Louis, *Œuvres pastorales et oratoires,* Paris, Retaux-Bray, 1887.

BIANCHINI, Angela, *Il Romanzo d'appendice,* Torino, ERI, 1969.

BIZET, René, « La renaissance du livre », *Revue de bibliographie,* août 1918.

BRICKA, Frédéric, « Le Roman contemporain », *L'Estafette,* 30-6-1894.

BRUN-CHARLES, J., *Le Roman social en France au XIXe siècle,* Paris, Giard et Brière, 1910.

CASTILLOU, Henry, « Il faut interdire le roman populaire », *L'Appel,* 7-7-1942.

CAZALS, Henri, « Permanence du roman-feuilleton », *L'Éducation nationale,* 10-11-1966.

CHAMPFLEURY, *De la littérature populaire en France,* Paris, Poulet-Malassis, 1861.

CHEVALIER, Louis, *Classes laborieuses et Classes dangereuses,* Paris, Plon, 1958.

CLAUDIN, Gustave, *Le Timbre Riancey,* Paris, Dumisseray, 1850.

CURMER, Léon, *De l'établissement des bibliothèques communales en France*, Paris, Guillaumin, 1846.

DARMON, Jean-Jacques, *Le Colportage de librairie en France sous le second Empire*, Paris, Plon, 1972.

DAVESNES, Pierre, « Défense et illustration du roman-feuilleton. Qu'est-ce que l'imagination? », *L'Ordre*, 17-8-1930.

DAZIEL, M., *Popular fiction, 100 years ago. An unexplored tract of literary history*, Londres, 1957.

DESNOS, Robert, « Roman populaire et crime », *Aujourd'hui*, 14-4-1942.

DUNAN, Renée, « Chronique des idées et des livres », *Le Soir*, 11-2-1929.

DUPRAT, G., *La Crise du roman-feuilleton. Renaissance politique et littéraire*, 21-10-1900.

DUVEAU, Georges, *La Vie ouvrière en France sous le second Empire*, Paris, Gallimard, 1946.

ELSEN, Claude, « Les succès inexplicables », *Écrits de Paris*, janvier 1973.

« Enquête sur le roman-feuilleton », *Le Gaulois*, 1905.

« Enquête sur le roman populaire », *Ère nouvelle*, 31-7-1921.

ÉTANG (Espérance-Augustin de l') : *Des livres utiles et du colportage comme moyen d'avancement moral et intellectuel des classes rurales et ouvrières*, Paris, Maillet, 1866.

EVANS, David-Owen, *Le Roman social sous la Monarchie de Juillet*, Paris, Presses universitaires de France, 1936.

FÉVAL, Paul, *Mémoire adressé à M. le baron de Chapuys-Montlaville. La Littérature au Sénat, lettre d'un romancier à Paris*, Dentu, 1861.

—, « Rapport sur le progrès des lettres »..., *Recueil des rapports sur le progrès des lettres et des sciences en France...*, Paris, Imprimerie impériale, 1868.

FUSTIER, Gustave, « Le livre à Paris (Les cabinets de lecture) », *Le Livre*, 10-6-1886.

GAUTIER, Théophile, *Histoire de l'art dramatique en France depuis vingt-cinq ans*, Paris, Hetzel, 1858-1859.

GEORLETTE, René, *Le Roman populaire féminin à l'époque contemporaine*, chez l'auteur, Bruxelles, 1961.

GOIMARD, Jacques, « Le roman populaire peut-il renaître? » *Le Monde*, 25-7-1970.

GRANDFORT, Marion de, « Les femmes écrivains du XIXe siècle », *La Fronde*, 27/29-12-1897.

GRASSET, Pierre, « Le roman d'aventures », *Grande Revue*, juin-juillet 1922.

GRAY, Maurice, « Le colportage », *Nouveau Journal républicain*, 17-6-1879.

GRIVEL, Charles, *Production de l'intérêt romanesque*, Paris, Mouton, 1973.

GUIRAL, Pierre, *La Société française, 1815-1914*, Paris, Armand Colin, 1970.

GUISE, René, « Le roman-feuilleton et la vulgarisation des idées politiques et sociales sous la Monarchie de Juillet », *Romantisme et Politique...*, 1969.

HACHETTE, Louis, *Mémoire sur les bibliothèques de chemin de fer*, Paris, imprimerie Lahure, 1861.

LACY, Kluenter Wesley, *An Essay on Feminine Fiction, 1757-1803*. Thèse de l'université de Wisconsin, 1972.

LARNAC, Jean, *Histoire de la littérature féminine en France*, Paris, Kra, 1929.

LEBAS, J., « Le colportage », *Paris-Journal,* 15-5-1874.

LE BRETON, André, *Le Roman français au XIX* siècle, S.F.I.L., 1901.

LE BRIS, Michel, « Cet aigle noir qui insulte à la foudre », *Magazine littéraire,* n° 1361, mai 1978.

MESSAC, Régis, « Le roman policier. Étude de morphologie littéraire », *Progrès civique,* 21-12-1929.

« Le style du roman-feuilleton », *Grande Revue,* décembre 1928.

MILLOT, Léon, « Littérature populaire », *Dépêche de Toulouse,* 16-10-1899.

MORAND, Denise, « Ce que lisent nos midinettes », *Le Peuple,* 21/22-5-1934.

MOUFFLET, André, « Le roman-feuilleton », *Mercure de France,* février 1931.

NEUSCHÄFER, Hans-Jörg, *Populärromane im 19. Jahrhundert. Von Dumas bis Zola,* Münich, Fink, 1976.

NISARD, Charles, *Histoire des livres populaires ou de la littérature de colportage,* Paris, Dentu, 1864.

NOLL, « Le roman populaire », *Dépêche de Toulouse,* 5-10-1899.

PIA, Pascal, « Quand les anarchistes écrivaient des romans populaires », *Magazine littéraire,* n° 42, juillet 1970.

PICARD, Gaston, « Courrier littéraire », *Démocratie nouvelle,* 26-7-1921.

PICHOIS, Claude, « Les cabinets de lecture », *A.S.C.,* juillet-septembre 1959.

PONTMARTIN, Armand de, *Souvenirs d'un vieux critique,* Paris, Calmann-Lévy, 1882.

RAABE, Juliette, « Le roman romanesque et la littérature de consommation », *La Littérature,* Centre d'édition et de promotion de la lecture, Paris, 1970.

RAABE, Juliette, LACASSIN, Francis, *La Bibliothèque idéale des littératures d'évasion,* Paris, Éditions universitaires, 1969.

RAYMOND, François, « Dostoïevski et le roman populaire », *L'Île,* n° 11, mars 1972.

RICHARD, Élie, « La querelle du feuilleton », *Vendémiaire,* 24-7-1935.

SAINT-HERAYE de, « Le colportage », *Le Livre,* Paris, 1888.

SAINT-PATRICE, *Nos écrivains,* Paris, Hurtrel, 1887.

SOREL, Albert-Émile, « L'amour en feuilleton », *Journal des débats,* 14-12-1900.

SPITZMULLER, Georges, « Le roman-feuilleton », *Vie latine,* juin 1926.

Syndicat national des éditeurs, *Étude sur le livre et la lecture en France,* Paris, 1960.

TALMEYR, Maurice, « Le roman triste et le roman joyeux », *L'Intransigeant,* 6-11-1883.

T. G., « L'âge ingrat du feuilleton », *Le Quotidien de Paris,* 28/30-10-1975.

TOLAIN, H., « Le roman populaire », *La Tribune ouvrière,* 18-6-1865.

TOLLEY, Bruce, *The Popular Novel, 1830-1848,* Forum for Modern language studies, octobre 1967, Toronto-London.

TOPIN, Marius, « Les femmes romanciers », *La Presse,* 6-3-1876.

TREIZE, Les, « Le romancier populaire », *L'Intransigeant,* 3-9-1911.

VANDEREM, Fernand, « Enquête sur le roman populaire », *Revue de France,* juin-juillet 1921.

VERDIER, P., « De la littérature à bon marché », *Le Pays,* 10-10-1865.

VIENNE, Annie, *Une lecture de la bourgeoisie : les romans-feuilletons du* Journal des débats (1839-1840), Cahiers de l'Institut d'histoire de la presse et de l'opinion (université François Rabelais, Tours), avril 1977.

VIOLETTE, « Petite chronique : Le livre et la femme », *Le Parlement*, 21-3-1886.

VRIGNAULT, Pierre, « L'émouvant roman-feuilleton », *Monde moderne*, 1906.

WALLE, A. V. de, « Les romans de Mimi-Pinson », *Le Nouvelliste de Bretagne*, 5-5-1930.

X., « Les feuilletons du Globe », *Le Globe*, 1-10-1841.

—, « Le crime et le feuilleton », *La Lanterne*, 14-1-1886.

—, « Le premier roman-feuilleton », *Le Quotidien*, 31-3-1931.

—, « La maison Hachette et les bibliothèques des chemins de fer », *Gutenberg-Journal*, 8-5-1883.

—, « Supplique d'un lecteur de romans à certains romanciers », *Le Moniteur universel*, 11-11-1882.

Index

Index des auteurs

ABOUT (Edmée), 209.
ABOUT (Edmond), 118, 137.
ACHARD (Amédée), 91, 95.
AGRAIVES (Jean d'), 252.
AIMARD (Gustave), 91, 190.
ALANIC (Mathilde), 242.
ALBALAT (Antoine), 174.
ALBERT-JEAN, 235.
ALLAIN (Marcel), 150, 166, 167, 190.
ALLARD (Léon), 183.
ALLORGE (Henri), 129.
ALMERAS (Henry d'), 162, 199.
AMAT (Roland d'), 209, 210, 211, 219.
ANCELOT (Virginie), 128, 129, 135, 141, 142.
ANGENOT (Marc), 265.
ANJOU (Renée d'), 207, 234.
ANTHÉRIEU (Étienne), 252.
ARCHIER (A), 128.
ARLAND (Marcel), 238, 249.
ARLINCOURT, 32.
ARMANDY (André), 235.
ARMON (Paul d'), 193.
ARNAUD, 43.
ARNOULD (Edmond), 66.
ASSELINE, 75.
ASSOLLANT (Alfred), 95.
ATKISON (Nora), 67, 71.
AUBRY (Pierre), 151.
AUCLAIR (Marcelle), 252.
AUDOUARD (Olympe), 128.

AUREVILLY (Barbey d'), 80.
AURIANT, 162.
AYCARD (Marie), 57.

BABOU (Hippolyte), 162.
BAILBY (Léon), 253.
BALZAC (Honoré de), 44, 45, 50, 52, 56, 67, 75, 167.
BAROT (Odysse), 161.
BAUCHERY (Roland), 84, 85, 89.
BAUDRY (Jules), 125.
BEAUJOINT (Jules), 163.
BEAUME (Georges), 105.
BELLET (Roger), 145.
BELOT (Adolphe), 141, 165.
BENOIT (Pierre), 23, 62, 131, 237, 245, 260.
BENZONI (Juliette), 265.
BÉRENGER, 179.
BERKOVICIUS (André), 32, 33, 34, 52, 54.
BERNARD (Gabriel), 234.
BERNÈDE (Arthur), 190, 233, 235.
BERR DE TURIQUE, 219.
BERTAUT (Jules), 222.
BERTNAY (Paul), 204.
BERTRAND (P.), 164.
BESSON (Mgr), 179.
BETHLÉEM (Louis), 138, 145, 154, 162, 164, 165, 180, 194, 199, 220.

BEUCHAT (Charles), 33, 36.
BIANCHINI (Angela), 80.
BIAS (Camille), 189.
BIBESCO (Princesse), 211.
BIENVENU (Léon), 162.
BLANCHET (Lise), 253.
BLÉMONT (Émile), 154.
BLOUET (Émile), 204.
BOCAGE (Paul), 82.
BOISGOBEY (Fortuné du), 156, 165, 190, 269.
BONHEUR (Gaston), 259.
BONNEFON (Jean de), 236.
BONSERGENT (Alfred), 183.
BORDEAUX (Henry), 224, 228, 233.
BORY (Jean-Louis), 14, 16, 59, 60, 61, 65, 72.
BOSQ (Paul), 210.
BOUGUEREAU, 191.
BOULABERT (Jules), 127, 202.
BOURGET (Paul), 190, 195, 198, 208, 209, 233.
BOURNON-MALARME, 37, 54.
BOURQUELOT (Félix), 90, 100, 135.
BOUSSENARD, 178.
BOUVARD (Philippe), 265.
BOUVIER (Alexis), 111, 202.
BOYER D'AGEN, 199.
BRICKA (Frédéric), 190.
BRISSET (Jules), 30.
BRISSON (Adolphe), 154, 181, 182, 184, 187, 199, 217.
BROCHON (Pierre), 13, 41, 42, 64, 72, 109, 110.
BRUANT, 191.
BRUCKER (Raymond), 66.
BRUNETIÈRE (Ferdinand), 223.
BRUNO (P.), 216.
BRUNOT (Nicolette), 249.
BUET (Charles), 119, 122, 125.
BUFFENOIR (Hippolyte), 135.
BUXY (B. de), 237.

CABANON (Émile), 52, 53.
CABS (Maurice), 223, 228.
CABURET (Bernard), 65, 66, 72.
CAILLOT (Patrice), 228.

CAMPFRANC, 164.
CAPENDU (Ernest), 76, 155, 159, 178.
CAPUS, 208.
CARCO, 239, 255.
CARDOZE, 190.
CARLEN (Émilie), 194.
CARLOWITZ, 37, 130.
CARRANCE (Évariste), 154.
CARS (Guy des), 251, 265, 276.
CASTRO (Germaine), 252.
CAZALS (Henri), 252.
CHAMPION (Maurice), 74, 80.
CHAMPLY (Henry), 236.
CHAMPSAUR, 165, 236.
CHANCEL (Jacques), 260.
CHANTAVOINE (Henri), 37, 104, 164.
CHARTON (Édouard), 58.
CHÂTEAU (Pierre du), 164.
CHATEAUBRIAND, 129.
CHATILLON-PLESSIS, 162.
CHAUMIER (S.), 56.
CHAVETTE (Eugène), 138, 145, 161.
CHERBULIEZ, 194.
CHEVALET (Émile), 70, 86, 90, 94, 114, 130.
CHEVALIER (Louis), 72.
CHINCHOLLE (Charles), 125.
CIM (Albert), 187.
CLARETIE (Jules), 117, 182, 205, 206, 216.
CLARIS (Edmond), 166.
CLAUDIN (Gustave), 81.
CLAVIGNY (Georges), 149.
CLOUARD (Henri), 162.
COLETTE, 254.
COLLIN (Achille), 74.
COLLOMBET (F.-Z.), 43.
COMMERSON, 138.
CONTI (Henri), 150.
COPPÉE (François), 193, 218, 224.
COTTIN (Mme), 15, 16, 35, 128, 130, 132.
COURTIN (Bérangère de), 100.
CREPET (Jacques), 162.
CRESSARD (Pierre), 125.
CROISSET (Francis de), 211.
CRONIN, 262.
CRUBELLIER (Maurice), 42, 252.

DALLOZ (Paul), 102.
DANRIT, 189.
DARCY (Paul), 237.
DARD (Frédéric), 267.
DASH (Comtesse), 95, 128.
DAUDET (Alphonse), 129, 217.
DAVET (Marcelle), 237.
DAVID (Jules), 56.
DECOURCELLE (Adrien), 208.
DECOURCELLE (Pierre), 22, 165, 168, 190, 204, 207, 208, 216, 236.
DECREST (Jacques), 252.
DEKOBRA (Maurice), 235, 236.
DELAIGUE (A.), 119, 125.
DELCOURT (Pierre), 189.
DELLY, 23, 187, 207, 233, 249, 256, 263, 276.
DELPIT, 190.
DEMAY (Andrée), 41.
DEMOULIN (Mme Gustave), 151.
DENNERY, 22, 190, 209, 215.
DENUZIÈRE (Michel), 267, 276.
DESCAVES (Lucien), 125.
DESMARET (Marie-Anne), 253.
DICKENS, 28, 117.
DIEBOLT (Évelyne), 174, 204.
DOMBRE (Roger), 110.
DOSTOÏEVSKI, 62.
DOUCET (Camille), 218.
DRAULT (Jean), 151, 180, 187, 204.
DROIT (Michel), 257.
DRUMONT (Édouard), 80.
DUBOURG (Maurice), 151, 162, 175.
DUCA (Cino del), 252.
DUCANGE (Victor), 15, 29, 31, 38, 42.
DUCRAY-DUMINIL, 31, 33, 35, 116, 248.
DUMAINE (Philippe), 240.
DUMAS (Alexandre), 28, 45, 56, 73, 75, 82, 95, 103, 107, 179, 205, 211, 242.
DUPRAT (G.), 203.
DUQUESNEL (Félix), 122, 155, 157, 180, 181, 187.
DUTACQ, 16, 43, 275.
DUTOURD (Jean), 145.
DUVERNOIS (Henri), 254.
DUVIVIER (Paul), 100.

EBSTEIN, 208.
ELLIS (Lord), 66.
ÉLY-MONTCLERC, 227.
ÉNAULT (Étienne), 92.
ENNE (Francis), 85.
ERMITE (Pierre l'), 207, 237.
ERNEST-CHARLES (Jean), 193.
ESPIAU (Marcel), 237.

FARRÈRE (Claude), 253.
FAVEROLLE, 39.
FERNAND-HUE, 175, 179, 180, 187.
FERRY (Gabriel), 190.
FEUILLET (Octave), 118, 190, 194.
FÉVAL (Paul), 21, 33, 64, 77, 82, 83, 92, 115, 125, 127, 268, 269, 275.
FÉVAL (Fils), 118, 167.
FIELDING, 248.
FLAMENT (Albert), 254.
FLAUBERT, 193.
FOA (Eugénie), 130.
FOË (Daniel de), 43.
FOUCAULT (Michel), 72.
FOUDRAS, 155.
FRANCE (Anatole), 198, 199.
FRANCE (Hector), 98, 152.
FRÉVAL (Jules), 85.

GABORIAU (Émile), 50, 116, 122, 139, 141, 161, 187, 190.
GAGNEUR (Marie-Louise), 128, 132, 173, 174, 187, 202.
GAILLARD (Robert), 267.
GALOPIN (Arnould), 248.
GALTIER-BOISSIÈRE, 110, 114, 131.
GASTYNE (Jules de), 189, 208.
GAUSSERON (B. H.), 216, 229.
GAUTIER (Théophile), 67, 102, 103.
GENLIS (Mme de), 31.
GEOFFROY (Auguste), 205.
GEORLETTE (René), 114, 146, 208, 216.
GÉRARD (André), 181.
GINISTY (Paul), 69, 72.
GIRARDIN (Émile de), 16, 29, 43, 65, 275.
GLAESENER (Henri), 125.
GOIMARD (Jacques), 116, 119.
GOLON, 265.

GONCOURT (Edmond et Jules de), 58, 101, 119.
GONZALÈS (Emmanuel), 95.
GOURCUFF (Olivier de), 191, 199.
GOURDON (Pierre), 199.
GOZLAN (Léon), 102, 128.
GRAMSCI (Antonio), 65.
GRANCHER (Marcel), 267.
GROC (Léon), 236.
GUÉNARD (Mme), 37, 54.
GUÉRIN (Eugène-Louis), 32, 56, 66.
GUÉROULT (Constant), 109.
GUISE (René), 45, 69.
GYP, 199.

HÉE (Louis d'), 234.
HELLEU, 191.
HERVIEU, 208.
HESSEM (Louis de), 28.
HOLVECK (Charles), 210, 216.
HOUSSAYE (Arsène), 129.
HUGO (Victor), 29, 66, 97, 103, 129.

IVOI (Paul d'), 178, 190.

JAHYER (Félix), 86.
JANIN (Jules), 37, 62.
JAUNIÈRE (Claude), 240, 253.
JEAN-BERNARD, 187, 228.
JOLIET (Charles), 92.
JOSSIN (Janick), 259.
JULES (Léon), 199.

KANTERS (Robert), 263, 265.
KERVOËL (Jean), 219, 220, 229.
KLOTZ (Claude), 267.
KOCK (Henry de), 86, 99, 100, 128, 275.
KOCK (Paul de), 20, 22, 28, 31, 32, 43, 58, 82, 83, 108, 140, 164.
KORDA (Alexandre), 261.

LACASSIN (Francis), 17.
LACROIX (Paul), 74, 86.
LAFOREST (Dubut de), 150, 257.
LA HIRE (Jean de), 22, 44, 160.
LAMARTELIÈRE, 47.
LAMOTHE-LANGON, 32, 54, 66.

LAMY (Jean-Claude), 239.
LANDAIS (Napoléon), 66.
LANDAY (Maurice), 233.
LANG (André), 254, 263.
LAPAUZE (Henry), 218, 219.
LARNAC (Jean), 130.
LAUNAY (de), 11.
LAUNAY (Louis), 210.
LA VAUDÈRE (Jane de), 224.
LAZARE (Bernard), 193.
LEBLANC (Maurice), 104, 190, 227, 233.
LECLERCQ (Jean), 201, 233.
LECONTE DE LISLE, 218.
LEGENDRE (A.), 122.
LE GOFFIC (Charles), 185.
LEGOUVÉ (Ernest), 62, 66, 67.
LEGRAND (Géry), 128.
LEHMANN (René), 37, 38, 103, 157, 195, 206, 270, 271.
LEMAÎTRE (Claude), 181.
LEMAÎTRE (Jules), 181, 193, 199.
LEMER (Jules), 58.
LE MONTREER (Tony), 125.
LEPAGE (Auguste), 139, 146.
LERMINA (Jules), 187, 194, 195, 199.
LEROUX (Gaston), 190, 233, 268.
LEROY (Charles), 204.
LESCALIER (Auguste), 207.
LESPES (Léo), 50, 58.
LESUEUR (Daniel), 22, 217, 229, 233, 235.
LEWIS, 15, 74.
LHOMME (F.), 167, 175, 184.
LIMAYRAC (Paulin), 75.
LIONNET (Henry), 209, 210, 216.
LORIOT (Noëlle), 146.
LORRAIN (Jean), 193.
LUMET (Louis), 75.

MACAIRE (S.), 56.
MAGALI, 236, 240, 243, 244.
MAGNIER (Simone), 238, 244, 249.
MAGNUS, 146.
MAGOG (Henry-Jeanne), 233, 236.
MAGOT SOLITAIRE, 242.
MAHALIN (Paul), 122, 208.
MAIGNAUD (Mme Louis), 32.

MALATO, 152.
MALDAGUE (George), 164, 226.
MALOT (Hector), 191, 197, 198.
MANGIN (Joseph), 66.
MARCH (Harold), 80.
MARGERIE (Eugène de), 154.
MARGUERITTE, 239.
MARIANI, 174.
MARIO (Marc), 80, 153, 209.
MARTIN (Jules), 216.
MARTINEAU (Henri), 136.
MARX (Karl), 29, 64, 65, 66, 269, 270.
MARY (Jules), 21, 22, 85, 151, 156, 161, 165, 174, 195, 204, 207, 236.
MARYAN, 181, 186.
MASSON (Michel), 31, 66, 149.
MATURIN, 15.
MAUBOURG (Jean), 149, 190.
MAUPASSANT, 208.
MAURY (Alfred), 135.
MAX-LYAN, 226.
MAZE (Jules), 175.
MÉLIA (Jean), 229.
MENCHE DE LOISNE, 80.
MÉRIMÉE, 103.
MÉROUVEL (Charles), 149, 151, 156, 198, 204, 207, 236.
MÉRY, 51, 107, 128.
MESNIER (Gabrielle), 166.
MESSAC (Régis), 105, 111, 114.
METAIS (Robert), 12.
METENIER (Oscar), 257.
MEYER (Arthur), 199, 216.
MICHEL (Louise), 189.
MILHAUD (Marianne), 252.
MILL (Henri-Louis), 253.
MILLE (Pierre), 62, 175.
MIRECOURT (Eugène de), 44, 47, 48, 49, 58, 94, 100, 125.
MITTERRAND (François), 269.
MONCADE (C.-L. de), 203.
MONNIER (Henri), 10.
MONNIOT (Albert), 151.
MONSELET (Charles), 58, 80, 85, 90, 93, 102, 103, 114, 119, 129, 138.
MONTÉGUT (Maurice), 149.
MONTÉPIN (Xavier de), 21, 35, 111, 150, 153, 154, 162, 163, 165, 166, 206, 214, 217, 276.
MONTFERRAND (Alfred de), 93, 100.
MONTFORT (Eugène), 175.
MONTHERLANT, 343.
MONTOLIEU (Mme de), 31.
MORELLE (Paul), 258.
MORPHY (Michel), 85, 149, 150, 152, 154, 191, 202.
MOSELLI, 189.
MURET (Théodore), 80.
MUSSET (Paul de), 82.

NAVERY (Raoul de), 154.
NETTEMENT (Alfred), 61, 72, 103, 114.
NEULLIÈS (Berthe), 164.
NEUSCHÄFER (H.-J.), 136.
NEUWIRTH (Loi), 251.
NINOUS (Pierre), 22, 151, 156, 185, 187, 276.
NORD (Pierre), 268.
NORIEY (Pierre), 72.
NOUR (Michel), 207.

OHNET (Georges), 21, 78, 151, 163, 186, 187, 190, 191, 199, 204, 212, 236, 276.
OLD NICK, 45, 46.
OLIVIER-MARTIN (Yves), 89, 114, 125, 175, 187, 216, 229.
ORECHIONI (P.), 42.

PAIN, 30.
PANNIER (Sophie), 130.
PARENT (P.), 42.
PARVILLEZ (Alphonse de), 237.
PECQUERY, 254.
PÉRI (André), 187.
PERRAULT, 245, 248.
PERRIN (Maximilien), 85, 90, 92, 94, 95, 96, 98, 128.
PESCH (Édouard), 215.
PETIT DE JULLEVILLE, 129.
PETITHUGUENIN (Jean), 207.
PIERRARD (Pierre), 83, 90.
PIGAULT-LEBRUN, 19, 28, 32, 38, 40, 47, 83, 116, 164, 248.
PLEYNET (Marcelin), 64.

PONROY (Arthur), 115.
PONSON DU TERRAIL, 20, 21, 37, 50, 82, 99, 100, 101, 114, 116, 120, 121, 127, 131, 132, 134, 137, 140, 142, 144, 156, 157, 159, 160, 161, 172, 181, 194, 205, 206, 225, 268, 275, 276.
PONT-JEST (René de), 68.
PONTMARTIN (Alfred), 136, 177.
POUPON (René), 207.
PRADEL (Georges), 208.
PRAVIEL (Armand), 102, 103, 104, 111, 112, 113.
PREVOST, 239.
PRIOLLET (Julien), 248.
PRIOLLET (Maxime), 149, 235, 248, 249, 261.

QUÉRARD (Joseph-Marie), 90.

RABAN, 32, 54, 56, 66.
RADCLIFFE (Mrs.), 15.
RAMBAUD (Yvelaing), 150.
RAMBURES (Jean-Louis), 255, 256.
RAVACHOL, 189.
RÉCAMIER (Mme), 94.
RENAUD (Jean-Joseph), 208.
RESCHAL (Antonin), 203.
REVEL (Jean-François), 260, 265.
REYBAUD (Louis), 16, 45.
REYBAUD (Mme Charles), 11.
REY-DUSSEUIL, 54.
RIANCEY (Loi), 20, 81, 82, 115.
RICARD (Auguste), 28, 29, 32, 57.
RICCOBONI (Mem), 31, 132, 245.
RICHARDSON (Samuel), 15, 40.
RICHEBOURG (Émile), 21, 22, 151, 154, 156, 160, 161, 165, 167, 170, 173, 179, 184, 190, 212, 213, 235, 276.
RIGAULT (Raoul), 180.
RIMBAUD, 165.
ROBERT (Clémence), 20, 21, 83, 84, 93, 99, 129, 132.
ROBERT-KERALIO (Mme), 37.
ROCHAT (Fr.), 110.
ROLLAND (Mme), 226.
ROLLIN (Jean), 254.
ROMAINS (Jules), 56, 58.

ROSNY (Aîné), 62, 119.
ROUSSEL (Robert), 199.
ROYER (Alphonse), 46, 56.

SACY (Samuel de), 67, 72.
SAINTE-BEUVE, 69, 136.
SAINT-LANNE, 216.
SAINT-PAUL-ROUX, 210.
SAINT-VENANT (Mme de), 32.
SAINVILLE (Eugène), 57.
SALENNE (Ernest), 155, 156, 162.
SALES (Pierre), 156, 168, 207, 236.
SALMON (André), 56, 58.
SALOMON (Marie), 238.
SAMET (Jean-Pierre), 175.
SAND (George), 93, 97, 174.
SANDRE (Thierry), 211.
SARTIN (Pierrette), 242.
SAZIE (Léon), 208.
SCHOLL, 156, 194.
SCOTT (Walter), 12.
SENANCOUR, 93.
SERMET (Julien), 153.
SERVIEN (Michèle), 41.
SIGNOL (A.), 56.
SIMART (Hélène), 253.
SIMENON (Georges), 207.
SIRVEN (Alfred), 197.
SLAUGHTER, 262.
SOUBIRAN, 262.
SOULIÉ (Frédéric), 12, 20, 73, 80, 107, 117, 118, 120, 124.
SOUVESTRE (Émile), 58.
SOUVESTRE (Pierre), 190.
SPITZMULLER, 204.
STENDHAL, 129, 136.
SUE (Eugène), 12, 16, 20, 21, 37, 45, 46, 55, 59, 72, 75, 82, 87, 92, 93, 94, 96, 103, 107, 113, 120, 121, 124, 141, 160, 167, 181, 205, 225, 248, 275.
SULLEROT (Évelyne), 252.

TALMEYR (Maurice), 168, 172, 175, 205.
TAXIL (Léo), 152, 202.
TERAMOND (Guy de), 234, 235.
TEXIER (Edmond), 65, 71.

THIBAUDET (Albert), 75.
THIBOUST (Lambert), 132.
THOORENS (Léon), 114.
TISSOT (Ernest), 218, 220, 221, 229.
TISSOT (Victor), 180.
TOLSTOÏ, 62.
TOPIN (Marius), 125, 139, 140, 141, 142, 146.
TORTEL (Jean), 12, 32, 61, 66.
TREICH (Léon), 114.
TROYAT (Henri), 259, 267.
TURPIN DE SANSAY, 150.
TUTTLE (Margaret), 257.

UCHARD, 190.

VALADE (Frédéric), 110.
VALDIER (Jean), 85.
VALMY-BAYSSE (Jean), 208.
VANDERBURCH (Émile), 52.
VAN HERP (Jacques), 118, 125.
VAPEREAU, 83, 105, 114, 133, 134, 136.
VAST-RICOUARD, 206.
VAYRE (Charles), 235.
VERNE (Maurice), 220, 229.

VERNIER (Maurice), 122.
VÉRON, 44.
VÉRY (Pierre), 253.
VEUILLOT (Louis), 164.
VEUZIT (Max du), 236, 238, 240, 244.
VIGNON (Claude), 164.
VILLAS (Belz de), 194.
VILLEMER (Maxime), 226.
VILLIERS (Gérard de), 268.
VINCY (René), 235, 237.
VIROLLES (René), 31.
VITIS (Charles de), 190.
VRIGNAULT (Pierre), 202, 203.

WEY (Francis), 44.
WITKOWSKI (Georges), 58.
WOLFF (Albert), 157.
WOOD (J. S.), 32.

XAU, 194.

ZACCONE (Pierre), 123, 150, 163.
ZÉVACO (Michel), 93, 150, 207.
ZÉVAÈS (Alexandre), 162.
ZOLA, 167, 169, 199, 260.

Index des œuvres

Abandonnés, 186.
Abbé Delacollonge (L'), 85.
Adélaïde de Méran, 33.
Affaire Plantin (L'), 254.
À force d'aimer, 219, 220.
Agathe, 39.
Aimé de son concierge, 140, 143, 144, 145.
Albert, 41.
Amant de Lucette (L'), 99.
Amant de la lune (L'), 48, 49, 51.
Amour d'aujourd'hui, 219.
Amour défendu, 171.
Amour d'enfant, amour d'homme, 166.
Amour à seize ans (Un), 101.
Amours de Dumollard (Les), 85.
Andréa la charmeuse, 180.
Ange du faubourg (L'), 191.
Angélique et Jeanneton, 33, 37.
Angélique, marquise des Anges, 265.
Annette Laïs, 124.
Arme invisible (L'), 118, 124.
Arsène Lupin, 35, 104.
Artiste et le Soldat (L'), 40.
Arthur, 62.
Atar-Gull, 62.
Aventures d'un émigré (Les), 117.
Aventures d'un gentilhomme parisien (Les), 66.

Bâillonnée (La), 209.
Bande de la belle Alliette (La), 143.

Bande Cadet (La), 118.
Bande noire (La), 56.
Baron de Frémoutier (Le), 133.
Baronne trépassée (La), 102, 113.
Bas-Fonds de Paris (Les), 191.
Bas-Fonds du grand monde (Les), 248.
Bâtard (Le), 186, 187.
Bâtard de Rocambole (Le), 149.
Bel Demonio, 120.
Belle Étoile (La), 119, 120, 125.
Belle Ténébreuse (La), 171.
Belles de nuit (Les), 123.
Belphégor, 235.
Berger de Kravan (Le), 69.
Bien-Aimée (La), 171.
Bonnet vert (Le), 51.
Bossu (Le), 82, 118, 119, 120.
Boucher de Meudon (Le), 85, 170.
Bourgeois de Vitré (Le), 123.
Brin-d'amour, 99, 275.
Brune et Blonde, 209.
Brute (La), 256, 257, 261, 262.
Buveuse de larmes (La), 209, 212.

Cabinet de lecture (Le), 30.
Calvaire de femme, 221, 224.
Calvaire des femmes (Le), 128, 174.
Camarades jaunes (Les), 205.
Cape et de plume (De), 256, 258.
Capitaine Corcoran (Le), 118.
Capitaine Paul (Le), 45.

Cathédrale de haine (La), 262.
Catherine, 267.
Cendrillon, 181, 182.
Chambre du crime (La), 139.
Chambrion (Le), 102.
Chantecoq, 234.
Chapeau gris (Le), 208, 209, 212.
Chaste et Flétrie, 149, 151, 197, 198, 214, 215.
Château du clown (Le), 255.
Château de la Juive (Le), 260, 263.
Châtiments (Les), 103.
Chatte blanche (La), 248.
Chevalier de sacristie (Un), 173.
Chevaliers du clair de lune (Les), 109.
Chevaliers du Lansquenet (Les), 155, 157.
Chiffonnier (Le), 56.
Cinq (Les), 119, 123.
Claire d'Albe, 15.
Clarisse Harlowe, 15.
Club des phoques (Le), 117.
Cocu (Le), 50, 51, 86.
Cœur d'acier, 118, 124.
Cœur de française, 234.
Cœur-de-neige, 185.
Coelina, 248.
Colonel Ramollot (Le), 204.
Comédie humaine (La), 52.
Compagnons du Silence (Les), 119, 120.
Compagnons du Trésor (Les), 124.
Comptoir (Le), 54.
Comte de Foix (Le), 79.
Comte Omnibus (Le), 142.
Comtesse de Charny (La), 242.
Comtesse de Monrion (La), 74, 77.
Comtesse Sarah (La), 194, 196.
Concierge de la rue du Bac (Le), 49.
Confession générale (La), 77, 79.
Confessions d'amour (Les), 248.
Confitou, 233.
Conquête de la cuisinière (La), 141, 144.
Conseiller d'État (Le), 75.
Contes à Ninon (Les), 233.
Corde du pendu (La), 109.
Corruptrice (La), 260, 262.
Corso rouge, 207.
Coulisses du monde (Les), 104, 106, 107, 108, 112.
Coup de revolver (Un), 170, 172.
Crime de l'exposition (Le), 254.
Crime d'une sainte (Le), 209, 215.
Crimes de l'amour (Les), 151, 173.
Croisade noire (La), 173, 174.
Dame du cirque (La), 254.
Dame en gris (La), 198.
Danseuse assassinée (La), 210.
Défunt Brichet, 144.
Demi-Vierges (Les), 239.
Demoiselle de compagnie (La), 160.
Demoiselle de l'usine (La), 209.
Démon boche, 233.
Démon de l'amour (Le), 168.
Dépouilles sanglantes (Les), 166.
Dernier Mot de Rocambole (Le), 108, 110.
Dernier Vivant (Le), 123.
Dernière Aventure de Corentin Quimper (La), 119.
Deux Berceaux (Les), 179, 180, 183.
Deux Cadavres (Les), 75, 76.
Deux Cartouches du XIXe siècle (Les), 66.
Deux Crimes de Thècles (Les), 243.
Deux Frangines (Les), 211.
Deux Gosses (Les), 209, 212, 215.
Deux Mères (Les), 182, 184.
Deux Orphelines (Les), 190.
Deux Sœurs (Les), 131, 132, 133, 141.
Diane de Chivry, 76.
Diane-la-Pâle, 173.
Docteur Rameau (Le), 194, 198.
Dolorès la Créole, 204.
Dompteuse rouge (La), 149.
Donneur (Le), 256, 257, 263, 264.
Douze travaux d'Ursule (Les), 99.
Drame de la rue de la Paix (Le), 141.
Drame de l'étang aux biches (Le), 243, 245.
Drames de l'adultère (Les), 161.
Drames de Paris (Les), 108, 109, 110, 113.
Droit à la force, 219.
Droit de l'enfant (Le), 198.
Droits du mari (Les), 173.
Duc de Guise (Le), 79.
Duchesse de Chevreuse (La), 94.

Eléonore, 52.

Élodie, 41.

Émile de Valbrun, 54.

En ce temps-là, 50.

Enfant de l'amour (L'), 88.

Enfant du Carnaval (L'), 33, 34, 35, 248.

Enfant de ma femme (L'), 47.

Enfant du faubourg (L'), 179.

Enfant du viol (L'), 208.

Enfant volé (L'), 88.

Enfants du boulevard (Les), 51.

Enfants de la marquise de Ganges (Les), 44.

Entremetteuse (L'), 259.

Envoûteuse (L'), 257.

Épave parisienne (Une), 151.

Errants de nuit (Les), 124.

Esclave... ou reine, 238, 247.

Étoile (L'), 194, 198.

Étuvistes (Les), 58.

Eulalie Pontois, 74, 77.

Fabrique de mariages (La), 121, 123.

Faiseur d'hommes (Le), 150.

Famille Gogo (La), 55.

Famille, s'il vous plaît (Une), 93.

Famille parisienne au XIXᵉ siècle (Une), 131, 135.

Famille Tricot (La), 88.

Fantômas, 178, 190, 191, 206, 235.

Fausta, 263.

Femme de chambre, 152.

Femme du banquier (La), 124.

Femme du peuple (Une), 66.

Femme immortelle (La), 113.

Femme, le Mari et l'Amour (La), 53.

Femme nue (La), 208.

Femme supérieure (Une), 238, 239.

Fernand Duplessis, 70.

Fêtards de Paris (Les), 209, 214, 215.

Fiacre n° 13 (Le), 151.

Fiancée de Lorraine (La), 167.

Fiancée d'outre-mer, 224.

Fille de chouans, 245.

Fille de Marguerite, 153.

Fille du député (La), 194, 197.

Fille du forçat (La), 88.

Fille du fusillé (La), 189.

Fille maudite (La), 183.

Fille-Mère (La), 32.

Fille d'un joueur (La), 132.

Filleul de Rocambole (Le), 110.

Filles de bronze (Les), 152, 156.

Filles de joie (Les), 259, 260, 263.

Filles de plâtre (Les), 155, 156.

Fils (Le), 182.

Fils de l'amant (Le), 223.

Fils du diable (Le), 117, 120, 123.

Fin du monde (La), 54.

Fin d'une Walkyrie (La), 246.

Folie espagnole (La), 33.

Folies de jeunesse (Les), 87.

Forçats du mariage (Les), 173, 174.

Forêt de Rennes (La), 118.

Forgerons (Les), 80.

Frère Jacques, 53.

Gabrielle, 130.

Gaga, 150.

Gamin de Paris (Le), 66.

Gandins (Les), 112, 113.

Garçonne (La), 239.

Georgette, 47, 49.

Georgine, 130, 131, 132, 133.

Gigolette, 209, 212, 213.

Gilles de Cesbres, 244.

Gilbert et Gilberte, 71.

Gitane (La), 156.

Grande Iza (La), 202.

Grande Marnière (La), 192.

Grisette (La), 57, 275.

Gustave, 48.

Habits noirs (Les), 118, 119, 120, 121, 122, 123, 124.

Haine de femme (Une), 180.

Héléna Aldenar, 54.

Héritage de Cendrillon (L'), 248.

Héritage d'un pique-assiette (L'), 141, 143.

Héritage mystérieux (L'), 109, 110.

Héritier du duc de Sailles (L'), 245, 246.

Histoire de France, 93.

Homme aux cent visages (L'), 233.

Homme aux figures de cire (L'), 156.

Homme aux lunettes noires (L'), 76, 183.

Homme à projets (L'), 37.
Homme de la nature (L'), 53.
Homme du gaz (L'), 119, 123.
Homme et l'Argent (L'), 58.
Honneur d'une femme (L'), 225.
Hôtel de Niorres (L'), 76.
Humiliés et Vengés, 58.

Impéria, 235.
Impure (L'), 256, 257, 260, 261.
Inspecteur Tony (L'), 234.
Inutile Richesse (L'), 194, 197.
Invincible Charme (L'), 226.

J'ai tué mon cœur, 248.
Jean-Diable, 118.
Jeanne la folle, 94.
Jenny l'ouvrière, 14, 190.
Jésuites! 119.
Jeune Fille emmurée (La), 243, 246, 247.
Jolie Fille du faubourg (La), 49, 54.
J'ose, 255, 256.
Judex, 235.
Juif errant (Le), 68, 69, 117, 202.
Justice de femme, 228.
Justicier fantôme (Le), 85.

Laitière de Montfermeil (La), 51.
Lampe ardente (La), 239.
Laquelle des deux, 87.
Léonide, 39.
Lèvres closes, 219.
Libérateurs de l'Irlande (Les), 122.
Lise Fleuron, 196, 198.
Lointaine Revanche, 222, 224, 227.
Louisiane, 267.
Loup blanc (Le), 118, 121.
Love Story, 269.
Lucienne, 179.
Lumière jaune (La), 118.
Lune d'or (La), 239, 247.
Lys royal (Le), 224.

Maçon de Notre-Dame (Le), 66.
Mademoiselle Giraud, ma femme, 165.
Mademoiselle de La Ferté, 62.
Mademoiselle Rocambole, 110.
Madame de Ferneuse, 220.

Madame Gil-Blas, 92, 117, 121, 123.
Madame La Boule, 165.
Madeleine, 53.
Madone des Sleepings (La), 235.
Magnétiseur (Le), 76, 77.
Main sanglante (La), 224, 226.
Maison blanche (La), 52, 53, 54.
Maison-grise (La), 151.
Maison maudite (La), 156.
Maître d'école (Le), 74, 78, 80.
Maître de forges (Le), 151, 192, 193, 194, 195, 196.
Maman Léo, 118, 119, 123.
Marcelle, 220.
Marc Loricot, 40.
Marchande de fleurs (La), 156.
Mariage de confiance (Un), 166.
Mariage de convenance (Un), 186.
Mariage aux écus (Le), 88.
Marianne, 267.
Marie des Iles, 267.
Ma robe couleur de temps, 238.
Marquis de Carabas (Le), 238, 245.
Marquis de Valcor (Le), 220, 224.
Marquise Cornélia d'Alfi (La), 65.
Martin, l'enfant trouvé, 69, 248.
Martyrs de Lyon, 43.
Masque d'amour (Le), 224, 228.
Mathilde, 15.
Mathilde, 67, 69, 80, 124.
Maudite (La), 257, 262.
Médérine, 131, 132.
Médecin confesseur (Le), 40, 41, 42.
Médecin des folles (Le), 159, 160.
Mémoires, 52.
Mémoires du diable, 73, 74, 75.
Mémoires d'un jeune, 254.
Mémoires d'une Lorette (Les), 87.
Mémoires d'un savetier (Les), 66.
Mendiant noir (Le), 124.
Mendiants de Paris (Les), 94, 95, 96, 97.
Mendigote (La), 204.
Mère à quinze ans... par la faute de qui?, 248.
Mésange, 233.
Midinette et Nouvelle Riche, 236.
Miette et Broscoco, 183.
Millions du père Raclot (Les), 183.

Misère des riches (La), 166.
Misérables (Les), 65, 66, 76.
Misères de Londres (Les), 109.
Mitsi, 246.
Mondaine, 197.
Mon oncle Thomas, 33.
Monsieur Botte, 33, 37.
Monsieur Dupont, 48, 52.
Monsieur Lecoq, 122.
Monsieur et madame Saintot, 57.
Mon voisin Raymond, 52.
Morte au champ d'amour, 248.
Mortel Secret, 224, 226.
Mystères de demain (Les), 118.
Mystères de Kama (Les), 224.
Mystères de Londres (Les), 60, 65, 111, 117, 120, 121, 122, 123, 124.
Mystères de New York (Les), 210, 235.
Mystères de Paris (Les), 46, 60, 62, 63, 65, 66, 67, 68, 69, 96, 109, 122, 269.
Mystères du lapin blanc (Les), 202.
Mystères du monde (Les), 98.
Mystères du peuple (Les), 70, 98.

Nella de Sorville, 39.
Nemrod et Cie, 194, 196, 197.
Nièce du banquier (La), 131, 134.
Nietzschéenne, 219, 221, 226.
Notre-Dame de Paris, 62.
Nous marions Virginie, 140.
Nouveaux Exploits de Rocambole (Les), 109.
Nuit tombe (La), 242.
Nuits rouges (Les), 167.

Odyssée de Claude Tapart (L'), 180.
Officier sans nom (L'), 254.
Oncle du Monsieur de Madame (L'), 142.
Oreille du cocher (L'), 139.
Orpheline de Ti-Carrec (L'), 243, 244, 245.
Ouvreuse de loges (L'), 57.
Ouvriers (Les), 54, 66.
Ouvrières de Paris (Les), 213, 215.
Ouvriers de Londres et de Paris (Les), 123.

Pair de France (Le), 130.
Paméla, 15.

Paradis des femmes (Le), 119, 121, 122, 124.
Paris-vampire, 267.
Parisiens au chemin de fer (Les), 49.
Partisan (Le), 194, 198.
Parvenus (Les), 121.
Pas de divorce!, 119.
Patte-de-fer, 122.
Paula Monti, 60, 70.
Paul Guy, 66.
Péché de Marthe (Le), 204.
Pécheresse (La), 124.
Petit-Fils de Cartouche (Le), 51.
Petit-Fils de Rocambole (Le), 110.
Petite Chanoinesse (La), 241.
Petite Mionne (La), 151, 152, 183.
Petite Paroisse (La), 217.
Pigeonnes (Les), 167, 169, 171, 172.
Pirates de la Seine (Les), 156.
Plaintes dans la nuit (Des), 243, 246.
Plick et Plock, 62.
Pluie d'or (La), 98.
Pocharde (La), 152, 166, 168, 169, 189, 215.
Poisson d'or (Le), 121.
Porte scellée (La), 241.
Porteuse de pain (La), 156, 158, 159.
Pourquoi?, 139.
Prêteur sur gages, 56, 139.
Prêtre et la danseuse (Le), 86.
Prince Formose (Le), 71.
Pucelle de Belleville (La), 51.
Puritains de Paris (Les), 82.

Quatre sergents de la Rochelle (Les), 121, 126.
Quatre Sœurs (Les), 80.
Quittance de minuit (La), 122.

Régiment (Le), 167.
Réprouvées (Les), 173.
Républicain des campagnes (Le), 69.
Résurrection de Rocambole (La), 109, 110.
Retour de Rocambole (Le), 109.
Réveillez Sophie!, 142.
Revenants (Les), 118, 125.

Riches et Pauvres, 58.
Robert Macaire, 57.
Robinson Crusoé, 43.
Rocambole, 82, 102, 103, 104, 105, 107, 205.
Rocambole en prison, 109.
Roger-la-Honte, 152, 170, 171, 172, 173, 262.
Roi des Andes (Le), 247.
Roi du bagne (Le), 76.
Roi des cuistots (Le), 233.
Roi des gueux (Le), 119.
Roi des limiers (Le), 139.
Roi milliard (Le), 152.
Roman d'un berger (Le), 166.
Roman d'une étoile (Le), 222, 224, 226, 227.
Roman chez la portière (Le), 10.
Roman de l'ouvrière (Le), 190.
Roman d'un employé (Le), 183.
Roman d'un jeune officier pauvre (Le), 234.
Roman d'une modiste (Le), 153.
Roman d'un prêtre (Le), 173.
Roman de l'ouvrière (Le), 190.
Roman pour les cuisinières (Le), 53.
Roue fulgurante (La), 22.
Rue des Enfants-Rouges (La), 113.
Rue de Jérusalem (La), 118, 123, 124.

Sage-Femme (La), 57.
Salons et souterrains, 107.
Saltimbanque (Le), 97.
San Antonio, 263.
Sang dans les ténèbres (Du), 228.
Sanscravate, 54, 55, 56.
Sans famille, 191.
Satanas, 234.
Saturnin Fichet, 77.
Saucisson à pattes (Le), 139.
Saurel (La), 57.
Séduite et Vengée, 63.
Sept Péchés capitaux (Les), 71.
Serge Panine, 196, 198.
Serpent (Le), 80.
Si j'étais riche!, 143.

Si jeunesse savait, si vieillesse pouvait, 75, 76.
Six mois de correspondance, 76.
Sœur des fantômes (La), 118.
Souliers du mort (Les), 142.
Soutane (La), 234.
Souvenirs d'un escroc du grand monde (Les), 66.
Splendeurs et Misères des courtisanes, 67.
Sultan du quartier (Le), 88.

Tache rouge (La), 123.
Tambour de la 32ᵉ (Le), 76.
Tavernière de la Cité, 57.
Tempêtes du cœur (Les), 209, 215.
Terrible amour des sœurs Marquès (Le), 252.
Thélène, 39.
Thérésa, 11.
Tom Jones, 248.
Tournant des jours (Au), 224.
Tricheuse (La), 258, 263.
Trois GilBlas (Les), 47.
Trois Mousquetaires (Les), 111.
Troisième Œillet, 252.
Trois Sergents de La Rochelle (Les), 94, 96, 97.
Trompette de la Bérésina (Le), 105.
Trop jolie, 181.
Troppmann, 85.
Tueur de tigres (Le), 123.
Tueurs d'illusions (Les), 248.

Valentine, 39.
Valentine de Rohan, 122.
Vampire (La), 118.
Vendeurs de patrie (Les), 210.
Vengeance du beau vicaire (La), 173.
Vengeance de Ralph (La), 243.
Veuve de Sologne (La), 178.
Vieille Fille (La), 44.
Vierge du Guildo (La), 207.
Vierge et Martyre, 149.
Vierge et Mère, 150.
Ville vampire (La), 118.

Table

Introduction 9
Littérature pour les femmes ou littérature des femmes?, 10. — Le
roman populaire : littérature ou sous-littérature?, 11.

Plan 19
Naissance : Du héros romantique au petit bourgeois (1840-1870), 19.
— Maturité : Un genre conformiste (1870-1920), 21. — Décadence :
L'ère psychologique (1920-1977), 23.

I. Naissance : Du héros romantique au petit bourgeois
1840-1870

Chapitre premier. Origines du roman populaire 27
Lectures populaires, 29. — Attaques contre les cabinets de lecture, 30.
— Une clientèle féminine?, 30. — L'univers des cabinets de lecture, 31.
— Portée des romans pour cabinets de lecture, 32. — Préhistoire. Apparition des concierges, 32. — Distraire en émouvant, 33. — Horreur ou
gaieté?, 34. — Le peuple, ce héros, 34. — Un héritage du roman
« noir », 35. — Une œuvre réaliste?, 36. — Un univers baroque et réaliste, 37. — Du roman noir au roman-feuilleton, 38. — Le « Corneille
du boulevard », 38. — Un auteur de transition, 39. — Sentimentalisme
et baroque, 40. — Vers un nouveau type de lecture, 42. — *Bibliographie*, 42.

Chapitre II. Paul de Kock et ses disciples 43
1. Le feuilleton, lecture collective 43
Le feuilleton, œuvre collective, 44. — Une mine d'or pour les auteurs
et les journaux, 44. — Le feuilleton, nourriture familiale, 45. — Une
usine à émotions, 45. — Tendances générales du feuilleton, 46.

2. Un nouveau vieil auteur 47
Un humoriste tranquille, 47. — Un auteur à succès, 47. — Une des
gloires du feuilleton?, 48. — Un écrivain abondant, 49. — Un auteur
aussi vite oublié que lu?, 49.

3. La technique romanesque 50
Un mystère..., 52. – ... Et la solution du mystère, 53. – Une bonne
humeur contagieuse, 55. – Quelques jugements, 56.

4. Quelques disciples 57
Auguste Ricard, 57. – Marie Aycard, 57. – Émile Souvestre, 58.
– Bibliographie, 58.

Chapitre III. Eugène Sue 59
Bibliographie, 71.

Chapitre IV. Frédéric Soulié 73
Bibliographie, 80.

Chapitre V. Les héritiers de Kock et de Sue (1850-1854) 81
Mort du feuilleton?, 81. – Les périodiques populaires, 82. – Évolution du roman populaire, 83. – Maximilien Perrin, 85. – Un sous-
héritier de Kock?, 86. – Bibliographie, 89.

Chapitre VI. Les lendemains de 48. Un roman populaire socialiste? 91
Clémence Robert, 93. – Une œuvre généreuse, 94. – Henry de Kock,
99. – Bibliographie, 100.

Chapitre VII. Rocambole et la suite (1855-1870) 101
« Ce pauvre garçon »?, 101. – L'homme de main du régime?, 103.
– Première naissance de Rocambole, 105. – Rocambole ou Rocambolle?, 108. – Une épopée de la lecture courante, 112. – Bibliographie, 114.

Chapitre VIII. Paul Féval 115
Un univers héroïque, 120. – Un jeu à plusieurs, 121. – Bibliographie, 125.

Chapitre IX. Essor du roman féminin 127
Mᵐᵉ Ancelot, 129. – Un auteur sage, 130. – Bibliographie, 135.

Chapitre X. Du rire au crime 137
Eugène Chavette, 138. – Le Monnier des concierges, 139. – Bibliographie, 145.

II. Maturité
1870-1920

Chapitre premier. Entre l'alcôve et le taudis 149
Xavier de Montépin, 154. – Bibliographie, 162.

Chapitre II. Du naturalisme au mélo 163
Jules Mary, 165. – Marie-Louise Gagneur, 173. – Bibliographie, 174.

Table 301

Chapitre III. Triomphe du larmoyant 177
Émile Richebourg, 179. – Pierre Ninous, 185. – *Bibliographie,* 187.

Chapitre IV. Triomphe du larmoyant *(suite)* 189
Vers la diversification du roman populaire, 190. – Essor des collections populaires, 191. – Georges Ohnet, 192. – L'art des nuances, 194. – Lieux communs de l'amour?, 196. – *Bibliographie,* 199.

Chapitre V. L'héritage du mélo 201
Une humanité de roman populaire, 202. – Pierre Decourcelle, 208. – Une œuvre composite?, 211. – *Bibliographie,* 216.

Chapitre VI. Le roman de l'énergie 217
Daniel Lesueur, 218. – Une œuvre de volonté, 221. – Un genre modernisé, 223. – *Bibliographie,* 228.

III. DÉCADENCE
1920-1928

Chapitre premier. Delly 233
Arthur Bernède, 233. – Changement de génération, 236. – Une vague d'auteurs féminins, 236. – Collections populaires, 237. – Un couple énigmatique, 238. – Une vie secrète, 239. – Pourquoi cette magie?, 240. – Un même et seul graphique, 241. – Un seul auteur?, 242. – Un souffle unique, 243. – Le mal et le bien, 244. – Un édifice à plusieurs étages, 244. – A l'ombre de Perrault, 245. – Des convertisseuses, 247. – Marcel Priollet, 248. – *Bibliographie,* 249.

Chapitre II. Guy des Cars 251
La lecture, phénomène de masse, 251. – Fin des éditions populaires, 252. – Une image de marque?, 253. – Un dynamiteur?, 255. – Les cinq lois, 256. – Rupture avec Delly?, 256. – Le roman-enquête, 257. – Le courrier des lecteurs, 258. – Sur la pente des passions, 258. – Des histoires qui font mouche, 261. – L'éternel couple, 262. – *Bibliographie,* 265.

Conclusion 267
Brève chronologie 273
Bibliographie 277
Index des auteurs 285
Index des œuvres 292